EDITORIAL PRESENÇA

OS BASTIDORES
DA OPA

MANUEL LEITÃO

OS BASTIDORES DA OPA

EDITORIAL PRESENÇA

FICHA TÉCNICA

Título: *Os Bastidores da OPA*
Autor: *Manuel Leitão*
Copyright © by Manuel Leitão e Editorial Presença, Lisboa, 2007
Fotografia: © *Getty Images*
Capa: *Ana Espadinha*
Composição, impressão e acabamento: *Multitipo — Artes Gráficas, Lda.*
1.ª edição, Lisboa, Julho, 2007
Depósito legal n.º 260 529/07

Reservados todos os direitos
para a lingua portuguesa à
EDITORIAL PRESENÇA
Estrada das Palmeiras, 59
Queluz de Baixo
2730-132 BARCARENA
Email: info@presenca.pt
Internet: http://www.presenca.pt

ÍNDICE

Ao meu Pai

NOTA PRÉVIA

Apenas duas breves palavras sobre Ofertas Públicas de Aquisição. O leitor encontrará nestas páginas várias referências ao funcionamento do mercado de capitais e a disposições legais e regras de supervisão. Em grande parte, estas têm vindo a vulgarizar-se devido ao acompanhamento que a comunicação social vem fazendo das Ofertas Públicas de Aquisição. De um modo geral, os mecanismos descritos neste livro estão de acordo com essas disposições legais e os procedimentos actualmente vigentes. No entanto, tratando-se de um romance e não de um livro sobre mercados financeiros, para facilitar a leitura ou o desenvolvimento da história, utilizei aqui e ali alguns procedimentos do anterior Código ou simplificações de procedimentos vigentes. Não deve por isso o leitor mais conhecedor estranhar se encontrar algumas liberdades nestas matérias.

Tenho para mim que uma OPA cria à sua volta um ambiente especialmente propício ao desenrolar de um drama. A perspectiva de mudanças drásticas nas empresas e de deslocações dos centros de gravidade do poder desperta sentimentos, exalta egos e inflama ódios, provocando alterações de comportamento por vezes surpreendentes. Intriga, ambição, desespero, traição, inveja e ganância entram rapidamente em cena. São os actores principais que tentam conservar ou aumentar o seu poder e realizar mais-valias impensáveis há uns anos. São os secundários que, não tendo acesso a tanto dinheiro ou poder, buscam pelo menos a sua proximidade. É a tensão e a ansiedade em torno do resultado da operação.

A OPA fornece neste livro o pano de fundo no qual se desenvolvem os encontros e desencontros das personagens e das histórias que se cruzam neste romance. Não sendo um livro sobre OPA e muito menos sobre as operações que decorrem actualmente ou decorreram

11

no passado no mercado português, desengane-se o leitor se pensa encontrar alusões expressas ou veladas a personagens, instituições ou situações dessas operações. Neste livro todas são fictícias.

Trata-se apenas de uma história divertida que espero lhe proporcione alguns momentos de leitura agradável.

O Autor

1

S. CARLOS E OS PRÍNCIPES

Faltavam cinco minutos para as oito, quando Bernardo Hallbrook de Noronha conseguiu transpor as portas do S. Carlos. Dez minutos depois da hora marcada pelo protocolo, mas ainda a tempo de ocupar o seu lugar, antes da chegada do Presidente da República. O seu motorista conseguiu aquilo que parecera impossível, face ao enorme engarrafamento que entupia completamente as ruas da capital naquela noite. Quando entrou no teatro, com Mafalda, a sua mulher, e o seu jovem secretário, Miguel Macedo, já se viam a entrar na Rua Ivens os batedores do Presidente.

Cumprimentados apressadamente governador e vice-governador do Banco de Portugal e suas mulheres, Bernardo subiu rapidamente a escada e tomou o lugar no seu camarote, poucos segundos antes de o Presidente dar entrada no «camarote real». Eleito há poucos meses, era a primeira vez que o novo Presidente vinha ao S. Carlos, nessa qualidade. Acompanhavam-no no camarote a sua mulher, o presidente da Assembleia da República e mulher, o primeiro-ministro com a mulher, e na fila de trás o chefe da Casa Civil e duas assessoras.

Logo que o hino nacional, interpretado pela orquestra sinfónica portuguesa terminou, a sala brindou o Chefe de Estado com uma estrondosa salva de palmas. Pouco habitual para um político. O Presidente, demonstrando ainda alguma falta de à-vontade, agradeceu com discreto aceno de cabeça acompanhado por um breve gesto com a mão direita. A sua mulher, um passo atrás, observava, sem conseguir esconder o seu contentamento. Porém abstinha-se de acenar. Era uma mulher elegante que em nova fora bonita. Sem dúvida um casal simpático que gozava de grande popularidade, pelo menos naquela noite no S. Carlos...

A sala estava repleta. Podiam ver-se ministros, deputados, magistrados, presidentes de bancos e grandes empresas, altos funcionários, embaixadores, e toda a espécie de notáveis da nossa sociedade.

O governador, há pouco tempo em funções, quisera assinalar de maneira diferente os 162 anos do Banco Central. Melómano desde jovem, escolhera esta forma de comemorar a data, afirmando também assim a sua independência.

Bernardo Noronha folheava distraído o programa do concerto que recebera à entrada. Chopin e Mahler. Prometia. Artur Pizarro tocaria o Concerto n.º 1 para Piano e Orquestra e duas pequenas peças de Chopin. Bernardo gostou, mas não conseguia afastar do seu pensamento a reunião que deveria estar a começar a essa hora em Nova Iorque e que poderia ter para si consequências devastadoras. Conseguia apesar disso aparentar alguma calma. Só Mafalda percebia a sua ansiedade, ainda que sem saber a causa. Bernardo olhava de vez em quando para ela. Era uma mulher muito bonita, e ninguém diria que já tinha quarenta anos. Magra, pele muito branca, olhos azuis, o cabelo loiro comprido muito bem tratado, Mafalda era a inveja de todas as raparigas da sua geração. Sempre impecavelmente vestida, estava bem em qualquer sítio. Cultivava um ar distante e inacessível.

Bernardo era também altivo e introvertido. Era tido por afectado e *snob*. Herdeiro de uma grande fortuna que o levou ainda antes dos 45 anos à presidência do banco fundado pelo seu avô materno, era inteligente e culto. Mas talvez por timidez ou pelo seu porte altivo, tinha um aspecto pouco acessível. Magro e atlético, cabelo castanho, pele muito branca e feições que não escondiam a sua ascendência inglesa, parecia também mais novo do que de facto era.

Pouco habituado a ser contrariado, era um menino rico a quem tudo aparecia já feito. Fora sempre bom aluno mas pouco lutador. Toda a vida soube que um dia seria presidente do banco. Para isso foi preparado. Depois da licenciatura em Economia, fez um estágio de dois anos no qual passou por todos dos departamentos do banco, então presidido pelo seu tio, Bernard Hallbrook. Bernardo nunca se deu muito bem com ele. Era um homem frio, severo, fechado. Quase não tinha vida social e pouca vida familiar. Ficara viúvo muito novo e não voltara a casar. Saía de vez em quando com umas senhoras amigas que também o visitavam na sua casa da Lapa. Além delas e do jantar que anualmente oferecia à família no dia dos seus anos, pouco recebia em casa. Aparecia em casa dos pais de Bernardo no Natal e na Páscoa e por vezes no dia dos anos da mãe de Bernardo, sua irmã, e a única pessoa a quem era verdadeiramente chegado. Do pai de Bernardo não gostava particularmente. Com a outra irmã, a Tia Sophie, e o cunhado, ainda se dava menos.

Bernardo era o sobrinho mais velho e desde cedo se tornou claro que seria o sucessor. Porém, o tio Bernard, que herdara o nome do pai, era incapaz de demonstrar afecto pelo sobrinho, remetendo a relação entre ambos para um plano exclusivamente profissional. Sempre deu uma enorme atenção à sua formação e preparação para as funções que iria exercer. Foi o tio que pessoalmente delineou o seu plano de estágio. Durante esse período era frequente aparecer nos departamentos em que o sobrinho trabalhava para ver com os próprios olhos como estava a integrar-se. Chamava-o também de vez em quando ao seu gabinete da Rua do Ouro para o interrogar sobre o trabalho que tinha em mãos. Esses encontros eram incrivelmente formais e, para Bernardo, fonte de grande tensão. Geralmente mandava avisar de véspera que o chamaria no dia seguinte a determinada hora. Bernardo aproveitava esse tempo para se preparar, relendo os seus apontamentos de estágio e tentando ensaiar a conversa que faria com o tio.

No final do estágio, foi o tio que o convenceu a fazer o MBA e o aconselhou a escolher a Universidade de Harvard. Quando terminou o MBA, ficou durante três anos a trabalhar num banco americano em Nova Iorque. Foi mais uma vez o tio que lhe arranjou esse lugar. Depois, com trinta e poucos anos, voltou para Lisboa e durante dez anos exerceu cargos de direcção, passando por várias áreas: operações cambiais, crédito, contabilidade e comercial. Foi um segundo estágio, mas agora com responsabilidades. Quando o tio achou que a sua formação estava completa, nomeou-o administrador. Tinha então 42 anos. Três anos depois o tio reformava-se com 75 anos de idade e quarenta à frente dos destinos do banco. Tinha-o feito crescer de uma banqueta para um banco de média dimensão, um actor importante no mercado bancário português. Com os seus contactos em Inglaterra, na década de 60, iniciou a internacionalização, à semelhança do que fizeram então os grandes bancos portugueses. Mais tarde, nos anos 70, com o seu nome, evitara que o banco fosse nacionalizado. Permanecendo privado, aproveitou as oportunidades do mercado que os bancos públicos não sabiam ou não podiam aproveitar, e foi crescendo sempre. Podia, sem dúvida, reformar-se com a consciência tranquila de quem cumprira a missão de que seu pai o incumbira. Transformara aquele pequeno banco, à custa do seu trabalho e da dedicação de toda uma vida.

Embora Bernardo não tivesse uma relação muito afectiva com o tio, tinha sem dúvida um enorme respeito profissional e admiração por ele. Quando assumiu a presidência, apoiava-se muito nos seus conselhos. Infelizmente, não duraram muito. Pouco depois de se reformar, Bernard Trindade Saint James Hallbrook morria subitamente de enfarte do miocárdio. Tinha 77 anos.

O desaparecimento do tio fez com que Bernardo se habituasse desde cedo a contar só consigo e com o seu próprio discernimento. Frequentemente pedia conselhos ao pai, mas sobre assuntos de outra natureza. O pai de Bernardo nunca quisera intrometer-se na gestão do banco ou nos negócios do sogro e do cunhado. Era um advogado conceituado e nunca considerou sequer a hipótese de fazer outra coisa que não advocacia. Mesmo em questões jurídicas, nunca deu ao cunhado ou ao filho opiniões relacionadas com assuntos de negócios, que não eram, de resto, a sua especialidade. Bernardo nutria pelo pai uma admiração e um afecto muito especiais mas não era ele o seu mentor profissional. O pai tinha enorme orgulho no filho e na sua carreira, mas nunca se metia em questões do banco.

Bernardo sente-se agora na obrigação de desenvolver o banco como o tio fizera. Contudo, neste princípio de século, o mercado apresenta inúmeras dificuldades. A consolidação bancária ameaça eliminar as instituições mais pequenas. A sobrevivência pareceria certamente um objectivo desprezível aos olhos de seu avô e de seu tio, mas era sem dúvida o melhor a que Bernardo poderia aspirar. Pelo menos até passar a onda de fusões e aquisições.

Durante o intervalo do concerto, Bernardo atrasou propositadamente a saída do camarote para reduzir o tempo passado em conversa e cumprimentos, pois faltava-lhe paciência. Pouco passava das dez quando começou a segunda parte. À medida que o tempo passava, aumentava a ansiedade de Bernardo. Dentro de uma hora, no máximo, já saberia o resultado da reunião. Tinha trazido Miguel Macedo, seu secretário e chefe de gabinete, que no momento oportuno sairia do camarote para, cá fora, receber a chamada no telemóvel. Depois, tudo dependia da informação que recebesse. Ou sairia calmamente com Mafalda para um pacato fim-de-semana em casa, ou iria para uma reunião com advogados e consultores, da qual não sabia quando se libertaria.

Num camarote oposto ao seu, ligeiramente mais perto do palco, estavam Miguel Machado com Francisco Botelho e respectivas mulheres. Cumprimentaram-se brevemente durante o intervalo. João Miguel Machado e Sousa ou simplesmente Miguel Machado, como era conhecido, estava há pouco mais de um ano à frente dos destinos do BNCE, o Banco Nacional do Comércio Externo. Quase dez anos mais novo que Bernardo, Miguel Machado tinha entrado para a Administração do BNCE com trinta e poucos, sob o patrocínio do anterior presidente, José Maria Azeredo e Silva. Este sempre teve por Miguel um afecto quase paternal. Quando se reformou, havia um ano, conseguiu guindar Miguel para a presidência do banco. Foi uma dura batalha. Havia dois administradores mais velhos e muito ligados a alguns accionistas que ofereceram grande resistência. Mas Azeredo não considerava qualquer deles com aptidão para o lugar e decidiu-se a empreender esse combate, que ganharia logo no primeiro *round*. Contudo, uma vez afastado Azeredo do dia-a-dia da gestão do banco, iniciou-se o segundo *round*, mais difícil para Miguel. E esse combate está agora no seu auge. O novo presidente dispõe apenas de dois votos num conselho de cinco elementos — o seu e do amigo Francisco Botelho, que o substituiu como administrador financeiro, quando Miguel foi eleito presidente.

Conseguira a muito custo escolher o seu substituto no lugar de administrador financeiro. Mas em vão tentou fazer outras mudanças no conselho. Os accionistas, influenciados pelos dois administradores mais hostis, tinham considerado mais prudente não renovar de uma assentada o conselho todo. Isto mesmo explicaram a Azeredo quando este fez a ronda dos contactos antes da Assembleia Geral. Assim, Miguel Machado tinha agora um conselho que lhe dificultava todas as medidas e reformas que pretendia introduzir para reorganizar a actividade do banco. E este bem precisava, pois os resultados vinham a cair há três anos, enquanto os dos outros bancos subiam. Além disso, o BNCE perdera há muito a sua posição de líder e continuava a perder quota de mercado, arriscando-se já a passar para terceiro lugar no *ranking* dos bancos portugueses. Contudo, Miguel sabia que teria de resolver uma coisa de cada vez. Só quando mostrasse aos accionistas resultados positivos da sua gestão, conseguiria destes algum crédito para mudar um ou dois administradores. Mas isso era quanto bastava. Logo que tivesse a maioria do conselho, conseguiria avançar mais depressa com o seu plano de reestruturação, sem se ver obrigado a negociar medida a medida. Podia atirar-se a medidas mais ambiciosas. Até lá, as reformas continuariam a avançar a passo de caracol!

Além dos dois administradores mais velhos com cerca de 65 anos (*as catatuas*, como Miguel e Francisco Botelho lhes chamam em privado), que achavam Miguel e Francisco uns fedelhos, havia um outro administrador mais flexível, o Eng.º Marques de Albergaria. Este era um homem com 50 e poucos anos e mais actualizado em gestão bancária que entendia a necessidade das mudanças. Mas tinha um equilíbrio difícil, pois fora eleito com base no apoio de um accionista muito pequeno e estava isolado. Dependia dos outros quando se tratava da reeleição. Miguel fizera já algumas abordagens discretas às *catatuas* no sentido de avaliar a sua receptividade a uma oferta de reforma, mas os resultados tinham sido desoladores.

Miguel resolveu então atacá-los pelo flanco. Dado que o seu poder de bloqueio dependia do engenheiro Albergaria, eles ficariam neutralizados no dia em que Albergaria saísse. Foi com alguma surpresa que Miguel recebeu o resultado de uma discreta sondagem que mandou fazer-lhe: Albergaria estava receptivo a negociar uma reforma antecipada. Miguel ficou radiante. Imediatamente tratou de avançar com uma proposta que, com pequenas alterações, foi aceite. O substituto será cooptado pelo actual conselho e para a sua escolha o presidente conta com o voto de Albergaria. Isso também faz parte do acordo. Agora falta apenas acertar a data para levar o assunto a conselho e implementar a mudança. Por enquanto, só quatro pessoas sabem: Miguel, Francisco Botelho, Albergaria e Rui Soares, o Director Internacional do Banco que ascenderá ao conselho, em substituição do engenheiro.

Rui Soares é, tal como Francisco Botelho, um aliado de longa data de Miguel Machado. Pertencem à mesma geração de entrada para o BNCE. Além disso, Rui Soares foi colega de MBA de Miguel Machado na LSE. A decisão será tomada na próxima reunião do Conselho, e essa será a última em que Albergaria participa. A partir daí tudo se tornará mais fácil. A recente decisão das agências de *rating* de subir um furo no *rating* do Banco vai permitir economias no custo dos fundos e aumentar a rentabilidade dos capitais. Depois, Miguel vai encerrar um vasto conjunto de balcões que não são rentáveis, medida à qual as duas *catatuas* sempre se opuseram. Para além disso, Miguel pretende investir num novo sistema informático, pois o actual está há muito desactualizado. Não passa de uma grande manta de retalhos, fruto de múltiplos *upgrades* e adaptações. Terá também que reestruturar a oferta comercial do banco, dando maior importância ao *marketing* e modernizando alguns produtos, como o crédito hipotecário. Este produto, de grande procura e boa rentabilidade, nunca foi desenvolvido devido à oposição das *catatuas*. Entendiam não ser essa a vocação do BNCE, que continuam a ver como uma instituição exclusivamente virada para o financiamento do comércio externo.

Os resultados do primeiro semestre não tardariam a ser apurados e divulgados, e tudo indicava que apresentariam pela primeira vez uma subida considerável, face ao período homólogo. Isto seria o seu trunfo junto dos accionistas. Contudo, primeiro queria fazer a substituição no conselho. Depois divulgaria os resultados que «abafariam» o ruído da mudança no conselho e deixariam as *catatuas* a falar sozinhas.

Neste início do Verão, Miguel era um homem satisfeito. Finalmente as coisas pareciam estar bem encaminhadas. Dentro de poucas semanas o seu plano de reorganização do Banco estaria em marcha e, se tudo corresse bem, talvez desse já alguns resultados no próximo exercício. Seguramente no seguinte. Assim, Miguel poderia esperar a reeleição daqui a três anos, sem grandes sobressaltos. Ver-se-ia então finalmente livre das *catatuas* e poderia recompor o conselho com profissionais competentes da sua confiança. Teria finalmente algum tempo para si, para a Joana e os filhos. Tempo para si foi coisa que nunca mais teve desde o dia em que foi eleito presidente do banco. Sem ter uma equipa em que pudesse confiar, via-se obrigado a atender pessoalmente a todos os aspectos vitais da vida do banco.

Só Francisco o ajudava. Tinha a seu cargo toda a área financeira, o contencioso e parte do crédito. Miguel tratava de tudo o resto, embora desse nominalmente «pelouros», ao Albergaria e às *catatuas*. Mas na prática era ele que tratava de tudo o que era importante e despachava frequentemente com os directores. O que lhe valia era poder contar com a sua cooperação plena. Eram quase todos quadros que tinham feito as suas carreiras no banco e que foram seus colegas ou subordinados. Alguns tinha sido ele próprio a nomeá-los no último ano. Além disso, de um modo geral não apreciavam o estilo das *catatuas*. Por isso estavam quase sempre do seu lado. Para tirar partido dessa vantagem, Miguel instituíra vários comités: de Pessoal, de Crédito, de Activos e Passivos, de Estratégia, de *Marketing*. Destes faziam parte, como não podia deixar de ser, todos os administradores, e os directores com responsabilidade na respectiva área, em geral quatro ou cinco em cada comité, o que retirava às *catatuas* a vantagem numérica. Como as questões eram muito técnicas, não iam frontalmente contra a opinião dos directores. Quando o queriam fazer tinham de pedir expressamente que a decisão fosse à ratificação do Conselho de Administração. Quando o faziam, e fizeram algumas vezes, Miguel não podia recusar. Porém, mesmo no Conselho tinham dificuldade em justificar opiniões contrárias às dos técnicos.

A ideia de voltar a ter tempo para acompanhar minimamente os estudos dos filhos ou ir ao cinema com a Joana agradava-lhe. Nos últimos tempos, quase não via a família. Saía de casa às sete da manhã e chegava frequentemente depois da meia-noite, quando já todos dormiam. Ia ao frigorífico, bebia um copo de leite, comia uma fatia de queijo e metia-se na cama. Os fins-de-semana, mesmo os sábados à noite, eram passados no banco ou enterrado no seu escritório a ler documentos ou a trabalhar. Às vezes com o Francisco Botelho. Praticamente só saíam para jantares ou outras actividades do banco ou convites formais. Já não tinham vida social, podia dizer-se, e a vida familiar estava muito limitada. Daí a crescente crispação da Joana. Agora que a sua relação conjugal parecia finalmente estabilizada, não queria regressar às atribulações de outros tempos. Além do mais, ia poder descontrair um pouco, sem ter de estar sempre a olhar por cima do ombro para defender-se das facadas nas costas.

* * *

Nessa tarde, António Figueiredo estava particularmente inquieto. Mas não era por causa do Baile da Câmara de Comércio em honra dos Duques de Bragança, que pela primeira vez visitavam os EUA como casal. Com Figueiredo e a sua mulher iria também Carlos Martins, funcionário diplomático da Missão de Portugal junto das Nações Unidas e seu amigo dilecto e fiel de longa data. Conheceram-se em Londres, o primeiro posto de Carlos. Figueiredo estava então, também ele, na carreira diplomática. Com 33 anos, já ia no seu segundo posto, e logo se tornaram grandes amigos. Extrovertido, ambicioso, divertido, tinha enorme sucesso junto do sexo oposto, apesar da sua fraca figura. Andava de *Jaguar E* descapotável e era convidado para todas as festas que interessavam. Com uma cultura um tanto postiça animava essas reuniões com ditos jocosos e imitações divertidas para as quais tinha enorme talento. Figueiredo era em grande parte aquilo que o tímido Carlos gostaria de ser e não era. António Figueiredo era o seu modelo e cedo se tornou também o seu mentor.

No entanto, Figueiredo revelava-se descuidado no trabalho e a sua excessiva autoconfiança levava-o a cometer grandes inconfidências e *gaffes* monumentais. Os seus gostos caros — pintura contemporânea, automóveis e mulheres — mantinham-no permanentemente endividado e assoberbado pelos problemas financeiros. Cedo os seus superiores se aperceberam da sua inaptidão para a carreira diplomática. Contudo, o Ministério não tomou a iniciativa de o afastar, apesar dos vários sarilhos em que se meteu e das situações embaraçosas que arranjou. Foi apenas no posto seguinte que a situação se precipitou.

António Figueiredo estava colocado nesse posto havia pouco tempo. Enfastiado com a colocação em terras de África — a sua fraca importância política, a monotonia do trabalho e da vida social e a escassez de divertimentos nocturnos — dedicava-se ao jogo e frequentava alguns meios menos recomendáveis. Envolveu-se então com a mulher de um belga, conhecido traficante de armas e diamantes. Ao descobrir o *affaire*, o marido montou-lhe uma cilada. Arranjou maneira de Figueiredo ser fotografado conversando com pessoas que julgava serem influentes políticos locais. Tratava-se, na realidade, de líderes políticos na clandestinidade, do movimento da guerrilha armada. Mostradas as fotografias ao chefe da polícia política, as autoridades expulsaram-no em menos de 24 horas.

De regresso a Lisboa, Figueiredo constatou que aquilo que julgava ser uma promissora carreira estava terminada. Ofereceram-lhe um lugar menor no Ministério e nenhuma perspectiva de voltar a ser colocado no estrangeiro. Sugeriram-lhe que talvez fosse melhor escolher outra profissão, pois revelava pouca aptidão para aquela.

Figueiredo, pelo seu estilo afável e extrovertido, mostrava-se amável, mas para além de Carlos Martins não tinha amigos entre os colegas. Estes manifestaram-lhe em privado a sua solidariedade mas era com satisfação que o viam cair em desgraça. Consideravam-no um pedante egocêntrico, mal formado e cego de ambição.

Revoltado com a ingratidão do Ministério, perante a injustiça e adversidade, Figueiredo resolveu mudar de vida. Conhecera em África um inglês, representante da Parker & Schmitt Infrastructure and Systems Inc., uma multinacional de origem anglo-germânica que produzia toda a espécie de equipamento pesado: locomotivas, centrais eléctricas, equipamento para portos, material de telecomunicações etc... Tinham sucursais por todo o mundo, incluindo uma fábrica em Portugal. Figueiredo ajudara o inglês na obtenção de um contrato e tornara-se também seu companheiro de farras. Como bom vendedor que era, Figueiredo «vendeu-se» bem ao inglês, que, valorizando os seus dotes de relações públicas, a sua habilidade para obter contratos nos PALOP e em países da América Latina conseguiu que ele fosse contratado pela Parker & Schmitt. Depois de um breve estágio na Holanda, foi colocado como director da sua sucursal de Luanda e, depois, na de Buenos Aires.

O êxito obtido nesses postos veio confirmar os seus dotes de vendedor e garantia-lhe, em poucos anos, a nomeação para director-geral do escritório de representação em Nova Iorque, um dos mais cobiçados e bem pagos de toda a rede internacional da Parker & Schmitt. Aqui, tem como principal missão conseguir contratos em projectos financiados pela ONU e pelo Banco Mundial. Com um salário astronómico, um enorme *duplex* no Upper East Side, duas empregadas, *chauffeur*, limusina e um orçamento quase ilimitado para despesas de representação, pode dizer-se que Figueiredo está nas suas sete quintas.

Agora numa situação financeira muito folgada e com grande liberdade de movimentos, permite-se dar largas às suas extravagâncias. Acontecia, porém, que os seus quadros e automóveis eram agora bem mais caros, e as amantes também...

O escritório, o maior da rede internacional da companhia, pois o número de operações era enorme, contava com um *staff* de quase cem pessoas. Sobretudo engenheiros e técnicos, mas também advogados, financeiros e analistas políticos. Tratava-se de uma aposta muito séria da companhia. Contudo, Figueiredo não era *de facto* o chefe do escritório. Era o número dois, um alemão de confiança da sede, que dirigia todo o escritório, deixando o director livre para aquilo que fazia melhor — as relações públicas.

Quis o destino que António Figueiredo viesse encontrar em Nova Iorque o seu amigo Carlos Martins, então colocado na missão junto da ONU. De imediato retomaram o convívio.

O número dois da missão de Portugal junto das Nações Unidas, Duarte Vasconcellos, encontrava-se há cinco anos em Nova Iorque e ansioso por um novo posto. Estava a um passo de ser nomeado chefe de missão. Não se trataria com certeza de um posto tão importante como Nova Iorque, mas seria chefe de missão.

No entanto, o que Duarte Vasconcellos não sabe é que António Figueiredo, pouco depois de chegar a Nova Iorque, lhe montou uma intriga que iria protelar, talvez indefinidamente, a sua promoção.

Vasconcellos e Figueiredo conhecem-se de longa data. Entraram no Ministério no mesmo concurso, mas nunca foram próximos e pouco se deram, excepto em ocasiões oficiais durante o curto período em que ambos estiveram em Lisboa. Nunca tiveram grande simpatia um pelo outro.

Pouco depois de chegar a Nova Iorque, Figueiredo foi incumbido de desbloquear um contrato de fornecimento de equipamento para uma grande central eléctrica em África. O concurso internacional fora lançado com apoio da ONU e decorrera no ano anterior. Apenas duas empresas, a sua e uma outra, passaram à segunda fase. A Parker tinha já conseguido o apoio dos governos dos três países africanos que beneficiariam da central mas faltava garantir que a comissão de *procurement* da ONU escolhesse também a sua proposta.

Acontece que a outra proposta era muito mais barata e tecnicamente vantajosa, pelo que a sua companhia não se encontrava bem colocada neste concurso. E nem valia a pena baixar o preço, pois nos outros critérios de selecção era também o outro concorrente que estava mais bem colocado. Figueiredo apercebeu-se da situação logo nos primeiros contactos que efectuou em Nova Iorque. Pressentindo que a operação lhe iria correr mal, e pouco interessado em estrear-se com um fracasso, resolveu arranjar um bode espiatório.

Através do prestável Carlos Martins, Figueiredo soube que o responsável pelo concurso era grande amigo de Vasconcellos. Como uma parte do equipamento era produzido em Portugal, pediu uma entrevista ao embaixador na ONU e solicitou-lhe uma intervenção junto do Secretariado. Gabou os dotes de Duarte e os seus contactos para insinuar que não lhe seria difícil influenciar a decisão. Depois mandou a sucursal da Parker & Schmitt em Lisboa fazer uma diligência junto do Ministério da Economia para que o governo instruísse a missão em Nova Iorque. Com um volume de exportações portuguesas significativo e a eterna preocupação com a diplomacia económica, lá chegou o telegrama de Lisboa instruindo a missão no sentido de fazer as diligências.

No entanto, verdade seja dita que Duarte Vasconcellos estava em frente a uma parede de betão. Não havia nada a fazer, como o seu amigo na ONU lhe explicara. A proposta da companhia de Figueiredo fora mal preparada e era irrecuperável. Estava muito longe da outra em todos os aspectos e era tarde para a alterar.

Duarte fez um circunstanciado relatório que enviou para Lisboa, pensando que o assunto ficara encerrado. Não sabia ele que tudo fora planeado por Figueiredo para não assumir o falhanço. Logo que se conheceu a decisão da Comissão da ONU — rejeitando a proposta da sua empresa —, Figueiredo fez saber para a sede e a sucursal de Lisboa que tinha sido a *falta de empenho da missão na ONU e do seu funcionário, Duarte Vasconcellos, que ditara a decisão de adjudicar ao outro concorrente.* O mesmo fez subtilmente Carlos Martins junto do embaixador, que se convenceu também disso. O responsável pelo insucesso ficou, aos olhos de todos, a ser Duarte Vasconcellos.

O embaixador, instigado por Carlos Martins, enviou, por seu turno, um longo telegrama confidencial responsabilizando Duarte Vasconcellos pelo insucesso da diligência.

Foi Carlos Martins que redigiu o texto num sábado à tarde, em casa de Figueiredo, que ia dando umas achegas. Depois, ao fim da tarde, levou-o em mão ao embaixador, que o aprovou. Foi o próprio Carlos que o enviou para evitar que os funcionários da Cifra vissem o texto.

Estava consumada a safadeza. A carreira de Duarte ficaria congelada. A sua promoção estava agora indefinidamente adiada e ele nem sonhava. Com medo de ser responsabilizado pelo insucesso, António Figueiredo arranjara um bode expiatório. Duarte Vasconcellos, um homem sério e inteligente, diplomata competente, via a sua carreira congelada.

O nervosismo de Figueiredo aumentava à medida que a tarde avançava. Quando finalmente saíram de casa, Carlos e António de *smoking*, Célia vestindo um modelo Oscar de La Renta preto, muito justo e decotado, já passava das sete da tarde.

Durante todo o caminho para o hotel, Carlos Martins não largava o telemóvel. Figueiredo não teria sequer aceitado o convite se sonhasse que calharia naquele dia. Mas com tanta antecedência, como havia ele de prever? E Célia nunca deixaria de ir qualquer que fosse a razão. Chegaram ao hotel perto das sete e meia. A fila de automóveis junto à entrada era enorme. Quando finalmente estavam próximo da porta, António, impaciente, sugeriu saírem do automóvel para fazerem a pé os escassos metros que os separavam da imponente porta do hotel.

Sempre de telemóvel na mão, Carlos seguia atrás de António e Célia, ao lado da multidão que àquela hora desfilava na 5.ª Avenida. Eram também muitos os convidados que se dirigiam à porta giratória do hotel. Primeiro entrou Figueiredo com Célia e logo a seguir entrou Carlos, na companhia de outra pessoa. Nesse momento alguém do outro lado empurrou a porta com mais força e Carlos, ao tentar recuperar o equilíbrio, sentiu o telemóvel escorregar-lhe da mão e viu-o deslizar por baixo da porta e ser pisado pelas pessoas que vinham atrás de si. António, já dentro do hotel, assistiu a tudo e não conseguiu reprimir uma exclamação de raiva acompanhada por dois palavrões. Felizmente em português. Rapidamente, retomou a compostura e o caminho dos ascensores. Carlos ainda voltou atrás para apanhar alguns destroços do malogrado telemóvel. Depois alcançou António e Célia, já a meio da fila para o elevador. Subiram em silêncio e assim permaneceram até à sala que dava acesso ao salão de banquetes, onde o Príncipe, a Duquesa, o *Mayor* de Nova Iorque e o Presidente da Câmara de Comércio recebiam os convidados.

A disposição de António Figueiredo era canina. E não o escondia. Implicava com a mulher, com a organização da recepção e troçava dos Príncipes. Mas Carlos Martins sabia bem qual o motivo de tanto mal-estar.

Entretanto em Nova Iorque, Duarte entregou-se à sua rotina de sexta-feira. Mais tarde iria para Washington, passar o fim-de-semana

24

com Susan. Encontrar-se-ia com ela na sua casa em Georgetown. Desde que se tinha mudado para Washington, passavam juntos pelo menos dois fins-de-semana por mês. Geralmente era ela que vinha ter com ele a Nova Iorque. Mas desta vez iria ele a Washington.

Susan Scott era agora directora da revista *Town & Country*, em Washington. Duarte conheceu-a pouco tempo depois de chegar a Nova Iorque, num jantar em casa do presidente da Câmara. Nessa época ela era *political affairs editor* e tinha 36 anos. Conhecia todos os meandros de Washington, desde o Capitólio à Casa Branca, meios jornalísticos e diplomáticos, além do «who is who» de Nova Iorque. Apresentou Duarte a muitas pessoas influentes dos meios financeiros e políticos. Se hoje estava completamente à vontade em Nova Iorque, e até em Washington, a ela o devia.

Um ano antes de Figueiredo chegar, vagara o lugar de número dois na Embaixada de Portugal em Washington. Duarte fora convidado pelo embaixador em Washington, a pouco tempo da reforma. Estava então há quase quatro anos em Nova Iorque. Todavia, Duarte sonhava já com um lugar de chefe de missão e a perspectiva de ficar mais três ou quatro anos como número dois não o atraía. Mal sabia ele que tinha comprometido a sua promoção por uns anos, se não definitivamente...

A própria Susan tinha insistido com ele para que aceitasse. Porém, de nada lhe valeu.

A relação de Duarte com Susan começou praticamente no seu primeiro encontro. Nesse jantar em casa do presidente da Câmara, Susan ficou sentada a seu lado. Era uma mulher interessante, não sendo propriamente muito bonita. Morena, de olhos verdes, pele muito branca e cabelo escuro, tinha ar de italiana. Era bem feita, insinuante na maneira como falava e sensual na forma como se movia. Duarte sentiu-se logo atraído por esta mulher que tinha o à-vontade de uma americana e a classe de uma europeia. Convidou-a para jantar no fim-de-semana seguinte e ela aceitou. Duarte já passou esse fim-de-semana no apartamento de Susan junto ao Central Park. A partir de então tornaram-se inseparáveis. Ela ajudou-o a encontrar um apartamento e a instalar-se. Conseguiu que fosse aceite como sócio num clube altamente selectivo e apresentou-o a muitas pessoas influentes que muito viriam a ajudá-lo nas suas funções.

Divorciada e, tal como Duarte, sem filhos, Susan era uma trabalhadora obsessiva que não encarava por isso a hipótese de voltar a casar-se. Encontrava-se agora há cerca de um ano em Washington como chefe do escritório da revista. Era uma mulher independente que fazia o que gostava e geria muito bem o seu poder, enquanto responsável por um meio de comunicação de grande circulação junto das elites.

A relação entre Susan e Duarte estava completamente estabilizada e era para os dois um factor de equilíbrio. Viam-se duas ou três vezes por mês, às vezes mais se Susan vinha a Nova Iorque devido a algum compromisso profissional. Duarte também gostava de ir a Washington, mas fazia-o com menos frequência.

Naquela sexta-feira, Duarte saiu do edifício da missão, na 3.ª Avenida, já perto das seis da tarde e apanhou um táxi para o Aeroporto de La Guardia, onde tomou o avião para Washington.

Entretanto no jantar da Câmara de Comércio, Figueiredo e Carlos conversavam com o embaixador de Angola, enquanto Célia de Figueiredo recebia as atenções de um banqueiro italiano que lhe fazia um namoro descarado. Figueiredo, ciumento e possessivo, via mas não se incomodava. Também não ouvia o angolano. A sua atenção estava completamente fora dali. Há mais de uma hora que procurava arranjar um plano de recurso para o telemóvel destruído.

Telefonar de um dos telefones do hotel era arriscado, mas parecia ser a única solução. Daria nas vistas e o número do destinatário ficaria registado. Fora-lhe expressamente recomendado: em caso algum poderia ligar. Deveria esperar que o contactassem. Tinha até comprado este telemóvel especialmente para aquela chamada, com cartão pré-pago para que não fosse possível identificar o seu proprietário. Contudo, não podia deixar de fazer alguma coisa, agora que o seu meio de comunicação estava inutilizado. Para não atrair atenções, discretamente, mandou Carlos Martins procurar um telefone numa sala menos concorrida. Quando Carlos voltou, acompanhou-o disfarçadamente até uma pequena biblioteca com três sofás, uma mesa e um telefone. Era o ideal, pois não estava ali ninguém. Colocou Carlos Martins de sentinela à porta e marcou o número de telemóvel de Ellen Pratts. Foi para a caixa de mensagens. Tentou novamente e depois mais uma, sempre com o mesmo resultado. Desiludido, juntou-se ao amigo e foram reunir-se discretamente aos outros convidados.

À medida que a noite progredia, Figueiredo estava cada vez mais irritado, sobretudo consigo próprio, por não ter pensado num plano de contingência. Certamente a esta hora já Ellen lhe tinha tentado ligar para o número do telemóvel escavacado. Agora, já um pouco bebido, não conseguia inventar uma solução alternativa. Restava-lhe aguardar enquanto ia fazendo conversa com a velhota sentada a seu lado. Se ao menos fosse nova... Estava mesmo em noite de azar! Do outro lado da sala via Célia sentada entre o banqueiro italiano e um americano. Célia atraía sempre as atenções do sexo oposto neste tipo de jantares, em que poucas mulheres eram mais novas ou mais vistosas do que ela.

Casados há pouco mais de dois anos, António e Célia formavam um casal diferente. Muito mais nova do que ele, era bonita, *sexy* e loura, mas não estúpida, como muitos pensavam. Tinham-se conhecido cinco anos antes em Buenos Aires. Ela era secretária. O seu pai, um emigrante rico, há muitos anos estabelecido na Argentina, tornara-se amigo do director da Parker & Schmitt que precedera Figueiredo e pedira-lhe emprego para Célia quando esta regressou dos Estados Unidos. Ela falava impecavelmente inglês, espanhol e português e tinha estudado vagamente Relações Públicas no St. Andrews College, na Florida. Depois, tinha ainda vivido uns anos em Nova Iorque, fazendo de conta que trabalhava numa galeria de arte mas basicamente gastando o dinheiro que o pai lhe ia mandando, em bares e restaurantes da Village e nas lojas da 5.ª Avenida. Cansado de enviar dinheiro, o pai mandara-a recolher a Buenos Aires. Arranjou-lhe aquele emprego, para ver se ela assentava e arranjava um marido.

Quando Figueiredo chegou a Buenos Aires, ainda Célia não tinha arranjado o marido ambicionado pelo pai. Ficou logo de olho nela. Pouco tempo depois, a sua secretária despediu-se e Figueiredo aproveitou para nomear Célia para esse lugar. A partir daí foi tudo muito rápido. A sua mulher, uma senhora ligeiramente mais velha que Figueiredo, passava a maior parte do tempo em Lisboa com os filhos. A relação entre eles era, já há muito tempo, difícil, segundo os amigos. Figueiredo sempre fora mulherengo, e com os anos tudo se agravara. Casara muito novo e o seu interesse pela mulher desapareceu completamente pouco tempo depois do nascimento do segundo filho. A tensão entre eles era cada vez mais visível e interferia já com a vida profissional. Por isso, as aparições da mulher foram-se tornando cada vez mais raras, com ela a desaparecer por completo do mapa depois de Célia passar a ser secretária do marido. Ao fim de alguns meses, António Figueiredo anunciou a separação e, pouco tempo depois, Célia estava a viver com ele.

Figueiredo era bastante possessivo em relação à nova mulher. Com menos quinze anos que ele e uma figura de fazer parar o trânsito, era o tipo de mulher que se tornava rapidamente o centro das atenções masculinas. Como era muito coquete, gostava de as encorajar, até ver o marido ficar ao rubro. Depois, tornava-se rapidamente submissa.

No entanto, hoje ele tinha outras preocupações e não prestava muita atenção a ninguém. Nem às suas companheiras de mesa. À esquerda, a mulher do chefe do protocolo de City Hall e à direita uma velhota que insistia em meter conversa sobre política internacional.

* * *

Duarte e Susan terminavam o seu jantar no terraço do restaurante do Chevy Chase Country Club, que, naquela noite quente do princípio do Verão, estava completamente cheia.

Horas antes, Duarte entrara em casa de Susan com a sua chave. Despiu-se e meteu-se no duche. Pouco depois chegou Susan, que fez o mesmo, juntando-se a ele. Duarte não resistia ao seu corpo. A atracção física sempre desempenhara um papel determinante na sua relação. Com o tempo, estabeleceu-se outro tipo de entendimento mais intelectual e espiritual. Todavia, nem toda a cumplicidade e confiança que existiam entre ambos conseguiam destronar a relação física.

Depois de uma sesta de meia hora e novo duche, meteram-se finalmente a caminho do Chevy Chase. Susan fizera-se sócia assim que chegara a Washington. O clube era muito selectivo, tendo muitas vezes os candidatos de esperar anos até verem as suas admissões confirmadas. No Verão, ia todos os dias jogar ténis, dar um mergulho na piscina ou simplesmente jantar. Todos gostavam de ser convidados para o Chevy Chase. Arranjara lá muitos dos seus contactos e obtinha ali muitas informações úteis.

Depois de guardar o *Mercedes* na garagem de sua casa, Susan quis ainda dar uma volta a pé pelas ruas de Georgetown, que estavam àquela hora ainda cheias de pessoas, sobretudo jovens que saltavam de bar em bar à procura da música adequada ou da companhia certa.

A essa hora já o baile da Câmara de Comércio tinha terminado para os três amigos. Chegados à uma hora da manhã ao apartamento da Rua 78 que a Parker & Schmitt alugara para residência do seu director-geral, Célia deixou António e Carlos na biblioteca conversando na companhia de uma garrafa de *Cutty Sark*. Os dois, ainda de *smoking*, com os laços desfeitos e colarinhos desapertados, falavam de um único assunto — o telefonema que nunca chegara. Enquanto servia uma nova rodada, António não escondia o seu desespero:

— Que estupidez não ter uma alternativa, outro telemóvel, um biper, ou qualquer coisa... E agora não sei como nem quando conseguirei falar com ela.

— Não podes ligar-lhe para o telemóvel? — sugeriu Carlos.

— Recomendou-me mil vezes para não ligar para o telemóvel durante todo o fim-de-semana. Apesar disso, já tentei do hotel. Daqui de casa nem pensar. Agora só na segunda-feira lhe poderei ligar para o escritório, mas então já será tarde. O Paiva queria a informação esta noite. Nem sei como ainda não ligou para cá aos gritos!... E o que é que eu lhe digo? Que comprámos um telemóvel especialmente para o efeito e depois o deixámos cair e cem pessoas lhe passaram por cima? Que grandes estúpidos...

2

REUNIÕES DECISIVAS

Algumas horas antes, começara no Waldorf Astoria, em Nova Iorque, uma reunião histórica do *Board of Directors* de um dos maiores bancos americanos, o First American Trust Bank. Antes, Bob Perry, o CEO do Banco, ofereceu, como era costume, um magnífico almoço no George Washington Ballroom. Estavam presentes 23 dos 25 administradores não-executivos. Faltavam apenas um espanhol e um inglês que não puderam comparecer. O ambiente era afável, mas ligeiramente tenso. Todos sabiam que esta reunião fora convocada para aprovar uma aquisição que implicava uma alteração estratégica. Com pouco mais de uma semana de pré-aviso, obrigara os aviões do Banco a andar nos últimos dois dias a «arrebanhar» os administradores que estavam fora de Nova Iorque, incluindo os quatro europeus que conseguiram estar presentes.

Durante o almoço que precedeu a reunião, falou-se de política, de teatro, de golfe, mas não se falou de negócios. No entanto, na noite da véspera, Bob tinha convidado os administradores que já estavam em Nova Iorque para jantar no Russian Tea Room, e aí aproveitara para lhes desvendar um pouco do arrojado plano e sondar a sua disponibilidade para o aprovar. Sem grandes pormenores, explicou-lhes que iria propor a aquisição de um banco europeu. Quase duas décadas depois da saída da Europa da generalidade dos bancos comerciais americanos, isto não parecia fazer muito sentido. Tanto mais que se mantinham válidos os pressupostos que justificaram a saída do mercado europeu.

No entanto, Bob Perry pouco esclareceu os colegas que, atónitos, o fixavam:

— Esta aquisição é crucial para o nosso banco e para a nossa nova estratégia. Isto apesar de se tratar de um mercado periférico dentro da UE e de o banco em causa não ser sequer o maior desse país. Não posso hoje revelar o nome do banco, mas posso dizer-vos que é bem gerido, está bem capitalizado, tem uma boa carteira de crédito e um bom nome no mercado.

Os outros estavam perplexos. Quiseram saber o montante total do investimento. Bob tranquilizou-os ao dizer que não deveria passar dos 3 ou no máximo 3,5 mil milhões de dólares, ou seja, o correspondente aos resultados de alguns meses de actividade do FATB. E acrescentou que não haveria redução de dividendos ou aumento de capital. Era o que eles queriam ouvir. A partir desse momento, Bob Perry sentiu que teria a maioria do *Board* consigo no dia seguinte. Poderia finalmente concretizar o seu plano. A conversa deteve-se ainda nalguns pormenores a que o CFO foi respondendo, mas rapidamente derivou para outros temas. No fim, Bob mais uma vez pediu aos presentes confidencialidade quanto à matéria discutida ao jantar.

Quando no dia seguinte entraram para a sala da reunião, Bob era um homem tranquilo. Estava confiante que a sua proposta seria aprovada sem sobressaltos e sem se ver obrigado a fazer demasiadas promessas vinculativas. Apresentou a proposta e chamou os consultores para fazerem a sua apresentação pormenorizada. Primeiro foi a vez de Johnathan Gibson, do escritório de advogados, explicar a legislação do mercado de capitais e tramitação da oferta. Depois veio Bobby Collins, do Barrister Bros., o banco de investimento que o aconselhava na operação. Apresentou a lógica económica da operação, a forma como criaria valor para os accionistas, as projecções financeiras e os rácios.

Com vinte anos de Wall Street, e cinco no Barrister Bros., Bobby Collins era um reconhecido especialista no sector bancário com enorme experiência em fusões e aquisições. Muito sereno e articulado, conhecia bem as dúvidas e preocupações dos accionistas e dos administradores independentes naquele tipo de operações. Durante a sua apresentação, foi abordando um a um todos os temas críticos e desfazendo os eventuais argumentos contra a operação.

Quando terminou, Martha Herzog, a milionária viúva do senador John Herzog, foi a primeira a fazer perguntas. Não estava preocupada com os pormenores. O que a incomodava, e acabaria por justificar o seu voto contra, era o facto de estar a passar um cheque em branco. O negócio apresentado não estava suficientemente esclarecido, não era óbvia a sua integração na estratégia do FATB e nessas condições Martha não poderia apoiá-lo. Depois do seu habitual discurso sobre ética e negócios, poucas foram as perguntas. Alguns administradores fizeram-nas, mais para mostrar que estavam presentes do que outra coisa. Mas logo se percebeu que o *Board* iria aprovar a operação. Um administrador holandês, Karl van der Staag, presidente de um grande conglomerado europeu, com interesses no turismo, imobiliário, navegação e seguros, ainda colocou algumas questões mais delicadas quanto à estrutura accionista do banco a adquirir e às implicações políticas de uma oferta hostil. A todas, Bobby respondeu de modo lógico e sensato dando sempre a ideia de que a pergunta era importante mas o assunto estava pensado. Ninguém ficou surpreendido com o resultado da votação.

Surpreendente foi a declaração de voto muito formal de Van der Staag, pouco habitual nestas reuniões. Sem nunca manifestar abertamente o seu apoio, declarou-se muito satisfeito com o trabalho de pesquisa efectuado pelo Barrister Bros., e confortável com a liderança de Bob Perry e a sua comissão executiva. A inflexão estratégica era evidente, mas Van der Staag, pela sua parte, tinha plena confiança na forma como a comissão executiva daria, na terça-feira seguinte, andamento à deliberação do *Board*, comunicando às autoridades portuguesas a sua intenção de lançar uma oferta, não solicitada, sobre o capital do Banco Internacional Anglo-Português.

Ninguém reparou no facto de Van der Staag, quando começou a falar, ter carregado discretamente na tecla verde do telemóvel que tinha colocado em cima da mesa junto ao microfone do sistema de som da sala, dissimulado entre as pilhas de documentos. Estabeleceu nesse instante uma ligação internacional com um número que tinha previamente digitado no aparelho. Ficava assim a salvo, caso a fuga de informação viesse a ser investigada. Àquela hora todos podiam testemunhar que Karl estava na reunião e não fizera qualquer chamada. Se necessário diria que tinha deixado o telefone junto à sua pasta na antecâmara da sala do Conselho onde tomara café antes da reunião. O álibi era perfeito.

* * *

A essa hora estava já Miguel Macedo cansado de esperar, sentado no sofá do corredor de acesso aos camarotes desde as dez e meia, altura em que Bernardo lhe fizera sinal para que saísse. Logo que terminara o intervalo, cerca das dez horas, tinham reocupado os seus lugares no camarote, e Bernardo dissera-lhe então que se preparasse para sair. Nos minutos que se seguiram, Bernardo não conseguia esconder a sua impaciência. Felizmente só Mafalda e Miguel se aperceberam. De vez em quando dizia alguma coisa ao ouvido da mulher. Depois, olhava pelo canto do olho para Miguel. No fim do primeiro andamento da Sinfonia de Mahler, fez sinal a Miguel e este saiu discretamente para o corredor, onde encontrou um pequeno sofá providencial. Iniciava-se agora a espera. Quando o seu telemóvel finalmente começou a vibrar e o visor se iluminou indicando uma chamada de telefone não-identificada, passava já das 11h00 em Lisboa. Miguel atendeu, como combinado, sem dizer palavra. O que ouviu não o desiludiu. Depois de ouvir a frase: «... próxima terça-feira seguimento à deliberação do *Board... Banco Internacional Anglo-Português*», Miguel desligou sem dizer uma palavra.

Fez, de seguida, duas chamadas rápidas e depois regressou ao camarote. Ao olhar inquiridor de Bernardo respondeu logo com um aceno afirmativo.

Depois, inclinando-se, disse-lhe em surdina:

— É na terça-feira.

Bernardo ficou imóvel ouvindo o final da sinfonia. A natural apreensão era também acompanhada por verdadeiro alívio. Já tinha praticamente a certeza de que a oferta seria lançada. Há vários meses que tinha sido alertado para isso. O seu único receio era que fosse lançada sem lhe dar tempo para pôr em prática o seu plano.

Já não conseguiu dar atenção à música. Terminado o concerto, teria ainda de passar pelo Salão Nobre, onde o Banco Central oferecia uma recepção. Era a última coisa que lhe apetecia, mas não poderia agora mostrar qualquer sinal exterior de preocupação.

Na recepção, circulou apenas o suficiente para ser visto sem, no entanto, estabelecer conversa com ninguém. Falou a todos, mas não se deteve a falar com ninguém. Estavam o ministro das Finanças, os presidentes dos outros bancos, de grandes empresas, deputados e jornalistas. Quando achou que se tinha demorado tempo suficiente, despediu-se dos anfitriões e retirou-se. Mafalda seguiu para casa com o motorista do Banco, enquanto Bernardo e Miguel seguiram no carro deste. A reunião estava combinada havia já dois dias e os participantes, de prevenção. Miguel tinha-a confirmado logo que recebeu o telefonema. Fora marcada para o escritório dos advogados a fim de evitar chamar a atenção na sede do Banco. Além disso, toda a documentação já preparada se encontrava na posse dos advogados. Há várias semanas que se reunia em segredo uma equipa composta por advogados, consultores de comunicação e elementos do banco de investimento Shoenberg & Likermann, que Bernardo escolhera para o aconselhar nesta OPA. Além de Bernardo e Miguel Macedo, só uma pessoa do Banco participava e sabia da sua existência: José Maria Ribeiro, o director de Relações com os Investidores do Banco. Sem dúvida o homem em quem Bernardo mais confiava, e seu amigo de infância.

Para organizar a defesa do Banco Internacional Anglo-Português, Bernardo pensou primeiro em dispensar a contratação de um banco de investimento estrangeiro, fazendo o trabalho com a prata da casa, ou seja, as equipas de fusões e aquisições, e do mercado de capitais do banco. Assim, pouparia nas astronómicas comissões dos bancos de investimento, enquanto reforçava a experiência dos quadros da casa. Porém, foi José Maria quem o convenceu a contratar um banco de investimento americano, com experiência em operações daquelas. «O que está em jogo é demasiado importante para estar com poupanças», foram as palavras que convenceram Bernardo. As reuniões tinham lugar no escritório dos advogados Albergaria, Mendonça e Tavares, nas Amoreiras.

Quando recebeu o primeiro aviso de que estaria iminente uma ofensiva sobre o BIAP, Bernardo chamou José Maria Ribeiro e discutiu o assunto com ele. Depois encarregou-o de falar com os advogados e consultores e constituir uma equipa de defesa, para a hipótese de a OPA vir a ser lançada. Através de José Maria, Bernardo mantinha-se ao corrente do trabalho realizado e tinha dado algumas orientações por seu intermédio. Naquele dia, porém, seria a primeira vez que comparecia pessoalmente e que falaria aos consultores da OPA sobre a forma como deveria ser desencadeada a operação de contra-ataque que tinha arquitectado. Agora estava satisfeito por ter preparado este plano, embora de início não tivesse dado grande crédito aos rumores de OPA que lhe foram chegando.

Ao entrar com Miguel, pouco antes da uma da manhã, ambos de *smoking,* pela garagem do edifício das Amoreiras, para uma reunião secreta, Bernardo sentia-se um pouco James Bond. Estava contente consigo próprio — tinha decidido bem ao levar esta ameaça a sério e correr o risco de contratar os consultores e desenhar uma táctica de defesa.

A enorme sala de reuniões do 15.º andar, envidraçada, oferecia uma vista panorâmica de Lisboa. Decorada com sobriedade, estava dividida em duas zonas: um recanto com vários sofás, mesas baixas e uma consola; na zona central, a mesa de reuniões com lugar para dezasseis pessoas. A equipa de defesa estava toda presente à volta da mesa, debruçada sobre os respectivos papéis. Vários computadores portáteis estavam abertos e um projector iluminava no grande ecrã da sala a apresentação na qual trabalhavam. Depois dos cumprimentos, Bernardo afastou-se para junto dos sofás com José Maria e Alberto Mendonça, o chefe do escritório. Rapidamente lhes deu as informações de que dispunha dirigindo-se em seguida todos para a mesa de reuniões na qual Bernardo ocupou a cabeceira e iniciou a reunião.

Depois de agradecer a presença àquela hora, apresentou-lhes o seu plano:

— Convoquei o Conselho de Administração para segunda de manhã e amanhã mesmo peço reuniões urgentes com o ministro das Finanças e o governador do Banco Central. Sei que ambos estarão em Lisboa, por isso não antevejo qualquer obstáculo. Gostaria de ter toda a documentação pronta para rever durante o fim-de-semana; se não for possível, quero ter amanhã pelo menos os *dossiers* para o ministro e o governador, com a nossa argumentação, bem como a estratégia de comunicação. Sobre este último, não gostaria que se utilizassem peças negativas sobre o nosso alvo, a não ser que seja absolutamente necessário ou como resposta a ataques contra nós.

Virando-se para José Maria Ribeiro acrescentou:

— O Miguel Macedo precisa de ter os números dos telefones e telemóveis de todos os elementos da equipa da defesa. Depois cabe-lhe a ele distribuir essa lista, na qual estará também o meu número confidencial.

E, dirigindo-se aos outros, concluiu:

— Qualquer de vós poderá usar esse número, sempre que tiver alguma coisa urgente para me comunicar. Em condições normais a comunicação será através do Dr. José Maria Ribeiro. Se alguém tiver alguma questão que queira colocar, faça o favor.

Só os advogados Marta La Salle, chefe da equipa jurídica da operação, e Alberto Mendonça fizeram perguntas. O grupo envolveu-se depois numa análise pormenorizada da operação. Bernardo e Miguel retiraram-se ao fim de meia hora.

Para Bernardo, os dois dias seguintes seriam também de intenso trabalho. Em casa, apenas na companhia de Mafalda e dos filhos e, ocasionalmente, de Miguel Macedo e de José Maria, que lhe vinham trazer a documentação, à medida que ficava pronta, passou tudo em revista, introduzindo aqui e ali alterações de pormenor. No sábado, a meio da tarde, recebeu de Madalena, sua secretária há quase vinte anos, a confirmação de que o ministro e o governador o receberiam na segunda-feira ao princípio da tarde. Tudo estava a postos.

* * *

Também em Nova Iorque se realizava uma reunião muito semelhante, mas com objectivos e contornos bem diferentes.

A limusina de Bob Perry deteve-se em frente ao n.º 1 de Wall Street no preciso momento em que Bob terminava a chamada internacional que o ocupara durante todo o trajecto desde o Waldorf Astoria. O interlocutor estivera sobretudo interessado em saber se tinha havido votos contra.

Bob Perry seguia para casa, deixando Craig Williams, CFO do FATB, no edifício do Banker's Trust, com o batalhão de consultores que o aguardava na sede do banco de investimento, no 26.° andar. Nos bancos de investimento em geral, e no Barrister em especial, havia sempre uma conotação militar para tudo o que se fazia, sobretudo nas operações de grande envergadura e visibilidade como era o caso desta. Bobby Collins era, sem margem para dúvidas, o comandante-chefe. Com ele estava um estado-maior composto por três juristas e dois *investment bankers*. Eram eles que definiam a estratégia e a táctica. Depois havia as tropas: os executantes, com os seus vários escalões de responsabilidade.

Já passava das duas da manhã quando Craig saiu do Barrister, depois de passar a pente fino toda a documentação que teria de acompanhá-lo no dia seguinte para Lisboa. Anúncio, requerimento de registo, prospecto, *dossiers* para as autoridades e *dossier* para os consultores de comunicação. Esta seria uma batalha travada e decidida em grande parte na comunicação social. Por isso o Barrister e os consultores de comunicação tinham preparado um extenso *dossier* com inúmeros textos para artigos favoráveis sobre o First American Trust Bank e com outras tantas ou mais histórias desfavoráveis sobre o BIAP. Estas eram relacionadas com aspectos técnicos da gestão, estrutura financeira do Banco, mas também pequenos podres sobre as pessoas e até as suas famílias.

Em suma, tudo o que tinham conseguido desenterrar sobre o banco, a sua história, os fundadores, os administradores, os accionistas e alguns directores. Bob Perry sabia que poderia ter de recorrer a todas as armas e por isso queria tê-las por perto. Para esgravatar o passado da instituição e das pessoas, tinha contratado um especialista, velho conhecido de Bob Perry.

3

O TELEFONEMA

Rosa, uma das filipinas que assegurava o serviço doméstico da residência Figueiredo, foi a primeira a ouvir o telemóvel que tocava insistentemente no quarto do patrão, sem que ele aparentemente desse por isso. Apesar de ainda não serem oito da manhã, Rosa e Natália andavam já a limpar a saleta do primeiro andar do apartamento na Rua 78, perto da 2.ª Avenida, que servia de residência ao director-geral do escritório da companhia em Nova Iorque. Era nessa pequena sala, ao lado do quarto, que o casal via televisão e passava os serões quando não recebiam visitas. Na véspera, não haviam praticamente entrado nela, pois tinham preferido ficar na biblioteca cuja desarrumação de cinzeiros e copos falava por si. Primeiro hesitante, depois mais decidida, Rosa bateu à porta do quarto e chamou:

— Senhor Doutor, senhor Doutor. O seu telefone está a tocar.

Depois de bater mais duas vezes, já com mais força, ouviu finalmente do outro lado:

— Está bem, está bem, Rosa. Já ouvi.

E, acto contínuo, o telemóvel calou-se.

Enquanto a dedicada empregada continuava a sua faxina matinal, António Figueiredo, ainda estremunhado, recebia finalmente a chamada por que tanto ansiara.

Depois de dar uma explicação algo desajeitada sobre os acontecimentos da véspera, recebeu a informação que pretendia:

— Não sei se ainda vai a tempo, mas ficou ontem decidido avançar com a OPA na terça-feira. Na segunda vão comunicar às autoridades e por isso só lançam a oferta no mercado no dia seguinte. Mas está tudo pronto, incluindo a documentação para as autoridades portuguesas e para a SEC. Estive desde as oito da noite de ontem até agora na reunião. De lá não podia ligar para o teu número. Interrompemos por turnos. Coube-me a mim agora vir a casa tomar duche e dormir umas horas e volto para lá às três da tarde. Só esta noite deve ficar tudo concluído. O preço é dez euros.

Figueiredo tinha, entretanto, saído do quarto para não acordar Célia. A adrenalina da informação despertara-o completamente. Por monossílabos agradeceu e prometeu ligar mais tarde.

— Mas só até às duas e meia — recordaram-no do outro lado

Já completamente consciente, tomou um duche rápido, enfiou o roupão e desceu ao piso de baixo, onde pediu na cozinha que lhe levassem o café ao escritório. Depois, foi à biblioteca e aproximou-se de uma estante onde carregou num pequeno botão no canto da primeira prateleira e o corpo da estante soltou-se e girou sobre dobradiças dando acesso ao escritório interior. O edifício conhecera grandes obras durante a Segunda Guerra Mundial, e alguém deve ter pensado que a dissimulação do escritório talvez ainda viesse a ser útil. É claro que o facto de actualmente muitas pessoas saberem disso retirava grande parte da utilidade ao compartimento «secreto». De pouco servia, excepto para se esconder quando a mulher dava enfadonhos almoços ou servia chás de senhoras. Contudo, trazia algum picante à sensaboria da sua actividade.

Bebeu o café enquanto ligava para casa de Carlos. A voz rouca de ressaca lembrou-lhe a noitada da véspera, os cigarros, o *whisky* e o desespero com o telemóvel... Mas tudo isso estava agora ultrapassado. Ainda estavam a tempo de salvar a operação.

— A Ellen acabou de ligar — começou Figueiredo sem dar ao outro tempo para falar. — Toma um duche rápido e vem aqui ter. Vou telefonar ao Victor Paiva antes que ele telefone a descompor-me. — E dito aquilo desligou.

Depois arrumou as ideias e ligou o número de Cascais. A voz que do outro lado do fio respondeu ao cumprimento soou seca:

— Estou aqui sentado ao lado do telefone, desde ontem à noite, à espera do seu telefonema.

Figueiredo apresentou a sua confusa explicação sobre o desencontro da véspera e passou rapidamente para as informações que tinha:

— Parece que vão aí para dar ao Governo uma satisfação. Na segunda-feira. Só no dia seguinte lançam a oferta. O preço ficou nos dez euros. Sendo assim, julgo que ainda há margem para você fazer a operação de que falámos.

— Margem há, não sei se há é tempo. Talvez não saiba que os mercados agora estão fechados — respondeu Victor Paiva, denotando ainda bastante mau humor.

— Mas há ainda a segunda-feira e parte da terça — acrescentou Figueiredo.

— Tenho de ver. Vou falar com o meu banco e ver o que é possível. Tínhamos combinado que o telefonema seria feito ontem e por isso tinha prevenido a pessoa. Agora não sei se conseguirei a chamada antes de segunda-feira — concluiu o seu interlocutor.

— Bem, depois diga-me o que conseguiu — terminou Figueiredo, desejoso de pôr um ponto final na conversa.

Desligou e ficou sentado à secretária, pensativo. Ainda assim estava, quando Carlos Martins entrou no escritório, vinte minutos mais tarde. António relatou-lhe a conversa com Victor Paiva. Carlos ouviu atentamente e no fim perguntou:

— E não lhe lembraste que mesmo que se não faça a operação tem de nos pagar o valor mínimo acordado?

— Estás parvo? Achas que era o momento para falar nisso? Era capaz de me desligar o telefone na cara. Vai rezando para que ele consiga comprar as acções, caso contrário diz adeus à tua parte da comissão: percentagem e valor mínimo — concluiu Figueiredo que, contra a sua vontade, ainda foi a tempo de se conter e de lhe lembrar que a causa do atraso na comunicação fora estupidez sua.

Deixou Carlos Martins no escritório com o seu telemóvel, para o caso de Paiva telefonar, e voltou ao piso de cima para se barbear e vestir.

Quando regressou constatou que o telefonema não tinha chegado.

— Agora invertem-se os papéis — disse nervosamente — e é o gajo a fazer-nos esperar.

Fumando cigarros em cadeia, Figueiredo e Carlos atiraram-se à leitura dos jornais de sábado que Rosa tinha entretanto colocado no escritório.

* * *

Figura muito conhecida nos meios de Cascais, Victor Paiva é um empresário do ramo imobiliário com uma fortuna colossal, acumulada em pouco mais de dez anos. Há uns anos comprou um grande casarão em ruínas com vista para o mar, na zona da Boca do Inferno. Depois de grandes obras de remodelação, lá se instalou. Rapidamente se insinuou no pseudo *jet set* e, depois de duas grandes festas e vários jantares com ministros e ex-ministros, passou a ser também convidado e a aparecer em toda a parte. Ele sempre com cara de frete, mas a mulher visivelmente satisfeita com a promoção social. Paiva não escondia as suas humildes origens transmontanas. De resto de nada lhe valeria, pois o seu aspecto e a carregada pronúncia nortenha denunciavam-no. Tinha vindo para Lisboa com dez anos para trabalhar como marçano na mercearia do padrinho, que ficava para os lados das Avenidas Novas. Muito trabalhador, esperto e desconfiado, o pequeno Victor Paiva tinha conseguido sobreviver no ambiente hostil da capital.

Aos catorze anos, através de uma cliente da mercearia, cujo marido era administrador de um banco, conseguiu um emprego como *groom*. Como tinha a quarta classe, eram-lhe atribuídas tarefas um pouco mais exigentes do que à generalidade dos *grooms* que mal sabiam ler. Estes serviam essencialmente para ir comprar cigarros ou buscar café. De vez em quando mandavam-nos levar um processo ao escritório de advogados ou a outro serviço do banco. Ficou a trabalhar com o director do serviço de títulos do banco. Era um homem com mais de sessenta anos, cuja reforma não tardaria. Simpatizou logo com o jovem Victor, que era dedicado, trabalhava muito para além do seu horário e aprendia depressa. Como tinha tempo e gostava de ensinar, o director falava muito com ele e explicava-lhe muita coisa. Foi com ele que aprendeu o que era uma acção, uma obrigação, como se cortava e para que servia um cupão, e como funcionava a Bolsa nesses anos conturbados, mas financeiramente promissores, de reconstrução da Europa.

Quando o director se reformou, o banco ofereceu a Victor Paiva um lugar administrativo, caso ele se dispusesse a estudar à noite para concluir o então 2.º ano do Liceu. Já com dezoito anos, sabia que não podia continuar como *groom* muito mais tempo. Contudo, a ideia de passar dois anos a estudar coisas que já sabia também não lhe agradava. Conseguiu que, em vez disso, o banco lhe emprestasse dinheiro para tirar a carta e comprar um táxi. Trabalhava dias e noites e ganhava bem. Como tinha aprendido meia dúzia de palavras de inglês, sempre que podia, fazia a ronda por hotéis, clubes nocturnos e casas de fados, para apanhar turistas. Continuou a viver no mesmo quarto alugado na Mouraria, que ocupava desde que tinha saído de casa do padrinho para ir para o banco. Levava uma vida regrada e de poucas ou nenhumas fantasias. A sua prioridade era liquidar o empréstimo. E assim fez. Foi juntando dinheiro e pagou-o na íntegra ao fim de dois anos, muito antes do fim do prazo que lhe tinha sido concedido. Entretanto, a sua «vida social» era quase inexistente. Visitava o padrinho e ia ao futebol aos domingos, por essa ordem. Num desses domingos conheceu em casa do padrinho um rapaz da terra, mais novo que ele uns anos, que estava também a trabalhar em Lisboa. Embora as suas famílias se conhecessem, não se lembrava de alguma vez o ter visto na terra. De imediato se fizeram amigos e passaram a ir juntos ao futebol. Alberto tinha arranjado trabalho numa empresa de camionagem, como aprendiz de mecânico, pois tinha muito jeito de mãos.

Passado pouco tempo morreu o padrinho e acabaram os almoços de domingo, passando a encontrar-se com Alberto de manhã para almoçarem juntos, antes de seguir para a bola. Trabalhava de 2.ª a sábado. No domingo descansava e aproveitava para fazer ele próprio, agora com a ajuda de Alberto, pequenas reparações no automóvel. As semanas sucediam-se nessa rotina. Entretanto, juntou mais dinheiro e comprou um automóvel melhor.

Um dia, um cliente que entrou no táxi, director de uma companhia de navegação, sugeriu-lhe um emprego como camareiro num navio de passageiros. O gosto pela aventura levou-o a aceitar o desafio. Não teve muito trabalho para convencer Alberto a deixar o emprego na empresa de camionagem e ficar a guiar o táxi na sua ausência. Pouco depois, iniciava a sua vida de «embarcadiço», que viria a durar perto de dez anos. Durante esse tempo conheceu o mundo, aprendeu inglês e acumulou dinheiro que investiu no negócio dos táxis que Alberto, em Lisboa, geria. Quando Victor Paiva desistiu da vida no mar e regressou a Lisboa, já era dono de quatro táxis e de um pequeno pecúlio.

Estávamos nos anos 60. A construção da ponte sobre o Tejo criou muitas oportunidades de investimento na margem sul. Victor Paiva foi dos primeiros a reconhecê-las. Vendeu o negócio e investiu esse dinheiro, mais o que tinha acumulado, em terrenos na zona de Almada e do Seixal. Usando depois os terrenos como garantia, obteve um empréstimo bancário para construir um prédio num dos terrenos. Com o seu espírito empreendedor, conseguiu construir dentro do prazo e do orçamento. O seu primeiro negócio correu tão bem que resolveu investir os lucros criando uma empresa de construção. A partir daí a empresa de construção Paiva e Lopes não parou de progredir. Aproveitou o *boom* imobiliário da margem sul e depois, já nos anos 80, passou para a Linha de Cascais.

Quando saiu da marinha mercante, foi viver para o Seixal e lá ficou durante mais de vinte anos. Ele e Alberto viviam em duas moradias geminadas, até que se mudaram para Oeiras. Durante esses vinte anos, Victor Paiva casou duas vezes, primeiro com uma prima de Alberto de quem teve um filho. Viveram juntos sete anos. Uns anos depois da separação, Victor Paiva casou com uma rapariga que trabalhava na Câmara de Almada. Viveram juntos cinco anos e separaram-se. Depois do segundo divórcio, Victor Paiva raramente saía em companhia feminina. Tinha umas amigas dos tempos antigos, algumas pouco recomendáveis. De resto, dedicou-se ao negócio e à educação do filho.

Os negócios em Carcavelos e depois Cascais correram tão bem como os da margem sul. Dizem alguns que foi também nessa época que ele se iniciou na muito rentável actividade de venda de armas. Porém, essas coisas nunca se sabem ao certo. O facto é que em meados da década de 90, quando trocou a casa de Oeiras por Cascais, Victor Paiva era um homem riquíssimo. Foi a partir de então que a sua actividade mudou. Comprava muitos terrenos, mas pouco construía e gastava mais tempo a olhar para as cotações da Bolsa e a falar com os bancos. Dizia-se que ele ganhava mais na Bolsa do que na construção. Começou também a dar-se com outro género de pessoas e conheceu Natália, que viria a ser a sua terceira mulher.

Natália Cruz, primeiro fotógrafa, depois jornalista numa das chamadas «revistas cor-de-rosa», tinha então 39 anos e estava divorciada há três. Vivia com o filho de cinco anos num apartamento no Monte Estoril. Conheceu Victor Paiva quando o director da revista a mandou fazer uma reportagem sobre Paiva e a sua grande casa. Foi amor à primeira vista e, menos de três meses depois, Natália e o pequeno Bruno mudavam-se para a grande mansão de Cascais. Natália conhecia muita gente e beneficiava da subserviência do chamado *jet set* para com os jornalistas em geral e os que publicam fotografias em especial. É claro que pouco tempo depois de «casar» com Paiva, Natália deixou de trabalhar na revista e passou a dar festas e entrevistas sobre as festas que dava e que frequentava. Longe ia o tempo em que trabalhava numa loja de fotografia no centro comercial da Amadora.

Foi numa dessas festas, em casa de um diplomata estrangeiro, que Paiva conheceu António Figueiredo, ainda este não tinha saído da carreira. Simpatizou com ele e passou a convidá-lo para sua casa. Figueiredo, na intimidade, ridicularizava o outro contando histórias, relatando as suas *gaffes* e até fazendo imitações, mas continuava a aceitar os seus convites. Quando estava na Argentina, Figueiredo foi surpreendido com a notícia de que o Paiva e a mulher iam passar por Buenos Aires e não teve outro remédio senão convidá-lo para ficar em sua casa. Paiva e Natália adoraram.

Quando Figueiredo foi para Luanda, ao serviço da Parker, Paiva sugeriu-lhe que talvez pudesse detectar-lhe oportunidades de negócio ou apresentar-lhe potenciais parceiros. Insinuou que lhe daria uma comissão, se concretizasse algum negócio. Pensava nalguma empreitada ou negócio de armas num país africano. Renovou a sugestão quando o outro foi para Nova Iorque. Paiva era bom avaliador dos homens e das suas motivações, caso contrário não o teria sugerido. Há muito que percebera que Figueiredo gostava de dinheiro e gastava mais do que ganhava. Muito dado a gostos caros e à ostentação, era por dinheiro como macaco por banana. Vivia sempre endividado e na dependência financeira do sogro que de resto abominava. Acolheu de imediato a sugestão de Paiva. Agora parecia ter chegado o momento de concretizar um desses negócio.

Dois meses antes, Figueiredo conhecera em Nova Iorque uma rapariga que se dizia *legal assistant* num dos principais escritórios de advogados da cidade. Apesar dos seus trinta e tal anos, estava ainda a terminar o curso de Direito na NYU, pois interrompera-o anos antes, quando se casara. Depois do divórcio retomou o curso enquanto trabalhava no escritório. Como era esperta e já tinha conhecimentos jurídicos, deixavam-na redigir alguma documentação que depois era revista por um advogado. Assim, ganhava mais do que as outras secretárias e tinha mais responsabilidade do que elas. Contava também com uma promessa do chefe do escritório: logo que passasse o exame da Ordem passaria a associada. Ellen Pratts tinha uma belíssima figura. Loira, de cabelo comprido, pernas altas bem torneadas e um peito bem feito e proporcionado. Foi o seu peito que primeiro chamou a atenção de Figueiredo, quando a conheceu.

No final de um jantar, Figueiredo e alguns amigos, entre os quais o inseparável Carlos Martins, tinham ido a um bar beber um copo. Ela estava com um grupo de amigas. Dali partiram para o clube 21 e já era tarde demais quando Ellen descobriu que Figueiredo era casado.

A partir daí passou a encontrar-se regularmente com Ellen e a falar diariamente pelo telefone com ela. Pouco tempo depois ela confidenciou-lhe que ia trabalhar numa operação com uma empresa portuguesa cujo nome ainda não sabia. Figueiredo não deu grande importância ao assunto. Foi só quando, mais tarde, lhe telefonou excitada contando que tinha sido incluída na equipa jurídica que estava a trabalhar na aquisição de um banco português — o Banco Internacional Anglo--português — que Figueiredo viu a oportunidade.

A partir desse dia Figueiredo passou a fazer-lhe mil perguntas sobre todos os pormenores da operação. Quem era o comprador, que procedimentos iam usar. Seria uma oferta pública ou uma negociação? Ellen nessa altura sabia ainda pouco da operação, mas, à medida que ia conhecendo os pormenores, foi informando Figueiredo. Este, lembrando-se da promessa de Victor Paiva, resolveu falar-lhe no assunto. O outro ficou logo com as antenas no ar. Para lhe espicaçar o apetite,

Paiva falou em números astronómicos de lucros possíveis. Com a informação certa, ele saberia como fazer operações de bolsa que renderiam milhões... E dar-lhe-ia uma parte dos lucros. Mas para isso teria que de seguir à risca as suas instruções.

Tudo correu como combinado até ao infeliz episódio do telemóvel estilhaçado. Figueiredo foi passando ao amigo as informações que recebia de Ellen. Paiva estava encantado com o que ia sabendo. Naquela sexta-feira da inoportuna recepção aos príncipes, só faltavam duas informações, ambas cruciais. A confirmação da aprovação pelo *Board* do comprador, o gigantesco First American Trust Bank, e o preço definitivo. Com esses dois dados, Paiva iria fazer uma pequena fortuna e Figueiredo receberia um bom quinhão.

Agora, à medida que o sábado avançava, infelizmente, tudo parecia desmoronar-se. Paiva poderia não conseguir fazer a operação que queria ou, então, a sua má disposição levá-lo a renegar a promessa de dividir o lucro. Era um homem imprevisível e implacável em questões de dinheiro. E o facto é que Figueiredo tinha faltado ao seu compromisso.

4

O CLIENTE

Carla dormia profundamente quando o seu telemóvel tocou. Estremunhada, consultou o relógio da mesa-de-cabeceira e olhou para o visor do aparelho. Este mostrava-lhe um número que conhecia de cor, o do seu maior cliente. Tinha-se deitado depois das seis da manhã e não estava disposta a acordar agora para atender Victor Paiva, por muitos milhões que o homem tivesse. Na véspera, esperara até tarde por um telefonema dele que nunca chegou. Logo que o visor do telemóvel se apagou, desligou-o, não fosse Paiva insistir.

A seu lado, Rui dormia profundamente de barriga para baixo, um braço caído para fora da cama e o outro por cima da barriga dela. Apesar de Carla se ter mexido, ele não acordou nem fez qualquer movimento. Carla virou-se na cama e voltou a adormecer.

Geralmente acordava cedo, mas deitara-se anormalmente tarde e precisava do repouso. Rui estava habituado a noitadas. Saía muito à noite e até altas horas. Geralmente saía com amigos, Ricardo Pais e Manuel Sousa de Andrade. Eram três grandes borguistas que levavam já duas décadas de boémia vividas em comum. Tinham-se casado, divorciado, voltado a casar, e sempre a mesma vida. Nas fases piores chegam a estar 24 horas ininterruptas na borga. Essas noitadas acabam geralmente em antros pouco recomendáveis. É frequente quando acabam não saberem onde moram nem onde deixaram os carros. Chegam a despachar uma garrafa de *whisky* cada um, vários maços de cigarros e por vezes outras substâncias mais nocivas. Mas não quando jogam. Nessas noites não bebem tanto mas gastam mais dinheiro. Quando saem com as mulheres ou namoradas, não passam para a segunda fase. Por isso, essas noites acabam pelas seis ou sete da manhã. Foi o caso nessa sexta-feira. Rui e Carla tinham jantado nas Docas com Ricardo e a namorada. Depois tinham passado por duas discotecas até às seis.

Carla conheceu Rui há dois anos e começou logo a sair com ele. Deixou-se enredar na sua teia e, quando deu por si, era tarde. A princípio, não percebeu que ele era casado. Quando soube, ficou furiosa e não lhe falou durante um mês. Depois, deixou-se cair no engodo. Carla de Melo viveu em Torres Vedras até aos dezoito anos, quando veio para a universidade. Levava uma existência muito recatada e controlada pelos pais que só viviam para a sua única filha. O pai é proprietário de um supermercado de média dimensão que lhe proporciona um nível de vida confortável, mas lhe ocupa todo o tempo. A mulher trabalha também no supermercado, ajudando o marido.

A infância e adolescência de Carla foi passada entre a escola e o supermercado, onde ajudava os pais nas férias e aos fins-de-semana. A partir dos dezasseis anos, começou a arranjar pretextos para não ir para o supermercado. O pai, mais autoritário, reagiu mal, mas a mãe acabava por condescender e ficava com Carla, em casa. Quase não tinha amigas, e rapazes nem vê-los. De viver tão aperreada nos primeiros anos de juventude, a jovem tornou-se ávida de divertimento. Quando veio para Lisboa, a fim de frequentar a universidade, o pai comprou-lhe um andar em Telheiras. Teve subitamente a sua liberdade e aproveitou-a bem. Gostava muito do curso de Relações Internacionais. Não sendo um génio, Carla era esperta e tinha facilidade em aprender. Como ia passando de ano, os pais não a pressionavam. A partir do segundo ano, passou a ter melhores notas. Depois dos vinte anos ficou mais esbelta e perdeu o ar de adolescente provinciana. Tornou-se mais bonita e passou a arranjar-se melhor. Magra e bem feita, era uma mulher vistosa. Quando acabou o curso, trabalhou dois anos no departamento de *marketing* de uma multinacional, experiência que detestou. Tinha de trabalhar amiúde com os vendedores e estes estavam sempre a querer meter-se na sua cama. Não que não estivesse habituada, do tempo da faculdade, mas aquele tipo de assédio mais rasca enojava-a. Além disso, também não gostava das colegas, que eram estúpidas, ambiciosas e invejosas, nem do trabalho, monótono. Na primeira oportunidade, concorreu a um banco e foi admitida.

Passou uns tempos no departamento de operações e depois foi transferida para a direcção de *Private Banking*, onde tem uma razoável carteira de clientes particulares. Ajuda-os nas suas aplicações, sugerindo alternativas de investimento e produtos novos. Disso gosta francamente. Os chefes e colegas são mais civilizados, e não olham para ela como se quisessem comê-la instantaneamente com os olhos. Além disso, o trabalho é variado e mais bem pago. Com um empréstimo do banco, troca o pequeno andar de Telheiras por um *duplex* na zona da Expo. Agora tinha vida social e levava uma existência agradável. Quando se apaixonou por Rui, estava nas nuvens. Nunca se tinha sentido tão feliz. Tivera umas paixões na faculdade, mas nada comparável. Porém, depressa esse enlevo passou quando percebeu que era casado. Depois, foi-se enredando na conversa dele: a separação iminente, que está só à espera do momento certo para acontecer.

Rui, para além de mentiroso compulsivo, era muito hábil a manipular. Tinha esse vício, entre outros. Inteligente e culto, sempre fora um preguiçoso incorrigível. Em tudo, desde o estudo, ao trabalho, ao namoro e até ao sexo. Ao longo dos anos, viciara-se na manipulação das pessoas. Começara com a mãe. Desde muito pequeno que percebera que podia ter tudo o que queria sem esforço. O mais novo de cinco irmãos, fora educado sobretudo pela mãe. O pai, médico cirurgião, vivia nessa época assoberbado de trabalho e, depois de educar quatro filhos, desistiu do último. A mãe apegou-se anormalmente a esse filho. Entretanto os outros irmãos casaram e Rui continuou em casa dos pais, tendo uma infância de filho único. Nunca passou do primeiro ano de Engenharia. Até ao fim do secundário foi andando. Mas daí não passou. Quando fez 25 anos, o pai impôs-se e disse-lhe que bastava de vadiagem. Se quisesse, podia continuar a estudar mas teria que ser trabalhador-estudante. E arranjou-lhe emprego na agência da publicidade de um amigo seu.

Pouco durou esta fase de publicidade na vida de Rui. Ao fim de três meses estava cá fora, desentendido com o amigo do pai e com o resto das pessoas do pequeno escritório. Todos estavam contra ele. O trabalho estava mal organizado, os colegas eram incompetentes, o amigo do pai desonesto, e por aí fora... Tudo estava mal. Dir-se-ia que o mundo não se adaptava a Rui. A mãe, sempre vidrada no seu filhinho querido, engolia estas desculpas, mas o pai não. A verdade é que ele nunca se apresentava a horas no escritório, faltava muito por causa das ressacas, esquecia-se de tarefas importantes, metia-se frequentemente em intrigas de escritório. De início, os outros empregados deixaram passar, mas depois foram queixar-se ao patrão. Este, por deferência para com o amigo, chamou Rui e tentou indicar-lhe o caminho. Mas logo percebeu que o esforço era inglório — o rapaz era desenquadrado por natureza. Um dia procurou o pai de Rui e explicou-lhe o que iria passar-se se o filho não se emendasse. O pai recebeu a notícia sem surpresa, mas, incapaz de agir, nem referiu essa conversa à mulher.

Durante os meses que se seguiram, Rui ficou na situação de desempregado, oficialmente à procura de emprego. Mas a realidade era outra. Dormia todos os dias até às quatro da tarde, tomava banho, almoçava e saía para ir ter com Ricardo e Manuel e só voltar a altas horas. Foi nessa época que viveu cerca de um ano com uma namorada. Apesar disso, vivia à custa da mesada da mãe e dos reforços que frequentemente lhe pedia. Quando acabou essa relação, voltou para casa dos pais. Foi também por essa época que começou a jogar. De vez em quando, fazia grandes dívidas de jogo. Nessas alturas, metia-se na cama até que a mãe viesse oferecer-se para lhe pagar as dívidas e tirá-lo de sarilhos, sem que o pai soubesse. Este assistia a tudo sem nada dizer. Até que um dia, passados seis meses, chamou Rui e informou-o de que lhe tinha arranjado outro emprego. Desta vez, avisou ele, seria bom que o filho fizesse por chegar a horas, não faltar e dar-se bem com todos. Arranjara-lhe lugar num serviço da Segurança Social. Sem dúvida, menos interessante que a publicidade, mas é sempre assim quando se desperdiçam oportunidades — aparecem outras, mas menos interessantes.

Conformado, Rui lá foi trabalhar. Deve realmente ter feito um esforço para se emendar. Completava os seus parcos rendimentos com a mesada da mãe e os seus habituais reforços. Agora, passados doze anos, casado e com três filhos, continuava irresponsável e a fazer a mesma vida. Melhorara apenas um pouco na assiduidade. Mas no trabalho gostavam dele e iam aguentando. Rui tem grande facilidade com os números. Além disso, é culto e escreve bem, o que ajuda em qualquer trabalho. Geralmente, atribuíam-lhe tarefas de tratamento de dados e preparação de relatórios periódicos. Conseguira também moderar-se no jogo. Tentava tirar partido daquilo que tinha. Olhava agora as colegas com outros olhos. Sempre que entrava uma nova, arranjava maneira de se insinuar e, se ela lhe desse troco, daí a pouco tempo convidava-a para sair. Depois era ver se dava mais qualquer coisa. E muitas vezes dava. Tinha boa figura, um sorriso encantador, olhar inteligente e a aparência de ser uma pessoa sensível. Tudo bons trunfos para o engate. Só precisava que não dispusessem de muito tempo para o avaliar.

Foi o que aconteceu com Carla. Conheceu-o através de uma colega de curso, funcionária da Segurança Social que foi transferida para o serviço do Rui. Logo ele atacou, convidando-a para um copo ao fim da tarde. A rapariga aceitou, mas, receosa, pediu a uma amiga que a acompanhasse. De imediato, Carla prendeu a atenção de Rui que nem queria acreditar no que os seus olhos viam. Esquecendo-se logo da colega, atirou-se de cabeça à amiga. No dia seguinte, telefonava a convidá-la para jantar e não mais a largou. Carla já estava enrolada quando percebeu que ele casado. Agora vive na esperança de que ele se separe como não se cansa de lhe prometer.

Carla acordou tarde. Rui dormia ainda profundamente, deitado de borco. Sem fazer barulho, Carla levantou-se, enfiou a *T-shirt* XL que usa para dormir e desceu ao piso inferior. Enquanto a máquina fazia o café, abriu a enorme janela da sala e saiu para a varanda. O sol estava a pique e o dia quentíssimo. Não fosse Rui ter ficado a dormir em sua casa, hoje certamente teria ido à praia. Apesar de o mês de Junho ir a meio, era o primeiro fim-de-semana de verdadeiro calor.

Lembrou-se então do telefonema de Paiva. Este era sem dúvida o melhor cliente da sua carteira. O mais chato, mas o melhor. Com mais dinheiro aplicado e para aplicar, e mais propenso a fazer investimentos com risco. Regularmente trazia mais dinheiro para aplicar. Carla não percebia se eram fundos gerados pela sua actividade imobiliária, se era dinheiro que tirava de outros bancos. Porém, não se dava ao trabalho de perguntar. Tinha mais de 100 milhões de euros de fundos aplicados. Não podia sequer pensar em perder um cliente destes. Todos os seus outros clientes juntos não chegavam a somar 60 milhões.

Já com o café na mão, sentou-se na cadeira da varanda e marcou o número do telemóvel que estava ainda registado no seu.

— Sr. Victor Paiva? — perguntou quando atenderam.

Uma voz feminina respondeu, seca:

— Só um momento.

Segundos depois a inconfundível voz rouca de Paiva atalhou do outro lado da linha, sem lhe dar tempo para falar:

— Carla, ainda bem que me liga. Preciso de falar consigo, mas agora não. Posso ligar-lhe dentro de um quarto de hora?

— Pode, com certeza. Fico à espera — respondeu em tom simpático.

Ficou sentada, com as pernas compridas esticadas, saboreando o café, e contemplando o rio e a linha do horizonte. O movimento de pessoas lá em baixo e na Ponte Vasco da Gama era agora intenso. Pensava no que teria Paiva de tão urgente para lhe dizer. Acabou o café e foi servir-se de outra chávena, regressando à varanda. Era sem dúvida a parte de que mais gostava da casa, e que a tinha decidido finalmente. Com mais de dez m², permitia-lhe ter uma mesa quadrada com quatro cadeiras e sombra todo o dia. Ainda cabia uma espreguiçadeira onde gostava de ler e de dormir umas sestas.

Com o telemóvel na mão, Carla atendeu ao primeiro toque. Do outro lado, Paiva falou de jacto:

— Desculpe ter telefonado, esta manhã, mas preciso absolutamente de montar uma operação na segunda-feira que necessita de alguma preparação, por isso queria mesmo falar-lhe hoje. Infelizmente ontem já não pude ligar-lhe. A operação que pretendo tem contornos precisos, por isso pedia-lhe que escrevesse o que vou dizer.

— Então dê-me um segundo para ir buscar papel e lápis — respondeu Carla, enquanto se dirigia ao pequeno escritório, contíguo à sala, onde cabia apenas uma secretária com o computador, o televisor e um cadeirão. Já sentada à secretária com papel à sua frente, pegou novamente no telefone: — Já está. Pode dizer.

Paiva continuou:

— Eu tenho, como sabe, a preços da última sessão, acções várias e outros títulos no valor de 105 milhões de euros, depositados em várias contas. Usando esses activos como garantia, quero que me faça um empréstimo, de 80 por cento do seu valor de mercado. A margem de 20 por cento cobre qualquer oscilação do mercado, pelo que não aceito pagar *spread* superior a 50 pontos de base. Com esses fundos, quero que compre, na abertura da bolsa, acções do BIAP até ao preço máximo de 7,7 euros. Como verá, as acções fecharam pouco acima dos 7 euros. Portanto tem muito espaço para comprar e é um título com muita liquidez. Caso o preço atinja os 7,5 euros deve avisar-me logo, mas sem suspender as compras, dentro do preço que lhe indiquei e que é 7,7 euros. As acções adquiridas devem ficar em nome das sociedades e *trusts offshore* que temos. O critério de repartição não é importante, pode distribuir como lhe der mais jeito e até pode pôr algumas acções na minha conta de títulos em Portugal, desde que não exagere. Mas, antes de mais, quero que confirme, junto dos seus superiores e da sua sala de mercados, a viabilidade desta operação. Preciso de saber, ainda hoje, se o seu banco me pode prestar este serviço, pois caso contrário tenho de ir para outro. Se a resposta for afirmativa, passarei pelo banco na segunda feira para assinar todos os papéis da operação. A Carla percebeu tudo? E pode falar com quem tem de falar e responder-me ainda hoje?

— Acho que sim. Se por acaso tiver alguma dúvida, posso telefonar-lhe?

— Claro. Mas preciso de ter a sua confirmação hoje. Isso é essencial. Veja lá, não me empate se por qualquer razão não puder ou não quiser fazer a operação. Não lhe escondo que se o não fizer, será o fim do meu relacionamento com o seu banco.

Carla não respondeu à ameaça e desligou depois das despedidas e de ter dado ao cliente a garantia de que se ia empenhar para que tudo corresse o melhor possível.

Ficou pensativa, olhando a folha de papel com os seus apontamentos e o ecrã preto do computador desligado. Depois, levantou-se e subiu ao quarto onde Rui ainda dormia profundamente. Sem fazer barulho, retirou do roupeiro uns calções e uma *T-shirt* e dirigiu-se para a casa de banho. Só depois do banho conseguia funcionar convenientemente. Enquanto tomava duche, ia arquitectando mentalmente as duas conversas que teria dentro de minutos. Primeiro, falaria ao director do *Private Banking*, João de Matos, para obter uma aprovação de princípio ao empréstimo. Tinha o número do seu telemóvel e autorização para o utilizar a qualquer hora, sempre que estivesse em causa a defesa dos interesses do banco ou dos clientes. Era o caso! Tinha aliás uma relação bastante informal com o seu director, que tratava pelo primeiro nome e pouco mais velho era que ela.

Depois falaria ao Jorge da sala de mercados. Esse seria mais fácil de abordar, pois estaria tão interessado como ela no êxito da operação. O seu bónus seria certamente beneficiado por esta transacção...

De novo sentada à secretária, fez os dois telefonemas. Apanhou o director na praia com os filhos, o que lhe fez lembrar que era lá que estaria se não fosse Rui. João hesitou ligeiramente, sobretudo quando Carla lhe falou no *spread* máximo que Paiva aceitava pagar, mas acabou por dar o OK pretendido:

— Pode dizer-lhe que sim, Carla. Eu julgo que está no meu escalão de competência de crédito, mas, caso não esteja, levo ao administrador para ratificar *a posteriori*. Pode comprometer-se.

Carla ligou em seguida para Jorge. Era um rapaz muito novo, mas um *dealer* já experiente. Era ele que fazia as operações dos clientes de *Private Banking*. Falava diariamente com Carla, tal como com os outros *private bankers*. Conhecia bem Victor Paiva, que frequentemente investia em acções. Carla ficou radiante com o que ouviu:

— Não devo ter problemas a colocar essa ordem de Bolsa. As acções têm vindo a cair e ainda na sexta deram mais um trambolhão. Com os níveis de liquidez desse papel, julgo que lhe consigo comprar o que ele quer, muito abaixo do tecto de 7,7. Podes dizer-lhe que sim, mas naturalmente dependendo das condições do mercado. Ressalva a nossa posição, pois nunca se sabe como estará o mercado na segunda. Mas para fazer isto logo à abertura preciso que me envies um «memo» com estas instruções, a indicação dos números das contas e as quantidades de acções a adquirir para cada uma. Logo que termine as operações mando-te outro com os valores exactos dos fundos que tens de colocar em cada conta, para a liquidação financeira.

E antes de se despedir acrescentou:

— E, Carla, arranja mais destas e vamos passar férias à Nova Zelândia!

Desligou e ligou a Paiva para lhe dar a boa notícia: luz verde para o crédito e para as ordens de Bolsa.

Como esperava, o cliente ficou radiante com a notícia e com a rapidez da resposta. Era um dos seus trunfos comerciais. Carla nunca deixava de responder rapidamente.

Levantou-se e foi de novo para a varanda, agora para saborear antecipadamente o seu sucesso. Caso a operação corresse bem, o seu bónus teria um grande incremento. Com isto, teria os ambiciosos objectivos do ano ultrapassados já em Junho. Os objectivos da própria direcção que antes pareciam impossíveis de atingir ficavam agora bem mais fáceis. Foi certamente pensando neles que João de Matos demorou menos tempo a aprovar o crédito do que a encher as bóias dos filhos.

Fitando de novo o horizonte, Carla não conseguia deixar de pensar no impacto que este dia teria no seu bónus. Com o do ano passado tinha comprado um *Peugeot* descapotável. Com o deste ano ofereceria a Rui umas férias nas Caraíbas.

Enquanto fazia projectos, chegou Rui, vestindo apenas uns *boxers* que Carla lhe tinha comprado para ter lá em casa. Vinha ainda meio estremunhado e com o cabelo em desalinho. Carla riu-se olhando para o relógio:

— Já? Às quatro e meia, finalmente regressado à vida! — exclamou.

Depois, beijando-o na cara, fez uma careta e empurrou-o com a mão. O tabaco da véspera, o álcool e o suor tinham feito uma mistura nauseabunda. — Cheiras pior que uma pocilga. Vai tomar um duche enquanto te arranjo um café e uma torrada.

Foi à cozinha e voltou com o «lanche» de Rui. Depois, encostada ao parapeito da varanda, regressou aos seus pensamentos, observando de vez em quando em baixo o movimento da rua que continuava intenso. Enquanto sonhava distraída com as idílicas férias nas Caraíbas com um Rui finalmente separado, só deu pelo seu regresso à varanda quando sentiu as suas mãos dentro da *T-shirt* acariciando-a enquanto a abraçava por trás. Carla ainda balbuciou qualquer coisa a respeito de se poder ver de fora mas, quando acabou a frase, já pouco lhe interessava quem podia ver o quê.

Fizeram amor durante vinte minutos. Sem pressa. Com Rui havia apenas uma pequena janela de oportunidade para actividade sexual. No fim da noite o álcool e o cansaço não lhe davam qualquer hipótese. De manhã, se estivesse acordado, não teria energia nem disposição. Sobrava apenas o fim da tarde, antes de começar a beber, e desde que não estivessem zangados. Não havia muitas alternativas...

Carla gostava da maneira como fazia amor. Demorava em cada passo o tempo necessário para saboreá-lo. Não era o género de amante que faz amor selvagem a toda a hora, mas sabia, como nenhum outro até então, levá-la até às nuvens.

O fim de tarde não podia estar mais bonito. A temperatura anunciava uma noite quente. Animada pela perspectiva da operação encomendada por Victor Paiva, e a boa disposição de Rui, Carla propôs que fossem jantar fora:

— Apetece-me jantar ao ar livre. Vamos a Cascais. Escolhe o restaurante que eu convido — anunciou como se fosse novidade aquilo que era norma: ser ela a pagar. — Mas tens de ficar cá a dormir.

Rui aceitou a ideia. Mas, primeiro, teria de ir a casa mudar de roupa.

— Lembras-te onde deixei o carro ontem? — perguntou.

— À porta do teu emprego, onde fui buscar-te. Posso levar-te lá, para ires a casa. Depois vou ao banco trabalhar durante uma hora e venho para casa. Espero-te aqui. Ela não estranha a tua ausência tanto tempo? — indagou, referindo-se a Marta.

— Está a trabalhar no escritório todo o fim-de-semana nuns contratos que têm de estar prontos amanhã. Mandou os miúdos para a mãe. Eu disse-lhe que talvez ficasse a dormir em casa do Ricardo. Se ela telefonar para lá, ele avisa-me.

Na Alameda, Carla ficou a vê-lo arrancar no *Honda* preto com mais de dez anos. Fora o carro de Marta antes de ela comprar a sua primeira carrinha *Mercedes*. Rui herdou-o com cinco anos. Tinha agora 150 000 km e a chapa bastante maltratada, de ferrugem e pancadas que Rui foi dando ao longo dos anos. Nunca lhe fez uma revisão, limitando-se a repará-lo quando deixa de trabalhar. O interior tem ainda pior aspecto. A cinza espalha-se por todo o lado, o chão tem papéis velhos e maços de cigarros vazios. O estofo dos bancos da frente, tal como os tapetes, estão rotos. Carla não se lembra de alguma vez ter visto o carro lavado, mas Rui diz, a rir, que é mentira, pois lavou-o uma vez.

Há muito que Carla se recusa a entrar naquele carro. Quando saem juntos, vão sempre no carro dela. Rui de resto pouco o usa. Quando sai com a mulher ou com os amigos, vai no carro deles; para o trabalho vai geralmente de metro pois os parques são caros e não há lugares na rua. Além de que o velho motor de dois litros a gasolina gasta uma fortuna. Por isso o velho *Honda* lá vai aguentando.

Depois de deixar Rui na Alameda, Carla segue directamente para a sede do banco na Av. da Liberdade. O segurança reconhece-a logo e abre-lhe a porta com uma graça sobre o calor que esteve todo o dia em Lisboa. A direcção de *Private Banking* ocupa todo o 5.º andar. Os gabinetes ficam no extremo do corredor, oposto ao *hall* dos elevadores. Junto a estes estão as pequenas salas para receber os clientes, as duas salas de reunião e as três salas de refeições que só são usadas pelo director ou pelo administrador, em almoços com clientes. O corredor, tal como as salas, estão decorados com gosto e sobriedade, como é timbre do seu banco. Madeira ou seda nas paredes, tapetes persas e de Arraiolos, óleos de pintores portugueses, um ou outro das escolas flamenga e holandesa, e móveis ingleses.

Carla ocupa o último gabinete do corredor. Com apenas nove m² é o mais pequeno e por isso está sozinha, contrariamente aos restantes colegas, que trabalham em salas maiores. O mobiliário, de madeira clara, é simples e moderno: uma secretária, duas cadeiras, uma estante e uma pequena mesa de apoio. Nada da imponência da zona dos clientes. À vista quase não há papéis. Carla é muito organizada e não deixa expediente para o dia seguinte, a menos que seja absolutamente imprescindível. Os *dossiers* dos clientes, organizados por cores, estão alinhados na estante. Liga o computador e enquanto espera a ligação ao sistema informático do banco, retira um *dossier* e procura nele a divisória com as contas de Victor Paiva. Depois, agarra-se ao teclado até concluir a ordem de Bolsa para a sala de mercados e a proposta de crédito para o seu director. Concluídos os dois documentos, revê-os e guarda-os, sem os enviar. «Nunca se sabe», pensou Carla. Depois, na segunda-feira terá apenas que recuperar os documentos da memória do computador e fazer o seu envio. No máximo, demorará um minuto.

Carla sai do banco um pouco depois das oito. Está bem-disposta. Tudo parece encaminhar-se para uma noite agradável. A luz do sol é ainda intensa, apesar da hora. Em breve o Rui estará em sua casa e Carla quer arranjar-se para um jantar especial. Consegue chegar a casa ainda a tempo de poder apreciar o pôr do Sol da sua varanda. Depois de tomar um duche, arranja-se, pinta-se e perfuma-se. Prepara para si um *gin tonic* que vem beber na varanda, enquanto espera por Rui. Com o cair da noite começa a ver-se outra vez mais movimento na rua. Agora são os casais que procuram os restaurantes e os jovens que vêm para os bares. Olha de vez em quando a rua, na esperança de ver chegar Rui. Já não há tempo para ele subir, uma vez que passa das nove e meia. Pensa como tudo seria diferente se já vivessem juntos. Esta situação ambígua deixava-a muito deprimida sempre que pensava nisso. No fundo, ele não era o namorado dela: era o marido da outra.

Sempre que abordava esse tema com o Rui, a conversa descambava. Mais tarde ou mais cedo, porém, teria de o confrontar. Aos trinta anos, devia enfrentar o problema. «Que futuro tem afinal esta relação?» Mas era difícil, pois não passava muito tempo com Rui e não lhe apetecia estragar o ambiente com mais um tema polémico. Já discutiam tanto! Rui mostrava-se bastante atencioso para com ela, quando queria, mas era doentiamente possessivo e ciumento. Muito raramente conseguiam sair com amigos sem acabar a noite com uma cena de ciúmes. Muitas vezes, nem era preciso estarem com outras pessoas, bastava Carla contar uma qualquer conversa que tivera com um colega ou um amigo para ele logo lhe fazer uma cena de ciúmes. «Mas tu pensas que todos querem ir comigo para a cama? E mesmo que queiram, achas que eu vou? Não tens um mínimo de confiança em mim?», dizia-lhe Carla muitas vezes. Mais tarde, um ou dois dias depois, Rui caía em si e pedia-lhe desculpa, mas no momento não conseguia resistir.

O mesmo acontecia se por qualquer motivo não conseguisse apanhá-la no telemóvel ou no telefone fixo. Mais tarde sujeitava-a a um interrogatório interminável, no fim do qual deixava sempre ficar uma ponta de dúvida. Às vezes, ficava amuado dias a fio com uma dessas cenas. Mas quando estava descontraído e bem-disposto, era encantador. Charmoso, culto e com um apurado sentido de humor. Carla achava que parte do seu mal-estar se devia à relação tensa com a mulher e ao feitio dela. Mudaria de vez, no dia em que passassem a viver juntos.

5

AS NOITADAS

Como era hábito, Carlos almoçou nesse sábado em casa de António e Célia Figueiredo. Durante o almoço, falaram do jantar da véspera. Mas os dois amigos estavam nesse dia mais calados do que habitualmente. Foi sobretudo Célia, bem dormida e descansada, quem fez a «despesa» da conversa. Falou dos companheiros de mesa, das pessoas que conhecia e lá viu, dos duques e, como não podia deixar de ser, dos fatos das senhoras. António e Carlos iam ouvindo aparentando interesse, mas as suas cabeças estavam bem longe dali. António registou que a mulher não fizera qualquer referência ao italiano com quem falara na recepção. Deitou-lhe uma piada que a fez corar, mas ela não respondeu.

Depois do almoço, António e Carlos tomavam café e acabavam de ler os jornais na biblioteca, quando o telemóvel de Figueiredo finalmente tocou. Do outro lado, um Paiva mais descontraído e bem-humorado informou que tinha finalmente conseguido falar com a sua *private banker* e que iria ainda a tempo de aproveitar a informação que Figueiredo lhe fornecera. As acções do BIAP, que vinham a cair há meses, tinham fechado na sexta-feira pouco acima dos sete euros. Por isso havia ainda margem para ganhar dinheiro. Tinha dado ordens de Bolsa de milhões de euros. Victor Paiva, quando os negócios lhe corriam mal, não era pessoa de quem se gostasse de estar perto. Todavia, com os negócios de feição, revelava-se uma pessoa afável e alegre.

Figueiredo desligou o telefone e pôs o amigo ao corrente. A sua boa disposição era agora superior à de Paiva. Pondo de lado a leitura sugeriu:

— Vamos jantar fora. Digo à Ellen que arranje uma amiga para ti. Depois do jantar vamos beber um copo. Precisas de te descontrair. Dizemos à Célia que temos um jantar de trabalho. Que achas?

— Não tens emenda — respondeu Carlos, rendido.

Às nove horas, sentados no Oak Room, esperavam Ellen, enquanto se entretinham com uma garrafa de *Krug*.

Figueiredo deixara uma mensagem no telemóvel de Ellen dizendo-lhe onde estavam a jantar e convidando-a a juntar-se a eles, se possível com uma amiga. Depois, saiu com Carlos. Correu as principais lojas da 5.ª Avenida, começando no *Sak's* acabando no *Neiman Marcus*. Passando pela *Tiffany's* resolveu também entrar. Atrás de si, Carlos vinha apavorado com os gastos do amigo, tentando, sem êxito, demovê-lo. Por fim conseguiu a custo evitar que comprasse um colar de pérolas de 10 000 dólares para oferecer a Ellen. Esta tinha ligado entretanto para dizer que podia jantar às 9h30m, mas teria de estar de volta às 11h00. E não conseguira arranjar nenhuma amiga.

Agora esperavam-na. Figueiredo já arranjara um plano alternativo para depois das 11h00m e estava visivelmente bem-disposto. A perspectiva do negócio com Paiva tinha-o animado, a ponto de fazer projectos para o futuro:

— Se isto se fizer, vou comprar o novo *Maseratti* descapotável. Depois vamos os dois nele a Miami, ao Art Basel. Que achas?

— Não achas que o *Porsche* já dá suficientemente nas vistas? Ainda precisas de ostentar mais? Primeiro, devias acabar de pagá-lo. Depois devias pagar o resto das dívidas e, se te sobrar algum, coisa de que duvido, devias pôr de parte. Poupar, sabes o que é? — retorquiu Carlos com cinismo.

— Lá está tu com essas manias. És um velho do Restelo. Vive agora e deixa o futuro. *Seize the moment*, nunca ouviste? Aproveita a vida que ela não passa duas vezes. E de caminho vai dando umas quecas que só te fazem bem. O teu mal é esse. Falta-te cama. Depois do jantar vamos tratar disso. Garanto-te que amanhã verás o mundo com outros olhos.

— Mas isso é o que fazes há tantos anos e não vejo que te traga felicidade. Tens dívidas, quadros, relógios e carros que te dão até ao fim dos teus dias. Vais papando aqui e ali o que podes, mas isso chega-te? Já reparaste que te vais afastando de todos os teus amigos? Uns por causa de saias, outros por causa de intrigas em que gostas tanto de te envolver. O facto é que, tirando eu, não tens amigos. Isto é a verdade pura. Tens conhecidos, como esse Paiva com quem te dás, apenas por interesse. Dele e teu. Estás aqui há tantos meses e não tens um amigo americano. Só te dás com meia dúzia de portugueses e funcionários da ONU.

— Sabes tão bem como eu que estes gajos são uns chatos sem qualquer interesse. Só pensam no trabalho, em ganhar dinheiro e comprar uma casa maior. Levam-se demasiado a sério. Neste país só as mulheres têm graça.

— Mesmo assim, podias fazer um esforço por saíres mais, mas não para os bares, e conheceres melhor este país onde tens de viver. Pegavas na Célia e fazias uma viagem grande aos estados do Sul, à Costa Oeste ou a New England. A Célia anda sempre chateada com a vida que leva, e convenhamos que tem razão. Raramente sai e só para ir a casa de portugueses. Se querias levar vida de solteiro, não percebo por que te casaste... Qualquer dia ela faz as malas e vai-se embora para Lisboa ou para Buenos Aires. Não percebo por que tens de andar sempre a testar os limites. Isso é um vício. És assim com o dinheiro, com as mulheres, com o trabalho, com os amigos, com tudo... Ainda acabas por dar cabo da tua vida toda. Tens tido sorte, mas não devias contar tanto com ela, pois qualquer dia acaba-se. Mesmo esta história toda do Paiva, tu sabes bem que isto ainda pode explodir-te na cara.

António, visivelmente enfastiado com o sermão do amigo, que já conhecia de cor de tantas vezes o ouvir, tentou condescender e mudar de assunto enquanto se servia do *Krug* que já ia a meio:

— Sim! Sim! Está bem. Tens razão nalgumas coisas, mas o teu sermão é exagerado. Falas como se eu fosse um completo devasso que ainda não sou. Só disse que gostava de comprar um *Maseratti Spyder* se ganhasse umas massas...

E sem dar tempo a Carlos para responder, mudou de assunto, iniciando uma conversa sobre cinema, a propósito do último filme do Woody Allen que tinham visto na semana anterior. Até que Ellen chegou, afogueada da correria. Tinha-se arranjado para o jantar, por isso demorara um pouco mais. Trazia um vestido branco curto e justo que lhe realçava as formas, mas de gosto um pouco duvidoso, um *blazer* preto e uns sapatos desastrosos. No seu trajecto até à mesa, atravessou a sala, fazendo virar algumas cabeças masculinas à medida que passava pelas mesas. Era disto que António gostava. O seu enorme ego vivia destes pequenos momentos de glória. Ellen tirou o casaco, sentou-se e pediu desculpa pelo atraso. O decote do vestido deixava descobertos os seus ombros e as costas. O seu peito bonito e firme, realçado pelo generoso decote, o cabelo louro comprido um pouco ondulado, tornavam-na o centro das atenções dos homens. Carlos jantava praticamente dentro do seu decote. Ellen não quis falar da operação em que estava a trabalhar diante de Carlos, que só vira duas vezes. Mantiveram por isso apenas conversa de circunstância. Visivelmente pouco à vontade e preocupada com as horas, Ellen pouco falou, olhando para o relógio de vez em quando. António Figueiredo, inchado com as atenções dedicadas à sua amante, estava alegre e fazia toda a despesa da conversa. Até que, antes da sobremesa, Ellen anunciou ter chegado a sua hora. Embora já estivesse praticamente tudo concluído, faltava ainda parte da encadernação dos volumes e o limite fora marcado para as três da manhã, pois o *partner* apanharia um voo de manhã muito cedo.

Pediu café, que bebeu de um gole, despediu-se com a promessa vaga de telefonar a António se se despachasse mais cedo. E saiu apressadamente. De novo fez virar cabeças e encheu de orgulho o seu vaidoso amante.

Vagarosamente, terminaram a segunda garrafa de *Château Lafite*. Com os cafés pediram *whiskies* e acenderam *Cohibas*. Conversavam descontraidamente enquanto fumavam os charutos. Carlos já tinha feito o seu sermão e António, bem-disposto e ainda pouco bebido, era um óptimo conversador. Quando finalmente deram o jantar por terminado, meteram-se na limusina que tinham alugado para a noitada de Nova Iorque. O itinerário seguinte já o conheciam de cor, pois era sempre o mesmo. Começaram pelos chamados bares de «engate»: primeiro o Sullivan's, depois o Palm Beach. Deste último saíram com duas filipinas esculturais que levaram ao Clube 54 e, depois, a um novo clube nocturno perto da Broadway, que elas conheciam, o Phantom. Foi aí que as coisas começaram a correr pior. O clube era sobretudo frequentado por latinos e elas pareciam conhecê-los todos. Pouco ligaram aos seus acompanhantes. Quando estes sugeriram partir, elas, aproveitando a deixa, agradeceram a noite, despediram-se e foram juntar-se aos amigos. Eram três da manhã — a hora fatídica.

A partir daí tudo o que encontrariam em clubes ou bares seria desespero, numa das suas diferentes variantes humanas. Já estavam bastante bebidos. «Já que não podemos terminar a noite com êxito, por que não tentar fazê-lo com um mínimo de dignidade?», sugeriu Carlos.

* * *

Igualmente frustrante foi o serão de Carla de Melo. Findo o pôr do Sol, instalou-se a noite. E Rui sem dar sinal. Continuou na varanda até acabar a sua bebida. Depois da terceira chamada não atendida para Rui, enfiou a sua *T-shirt* e, resignada, começou a ver um filme. Não era a primeira vez que Rui lhe fazia isto. Mais tarde aparecia com um presente e uma história do tamanho de um comboio. A primeira vez acreditou no enorme conjunto de coincidências que ele lhe narrou com ar consternado e convincente. Mas, como tudo, com o tempo veio a desilusão e agora já não acreditava em nenhuma desculpa. Rui era um mentiroso compulsivo. Não conseguia resistir à tentação de mentir, mesmo em relação a coisas pequenas. Como era inteligente e imaginativo conseguia sempre inventar uma história diferente. Porém, como muitas vezes acontece com as pessoas inteligentes, subestimava os outros. Carla podia ser um bocadinho fútil, mas de estúpida não tinha nada. Embora optasse por nada dizer, percebia perfeitamente quando estava a ser aldrabada. Quando ligou pela terceira vez e foi directamente para o *voice mail*, teve a confirmação daquilo que desde as 9h30m suspeitava. Ou a mulher dele tinha aparecido e ele não tinha conseguido sair novamente de casa ou lhe tinha aparecido outro programa. E neste caso era ainda pior — ou jogo ou pequenas, ou ambas as coisas. Furiosa, via o filme mas não conseguia prestar-lhe atenção. Antes de se deitar, fez planos mentais para o dia seguinte: iria ao ginásio, depois à praia com Inês, com quem jantaria fora. Só voltaria para casa depois da onze. Desligou o telemóvel, que só voltaria a ligar segunda de manhã, e adormeceu.

Carla não se enganava. No caminho para casa, Rui resolveu passar no bar, onde habitualmente se encontrava com Ricardo e Manuel. Estavam ambos, preparando-se para sair com umas pequenas que tinham nessa tarde conhecido na praia. Não foi difícil convencê-lo a alinhar com eles, pois as amigas da praia eram três e não duas. Rui já nem foi a casa. Quando Carla lhe ligou pela primeira vez, já estavam a caminho das Docas para jantar com as novas amigas. Depois, seguiu--se o roteiro das noitadas: correram as discotecas por ordem decrescente de decência.

A noite acabou em Sesimbra, em casa dos pais de Ricardo, que obviamente não estavam... Quando acordou, Rui só se lembrava da noite anterior até ao ponto em que foram ao Garage. A partir daí, tinha-se-lhe varrido tudo. Não sabia como tinha ido parar a Sesimbra, e menos ainda o que teria feito com a ruiva que dormia nua enrolada a seu lado. Sabia, isso sim, que tinha uma dor de cabeça do tamanho de um elefante. E que teria de arranjar uma boa história para contar a Carla. Pelo menos não teria que inventar duas histórias. À mulher poderia dizer onde tinha estado, embora não com quem. Estava mais do que habituado a isso. O que não gostava e tinha medo de fazer era inventar duas histórias diferentes, para o mesmo período, pois acabava por baralhar-se e cair em contradições.

Tentou acordar a ruiva, mas ela limitou-se a esticar as pernas e a virar-se de costas, ignorando-o. Rui olhou-a de alto a baixo. Não era má de todo, magra e de pernas bem feitas. Mas só se lembrava de que ela estava na véspera com Ricardo. Como teria ido parar à cama dele? Tentava lembrar-se da noite anterior. Teria «cumprido»? Lembrava--se de ter bebido bastante no Garage enquanto se enrolava com uma delas, mas qual? Duvidava que ainda tivesse tido expediente para despachar a ruiva ou outra qualquer...

Desembaraçando-se da ruiva, levantou-se e foi à casa de banho. Ficou aterrado com o que viu no espelho. As olheiras, a barba de dois dias, a cor esverdeada da pele. Tinha de mudar de vida ou não acabaria bem.

* * *

Figueiredo acordou em sobressalto com a campainha do telefone do quarto do Hilton. Tal como tinham combinado na véspera, Carlos ligava a acordá-lo. Eram seis da manhã.

Pouco depois de saírem do Phantom, Ellen telefonou dizendo que estava finalmente liberta do trabalho e podia ir ter com Figueiredo ao hotel, se ele quisesse... Eram três e meia. Figueiredo seguiu para o Hilton, enquanto Carlos foi para casa com a incumbência de telefonar ao amigo dentro de duas horas.

É claro que perante o fiasco da noite, o telefonema de Ellen foi música para os seus ouvidos. O pior vinha agora. Figueiredo acordava cansado e, com pouco mais de meia hora de sono profundo, via-se obrigado a levantar-se para voltar para casa. A seu lado, Ellen dormia profundamente. Deixou-lhe um recado manuscrito, pagou o hotel, chamou um táxi e foi para casa.

Carlos acordou tarde nesse domingo, mas já não telefonou a Figueiredo. Aproveitou assim essa dádiva de liberdade. Depois do *brunch* num pequeno restaurante da Rua 59, enfiou-se na livraria de uma conhecida editora, na 6.ª Avenida. Depois, foi para o *Metropolitan Museum*, de onde saiu às quatro da tarde para se meter num cinema. Regressou a casa contente com o aproveitamento que dera ao seu dia de *folga*.

6

LUCROS FABULOSOS

Perto das sete da manhã, três pessoas saem de casa quase em simultâneo. Não se conhecem e partem de locais e cidades distintos e com destinos diferentes, mas, naquela segunda-feira quente de fins de Junho, as suas trajectórias vão cruzar-se sem que dêem por isso.

A essa hora, Bob Perry abandona o *hall* do Hotel Connaughts, em Londres, com destino a Gatwick, onde apanhará o avião da British para Lisboa. No Aeroporto da Portela terá à sua espera Craig Williams, o CFO do seu banco, acompanhado por Johnathan Gibson, do escritório de advogados e Bobby Collins, do banco de investimentos. Os quatro seguirão para o escritório dos advogados portugueses que lhe fora recomendado por Manuel Cervera. Aí, uma vez mais explicará a estratégia internacional do FATB e a lógica desta oferta (só a aparente). Dedicará especial atenção aos consultores de comunicação, igualmente sugeridos por Cervera. Faz questão de que se mantenham em contacto permanente com a O'Hara, Jameson & Harper, seus consultores de sempre em Nova Iorque. O próprio Jim Harper ocupa-se pessoalmente de todo o trabalho do FATB. Bob vai explicar em privado aos consultores portugueses que a decisão será sempre de Harper, cabendo-lhes a eles, em Lisboa, a execução. Acima de tudo, não quer conflitos. Terão de se entender. Em caso de divergência, ele estará do lado de Jim Harper, por isso será preferível que se entendam. Só têm vantagens nisso.

Depois das reuniões, enquanto Craig e os consultores ficam a afinar os documentos, Bob seguirá para Cascais onde terá um almoço que está fora da agenda e não foi comunicado a ninguém. Não precisará de intérprete, pois trata-se de um velho amigo americano. Há muito que saiu dos EUA, encontrando-se presentemente a viver no Sul da Europa. Depois, Bob regressará a Lisboa para as entrevistas — com o primeiro-ministro, às cinco da tarde, e com o ministro das Finanças, às seis. Não deverão demorar mais de meia hora cada. Bob conheceu o primeiro-ministro numa visita oficial deste aos EUA, no ano anterior, mas só falaram de raspão num almoço no Clube de Imprensa. O ministro das Finanças também lá estava, segundo o seu *staff*, porém Bob não se lembra dele nem de lhe ter sido apresentado. O mais certo, porém, era ele ter ido, por isso ia fazer de conta que se lembrava bem de o ter encontrado em Washington. Bob detestava ministros das Finanças. Sempre muito simpáticos em ocasiões sociais, mas obstáculos intransponíveis quando precisava deles. Se pudesse não se daria ao trabalho de ir visitá-lo, mas tinham-no avisado peremptoriamente: «Será uma desconsideração que o ministro português nunca lhe perdoará!» Nos EUA não é assim, mas aqui seria imperdoável. Isso mesmo foi confirmado por Manuel Cervera. Resignado, Bob aceitou fazer as duas visitas, antes de partir ao fim da tarde para Madrid, onde jantará com Cervera.

* * *

Também para Duarte Vasconcellos esta segunda-feira começou cedo. Tinha descansado bem durante o fim-de-semana passado na companhia de Susan. Saiu de casa pouco depois da sete e, como de costume, foi dos primeiros a entrar na Missão. Pegou num café e nos jornais e fechou-se no seu gabinete a lê-los. Depois redigiu três telegramas para Lisboa — um sobre o Médio Oriente, outro sobre Timor e por último um de natureza administrativa. Preparou ainda alguns documentos para enviar para Lisboa pela Mala Diplomática.

A meio da manhã, reparou que Carlos Martins tinha a porta do gabinete fechada e soube que estava com António Figueiredo.

Com os três telegramas na mão, Duarte dirigiu-se ao gabinete do embaixador. Cruzou-se no corredor com Figueiredo e Carlos que se preparavam para sair. Cumprimentaram Duarte apressadamente e saíram os dois.

* * *

Carla de Melo saiu nesse dia de casa também por volta das sete, pois queria chegar ao banco antes de Jorge e de João. Mal entrou no seu gabinete, abriu o computador e recuperou os documentos que tinha preparado no sábado anterior. Releu-os mais uma vez e escolheu a opção *ENVIAR*. Eram sete e meia. No telefone interno marcou o número da sala de mercados e perguntou por Jorge. Como calculara, ainda não tinha chegado. Mas Carla sabia que não tardaria. Começou então a sua rotina diária. Primeiro verificou a sua agenda de contactos: clientes que ficaram de aparecer durante o dia, depósitos que se renovavam nas 48 horas seguintes, financiamentos que se venciam e ordens de Bolsa. Fez mentalmente a ordenação das tarefas e tirou os números de telefone dos clientes que teria de contactar. Depois, foi buscar um café à pequena sala, contígua ao gabinete do João. A porta fechada indicava-lhe que já teria chegado. Após dois dedos de conversa com uma colega sobre o dia de praia da véspera, regressou ao seu gabinete. A luz intermitente do telefone indicava que tinha uma mensagem. O computador mostrava-lhe que recebera correio interno. Analisou este primeiro. Como era seu hábito, João tinha em poucos minutos visto e aprovado a sua proposta de crédito a Victor Paiva.

A seguir Carla telefonou para a sala de mercados e falou com Jorge, que estava agitadíssimo. O ruído de fundo era ensurdecedor. Confirmou ter recebido a mensagem. Já tinha ligado para dizer isso. Estava tudo a correr bem, mas não podia falar, porque estava precisamente a fechar uma operação. Depois lhe telefonaria.

Confiante, Carla iniciou a sua rotina diária. Ainda não esquecera o episódio do fim-de-semana com Rui. Tinha evitado estar por casa no domingo mas sabia que dentro de um dia ou dois ele lhe telefonaria com uma desculpa esfarrapada. Até lá teria de preparar a sua reacção. Por precaução, deixou recado na recepção para que não lhe passassem qualquer chamada. Normalmente, Rui não telefonaria para o número fixo do banco, mas como ela não tencionava atender o telemóvel, poderia dar-se o caso de tentar. Por enquanto, não queria falar com ele.

A meio da manhã, o telefone fixo de Carla tocou. Depois de se certificar no visor que não era o número de Rui, atendeu. Do outro lado, a voz de Jorge não denotava qualquer expressão.

— Podes vir já aqui acima? — perguntou simplesmente.

— Claro — respondeu já em pé, enquanto agarrava no pequeno caderno que sempre a acompanhava.

Carla ia frequentemente à sala de mercados. Gostava do ambiente, da actividade frenética, da descontracção dos *dealers* e da aparente facilidade com que faziam dinheiro. Naquela manhã não notou qualquer diferença. Dirigiu-se à secção das acções nacionais. No seu recanto, o *dealer* em mangas de camisa, meio desfraldada, a gravata atirada para trás, estava debruçado sobre o monitor enquanto falava ao telefone e gesticulava. O ecrã estava dividido em quatro: num dos quadrantes passavam cotações a uma velocidade estonteante e os outros três apresentavam outros tantos gráficos que iam evoluindo lentamente. De vez em quando desviava o olhar para o monitor da Bloomberg. Fez-lhe um sinal com a mão para se sentar na cadeira a seu lado, enquanto com a outra segurava um auscultador para onde ia gritando palavras quase ininteligíveis. Na mesa dele, além dos monitores e da pequena central telefónica associada a um dos monitores, podiam ver-se montes de papéis escrevinhados e meio amachucados, três chávenas de café vazias, dois maços de cigarros e um cinzeiro cheio de beatas.

Desligou o telefone e virou-se para Carla. Em tom sereno e já sem o nervosismo e tensão que exibira durante o telefonema, disse calmamente:

— O mercado hoje está louco, Carla. Há rumores de descida das taxas de juro pelo FED. O teu cliente acertou em cheio. As acções do BIAP abriram abaixo do valor de sexta-feira e começaram a subir imediatamente, ainda antes de as minhas ordens entrarem. Agora acabaram de passar os 7,5 euros. Mas há pouca liquidez. Como vês — prosseguiu apontando para o ecrã do monitor — até aos 7,7 euros, há poucas ordens de venda e todas de pequeno montante. Por isso não consigo concluir a ordem dele, a menos que queira ir até 8 euros. Aí, sim, já há liquidez. Até agora terei comprado cerca de 5 milhões de acções, metade do que ele queria. Isto são as más notícias. Mas, agora vêm as boas. Há um fundo no Extremo Oriente que tem uma grande exposição no BIAP e procura uma contraparte para um contrato de opções sobre acções do BIAP. Esse fundo quer cobrir o risco de queda brusca do título, devido à grande volatilidade que vem demonstrando. Para o conseguir, propõe-se comprar, e sublinho comprar, um colar — uma opção relativamente comum nos mercados. O fundo obriga-se a vender à contraparte as acções a um determinado preço preestabelecido: o tecto, — e a contraparte obriga-se a comprá-las também a um preço combinado: o chão. Neste caso os preços são 7,5 e 6,5 euros, respectivamente. Isto, na prática, quer dizer o seguinte: a contraparte passa a cobrir os prejuízos da carteira, no caso de as acções caírem abaixo de 6,5. Em compensação, fica com os lucros caso o preço ultrapasse os 7,5 euros. E recebe ainda periodicamente, durante a vigência do contrato, o prémio da opção, que depois te direi quanto é. Nunca haverá lugar à transacção das acções que ficam sempre no fundo, apesar de serem opções de compra e venda. Se o teu cliente está seguro da subida do preço desta acção, pode ser interessante para ele. Não tem de comprar as acções, limita-se a subscrever o contrato.

Enquanto as acções estiverem entre 6,5 euros (o chão) e 7,5 euros (o tecto), ele recebe o prémio da opção e não paga nada, nem recebe mais nada. Se as acções subirem acima dos 7,5 euros, o teu cliente recebe do fundo os lucros correspondentes, se descerem abaixo de 6,5 euros, paga ao fundo os prejuízos. O fundo quer fazer um ou mais contratos para uma carteira de 50 milhões de acções, mas aceita fazer menos, se a contraparte não quiser ir tão longe. Atenção, Carla, que o teu cliente pode ter de fazer pagamentos substanciais todos os dias, no caso de os preços caírem abaixo dos 6,5 euros. Também pode ter recebimentos diários, se os preços continuarem sempre a subir. O fundo também vende a 8 euros, mas a esse preço já existe muita oferta. E acho que para o teu cliente será mais interessante a alternativa das opções. Mas isso é com ele. Tens de lhe explicar bem que para a ordem que nos deu tem de ir a 8 euros, ou muito próximo disso. Contudo, o mercado no Oriente está a fechar e o cliente quer a resposta na próxima meia hora. O teu cliente não precisa de subscrever a totalidade do que o fundo propõe. Se ele quiser uma exposição equivalente à ordem de compra que deu, eu faço as contas e subscrevo apenas o correspondente ao que falta. Se quiser mais, tens de me dizer quanto. Nesse caso tens de obter do teu director aprovação para o risco. O fundo não conhece o teu cliente e só faz a operação se o nosso banco der uma garantia de contraparte para o montante do contrato que ele subscrever. Diz qual o valor do contrato e eu faço-te as contas para o valor da garantia que tens de colocar no teu memorando de crédito. Se percebeste tudo bem, tira o teu lindo rabo da cadeira e vai telefonar ao cliente. Só tens de me dizer se ele quer acções ou opções e quanto. Para nós, a solução das opções é muito melhor, dá mais comissões e bónus...

Enquanto ouvia o colega, Carla ia mentalmente organizando a sua argumentação com o Victor Paiva. Daquilo que conhecia dele, embarcaria sem hesitação. Isto era ainda melhor do que ela tinha previsto. Quando chegou ao seu gabinete, Carla sentia uma agitação tal que esperou alguns minutos até se acalmar; queria a todo o custo evitar que o cliente se apercebesse do seu estado de ansiedade, não fosse ele assustar-se. Depois fez a ligação.

Do outro lado, atendeu de imediato Paiva, que esperava precisamente um telefonema dela:

— Então que notícias tem para mim? — perguntou em tom jovial.

— Não muito boas — começou Carla, tentando baixar-lhe as expectativas —, mas depende do tipo de risco que esteja na disposição de correr.

Explicou-lhe depois a situação do mercado e as duas escolhas que Jorge lhe apresentara, falando de forma precisa e depressa para não dar muito tempo a que o seu interlocutor reagisse. Tentou mostrar segurança na alternativa apresentada. No fim calou-se e esperou a resposta do cliente.

Esta não tardou, e em tom igualmente decidido:

— Para não ficar à espera enquanto eu faço umas contas, desligue e volte a telefonar-me daqui a exactamente dez minutos — disse ele e desligou.

Carla olhou para o relógio. Eram 11h00. Cinco minutos depois o seu telemóvel tocou. Consultando o visor, reconheceu de imediato o número de Rui. Carregou na tecla do silêncio, e ficou a olhar para o visor até que deixou de piscar. Estava feita a primeira tentativa de contacto por parte de Rui. Da parte da tarde deveria fazer outra, talvez de outro telemóvel ou para o telefone fixo. Ou então apareceria à porta do banco pela hora do almoço para a convidar para almoçar. Já tinha feito isso. Servia para dois fins: restabelecer o contacto e, ao mesmo tempo, ver com quem ela saía para almoçar. Rui vivia obcecado com ciúmes. Muitas das surpresas que lhe fazia eram mais para a espiar do que para lhe ser agradável. Às 11h10m, pontualmente marcou novamente o número do cliente.

Paiva parecia eufórico:

— Aceito o colar entre 6,5 e 7,5 euros, mas só para metade do montante de que me falou, ou seja, só para um contrato de 25 milhões de acções.

A palavra «só» fez sorrir Carla. Decididamente ele era mesmo jogador...

Um quarto de hora depois de comunicar a decisão a Jorge, tinha a aprovação formalizada e aprovada pelo seu director. Respirou fundo e preparou-se para ir à cantina buscar uma sanduíche que comeria no gabinete. Com isto tudo, pouco mais tinha feito durante toda a manhã. Além disso, não queria encontrar Rui caso ele viesse esperá-la à porta do banco. Já com a carteira a tiracolo e pronta para sair viu o aviso de mensagem piscar no seu ecrã: era Jorge a informá-la de que tinha fechado a operação. Confiante, saiu do gabinete.

Quando voltou, entregou-se às tarefas atrasadas que se acumulavam. A meio da tarde recebeu novo telefonema de Jorge. Desta vez estava inquieto:

— Carla, o teu cliente voltou a falar contigo? Passa-se qualquer coisa com o BIAP. As acções continuaram a subir até aos 8 euros, mas às duas horas a Bolsa suspendeu a negociação. No mercado, diz-se que vai sair uma OPA mas não há certezas quanto ao oferente. O teu cliente estava a par disto? Se sabia, ou estava em posição de saber, está metido num grande sarilho. Sabes que a CMVM investiga todas as transacções suspeitas, feitas nos dias anteriores...

Jorge estava preocupado e ansioso. Carla resolveu ligar a Paiva para o informar da suspensão e tentar perceber até que ponto ele estaria a usar informação privilegiada. Já antes lhe tinha enviado uma mensagem a confirmar o contrato com o fundo. Encontrou-o bem-disposto e descontraído. Estava ainda a almoçar, pelo ruído de pratos e talheres. Já sabia da suspensão, mas não se mostrou preocupado:

— Isso só mostra que a nossa estratégia foi acertada. A suspensão é uma precaução normal nestes casos. A subida das cotações foi muito rápida e eles estão a precaver-se contra uma possível OPA. Só depois disso esclarecido, voltarão a permitir as transacções. Ainda bem que fomos para os contratos de opções. Esteja descansada que eu não sei nada que não venha nos jornais. Mas se houver uma OPA, tanto melhor. Volte a ligar-me logo que saiba mais qualquer coisa.

* * *

Victor Paiva telefonara a Figueiredo pelas quatro da tarde de Lisboa (11h00 em Nova Iorque) para dar as boas notícias. Estava tudo como previsto, só que melhor, muito melhor. Em vez de comprar 10 milhões de acções, acabara com 30 milhões. Mas só 5 milhões tinham sido comprados. Para os outros 25, fizera um contrato de derivados. Figueiredo não fazia a menor ideia do que ele lhe estava a dizer, mas ia apontando tudo na folha A4 que tinha à sua frente. Paiva fez as contas por alto. Em vez de ganhar a valorização dos 10 milhões de acções, o multiplicador seria agora 30 milhões. Com metade do investimento, obtinha o triplo do lucro. Explicou ao amigo que tudo se devera à sua *private banker* que lhe sugerira a alteração da operação. Nesse momento, lembrou-se de mandar um ramo de flores ou um perfume a Carla. Ela apreciaria. Mas a Figueiredo só interessava fazer a conta dos lucros totais para saber quanto lhe tocaria, com os seus 10 por cento. Por isso, ia anotando os números que o outro lhe dava sem fazer muitas perguntas, na esperança de, mais tarde, juntamente com Carlos, determinar com rigor a sua fatia do novo bolo. Logo que desligou, foi ter com Carlos Martins à Missão e fechou-se com ele no gabinete.

Ajudado por Carlos, mais entendido em números, fez as contas do ganho esperado. A conclusão a que chegaram, deixou-os estupefactos: se a OPA fosse lançada a 10 euros, Paiva ganharia qualquer coisa como

75 milhões de euros, ou seja, mais de quinze milhões de contos... e eles um milhão e meio de contos.

— E tu, meu cretino, não me deixaste comprar o colar à Ellen — queixava-se Figueiredo, radiante com a descoberta da sua riqueza acrescida.

O outro, pensativo, limitou-se a dizer:

— É incrível a facilidade com que no mundo de hoje se ganha dinheiro. O que o Paiva vai ganhar, dava para sustentar muitas embaixadas durante vários anos. E isto sem criar nada. E quase sem risco, pois mesmo que a OPA não se faça por qualquer motivo remoto, o preço das acções virá para o nível pré-OPA, ou seja 7 euros. Neste, que será o pior cenário, perde um pouco nas acções que comprou, mas nada perde nos contratos de opções, e ainda ganha os prémios. Decididamente, é melhor que o Euromilhões...

Entusiasmados, Figueiredo e Carlos sairam para um grande almoço no Jockey Club.

7
A OFERTA

Naquela segunda-feira, a reunião do Comité de Activos e Passivos começou bastante depois da hora marcada. Segundo o regulamento, devia realizar-se todas as segundas-feiras ao meio-dia, para analisar a informação da semana anterior e estabelecer as medidas a adoptar, na gestão da semana seguinte. Aconteceu, porém, que nessa manhã os mercados entraram em órbita. Primeiro, foram as acções do PSI 20, com o BIAP a puxar e as dos outros bancos a subir por arrastamento. Depois, a meio da manhã, foram as especulações sobre uma pretensa *conference call* convocada pelo novo presidente do FED. Dizia-se que para descer as taxas de juro. Mais uma vez as acções subiram, agora de forma generalizada, e a euforia contagiou-se ao resto do mercado financeiro. Ao meio-dia, João Miguel Machado de Sousa estava ainda na sala de mercados, acompanhado pelo director de Mercados Financeiros e pelo administrador financeiro, Francisco Botelho. Perante a instabilidade dos mercados, decidiram adiar a reunião do Comité de Activos e Passivos para as três da tarde. Miguel Machado pediu que fossem entretanto refeitas as análises de sensibilidade.

Perto das duas e meia, o grupo deslocou-se de novo à sala de mercados, apenas para constatar que a instabilidade se mantinha. Como a análise pedida de manhã ainda não estava pronta, adiaram a reunião, mais uma vez, para as quatro da tarde. Entretanto, as acções do BIAP foram suspensas e a Reuters deu a notícia da decisão do FED de manter as taxas. O mercado acalmou.

Durante toda a manhã, Miguel Machado e Francisco Botelho estiveram agarrados ao telefone, tentando descobrir o que se passava com as acções do BIAP. Falaram com amigos noutros bancos e com o vice-governador do Banco de Portugal. Ninguém sabia nada ou, se sabia, não dizia.

Às quatro em ponto, Miguel Machado e Francisco Botelho entraram na enorme e sóbria sala do Conselho de paredes em *boiserie* ostentando, a toda a volta, retratos dos antigos presidentes do Banco. Duas cómodas francesas e uma mesa de meia-lua constituíam o seu único mobiliário, para além da grande mesa de mogno polido e das cadeiras estofadas de espaldar alto. Quando Miguel e Francisco entraram, os outros membros do Comité estavam já sentados em redor da mesa, com os documentos distribuídos à sua frente. Os primeiros minutos foram gastos a analisar o comportamento dos mercados durante o dia e a comparar as informações que cada um tinha recolhido. No momento em que o director financeiro começava a sua apresentação, a secretária de Miguel Machado entrou na sala.

— Tem uma chamada do Dr. Bernardo Noronha. Pediu para interromper e diz que é muito rápido e urgente — anunciou-lhe em surdina.

Com um gesto de assentimento, Miguel dispensou-a e deixou que o director financeiro iniciasse a sua exposição. Depois, disse em voz baixa a Francisco Botelho que ia atender um telefonema, e saiu.

A voz seca e nervosa de Bernardo Noronha denunciava um problema. Depois dos cumprimentos, Miguel deixou que o outro tomasse a iniciativa.

— Certamente viu que o mercado esteve hoje muito agitado em torno das nossas acções. Durante todo o dia recebi telefonemas com as mais variadas explicações para esse fenómeno. Também deve ter ouvido algumas. A verdade é que não encontro qualquer explicação lógica para a situação, atendendo ao que lhe vou comunicar. Acabo de chegar de uma entrevista com o ministro das Finanças, a quem dei conhecimento de que vamos enviar dentro de momentos o anúncio preliminar de uma Oferta Pública de Aquisição sobre o capital do BNCE. A notícia estará nas agências e nos noticiários dentro de pouco tempo. Embora o Código de Valores Mobiliários não me obrigue a isso, não quis deixar de lhe dar uma palavra antes de a notícia sair.

Fez um ligeiro compasso à espera de uma reacção, mas Miguel tinha ficado lívido e sem fôlego. Como o outro continuava em silêncio, prosseguiu:

— Espero que os accionistas do BNCE recebam com agrado a nossa oferta, que considero generosa. Mas sobre isso não queria por agora dizer mais nada. Só espero que o Miguel e o Conselho percebam o carácter amigável da oferta e que não a considerem hostil. Mas devo dizer-lhe que se o fizerem, compreenderemos e estaremos preparados para isso.

Miguel achou chegado o momento de reagir, pois o outro já não devia ter muito mais para lhe dizer e ele tinha, entretanto, recuperado a compostura:

— Naturalmente não me vou pronunciar sobre o teor da informação que me deu, nem o Bernardo espera certamente que eu o faça. Vamos aguardar e ler os documentos que por lei temos direito a receber. Depois veremos o que o Conselho pretende fazer. De qualquer forma, agradeço o seu telefonema.

Desligou e ficou durante dois ou três minutos imóvel, de olhos fixos no telefone. Depois, lentamente levantou-se, bebeu uns goles de água e deu instruções à secretária para que não voltasse a entrar e a interromper a reunião, nem que o edifício pegasse fogo.

Retomou o seu lugar no preciso momento em que o director financeiro terminava a exposição. Deixou, como era costume, que os outros participantes fizessem perguntas e comentários, enquanto ia escrevinhando numa folha de papel. A sua cabeça já estava muito longe das taxas de juro. Agora, o objectivo principal era conseguir acabar aquela reunião rapidamente e fazer a lista dos participantes na próxima — a primeira da equipa de defesa da OPA. Logo que lhe pareceu haver algum consenso em torno de uma estratégia financeira moderadamente conservadora para a semana, aprovou-a e deu a reunião por terminada. Todavia, pediu aos presentes, que ficassem na sala para lhes dar uma informação.

Todos os olhos se fixaram no presidente. Miguel, falando pausadamente e esforçando-se por não deixar transparecer o que sentia, deu a informação:

— Acabo de ser informado de que o BIAP vai lançar, hoje ainda, uma OPA, e essa será a razão da agitação em torno das acções. No entanto, continua a não se perceber, pois o normal seria uma descida por antecipação da OPA e não uma subida. Em todo o caso, o que interessa é que a sociedade visada pelo BIAP é o BNCE.

A reacção de espanto foi geral. Ninguém tinha pensado que a subida forte das acções do BIAP fosse causada pelo lançamento de uma oferta. Também ninguém pensava que o BIAP tivesse a ousadia de se «atirar» ao BNCE, uma instituição duas vezes maior e com um accionariado sólido.

Para evitar especulações, Miguel acrescentou, a título de conclusão:

— Não sabemos ainda qualquer pormenor, mas deveremos receber em breve uma cópia do anúncio preliminar. Enquanto isso não acontecer, ninguém pode falar do assunto fora desta sala. Quando a notícia for pública, farei um comunicado, e desde já quero que fique bem claro que só o presidente do Conselho de Administração poderá, no futuro, falar para o exterior sobre a oferta. Aos vossos colaboradores devem dar o exemplo de serenidade e evitar especulações. Que cada um continue a fazer o seu trabalho o melhor que pode e sabe. Essa será a nossa melhor defesa. Dentro de uma ou duas horas comunicarei os nomes das pessoas que vou escolher para a equipa de defesa. Estas devem ficar totalmente libertas das actuais funções a partir de amanhã de manhã. Por favor, não me façam perder tempo a pedir para não escolher A ou B, porque vos são imprescindíveis. A partir de agora, as tarefas da defesa da OPA têm precedência absoluta sobre todas as demais.

E saiu acompanhado de Francisco Botelho.

* * *

Bob Perry e Craig Williams estavam a entrar no portão da residência oficial de S. Bento quando receberam uma mensagem SMS do advogado, Johnathan Gibson. Já com o Chefe de Gabinete do primeiro-ministro à sua frente, mal tiveram tempo de a ler: *Abortar a oferta.* Bob e Mark ficaram estupefactos. Mal podiam disfarçar a sua inquietação. Subiram as escadas acompanhados pelo chefe de gabinete com quem faziam conversa de circunstância. Quando finalmente foram deixados sós, na sala das audiências do rés-do-chão, tentaram comunicar telefonicamente com Bobby Collins ou Johnathan Gibson, mas nenhum deles atendeu.

Poucos minutos mais tarde, o primeiro-ministro entrou na sala, acompanhado por um rapaz novo que apresentou como o seu assessor financeiro. Saudou-os com a sua habitual cordialidade e pediu desculpa pelo atraso. No seu inglês quase perfeito, justificou-se:

— Hoje sinto-me outra vez banqueiro. Passei a manhã e parte da tarde a falar com os bancos centrais. São banqueiros na mesma mas ainda mais perversos. Depois puseram-me à frente dos ecrãs da Reuters, mostrando-me as páginas das acções. O vosso banco esteve grande parte do dia no centro dos rumores do mercado. Dizia-se que tinha na mira uma aquisição. Afinal, eram apenas boatos. Mas sabem isso melhor do que eu. No fim do dia era apenas uma operação entre dois bancos portugueses. O BIAP lançou uma OPA sobre o BNCE.

— Conhecemos bem e trabalhamos com ambos, em operações internacionais. São excelentes instituições financeiras — interrompeu Bob aproveitando a deixa.

O primeiro-ministro continuou a falar da evolução dos acontecimentos da manhã, desviando-se no entanto do tema das aquisições para o das taxas de juro, no qual estava visivelmente mais à vontade. Economista doutorado no MIT, conhecia bem os EUA, onde vivera e trabalhara muitos anos. Tinha começado a sua carreira no Banco Mundial e no FMI. Depois, viera para a Comissão Europeia na fase de montagem do BCE. Esteve ainda algum tempo como economista principal do Banco Central Europeu, até decidir meter-se na política. Foi para todos os que o conheciam uma revelação. Nunca se tinha pensado que pudesse alguma vez ter as características que fazem um bom político. Era considerado arrogante e distante das pessoas, sem capacidade de diálogo. Revelou-se exactamente o contrário. Paciente e capaz de ouvir. Bom comunicador, mostra-se humilde quando deve e autoritário sempre que necessário, fazendo-o de uma forma simpática. Não se irrita quando é contrariado e sabe pôr as pessoas em sentido com uma simples palavra ou até um olhar.

A sua farta cabeleira, prematuramente embranquecida, acrescenta-lhe respeitabilidade. Alto e magro, impõe-se naturalmente, utilizando a sua simpatia para cativar de imediato os seus interlocutores. Embora relativamente novato na política, aprendeu depressa a fazer o *charme* necessário, mas sem exagero.

Bob Perry mostra-se impressionado. Está também perturbado, mas consegue disfarçar. Tem muita experiência de situações destas e já falou com muitos primeiros-ministros. Enquanto o anfitrião está no uso da palavra, vai preparando o seu discurso. Depois das taxas de juro, o primeiro-ministro debruça-se sobre os problemas orçamentais e as dificuldades da Europa em encontrar um novo modelo de desenvolvimento.

Quando o primeiro-ministro fez uma pausa, Bob Perry aproveitou para introduzir o seu tema:

— Agradeço-lhe a atenção de nos receber, interrompendo a sua ocupada agenda — começou Bob num tom de circunstância. — A razão do nosso pedido de entrevista está de certa forma relacionado com aquilo que o senhor primeiro-ministro acabou de dizer, sobre o futuro da economia europeia. O First American Trust Bank esteve durante muitos anos, praticamente desde a Segunda Guerra Mundial até ao início dos anos 90, presente na Europa. Participou activamente no financiamento da reconstrução da Europa nos anos 50 e do surto de desenvolvimento dos anos 60. Depois, devido a problemas internos, mais relacionados com a consolidação do sistema bancário americano, do que com qualquer outro fenómeno, fomos obrigados a retirar-nos da generalidade dos mercados em que estávamos presentes, incluindo a América Latina e o Extremo Oriente. Agora, após a reorganização e recapitalização do banco, o nosso *board* aprovou uma nova linha estratégica que passa pelo regresso ao mercado europeu. Hoje, estou a começar em Lisboa uma ronda de contactos com autoridades e instituições europeias, com vista a dar a conhecer o nosso Banco e a sua nova estratégia. Temos experiência de muitas décadas na gestão de activos financeiros, de aconselhamento de governos e de empresas em *corporate finance* e nos mercados de capitais. Sei que há ainda algumas empresas em Portugal que serão privatizadas e que o mercado financeiro português está a ganhar dimensão e profundidade. Nós temos bastante experiência nessas duas áreas, como acontece também em fusões e aquisições. Falava o senhor primeiro-ministro há pouco em grandes operações de consolidação bancária que estão para ocorrer em Portugal. Também essa é uma área em que o First American poderá colaborar com instituições portuguesas. Estamos disponíveis para aconselhar o governo, ou a agência reguladora do mercado de capitais, ou os intervenientes nas operações. Mas não quero maçá--lo com os pormenores que terei ocasião de expor ao ministro das Finanças. Queria apenas deixar-lhe um documento que preparámos para dar a conhecer as nossas capacidades, agora que regressamos a um mercado do qual estivemos afastados quase quinze anos.

Com um sinal, Craig Williams passou-lhe o *dossier* de apresentação do FATB, que Bob entregou ao primeiro-ministro. Este passou-o ao assessor, fechando o ciclo cerimonial, enquanto agradecia e dava por terminada a entrevista com uma piada, como era seu hábito. Tinham estado exactamente trinta minutos com o chefe do governo.

Do carro, Bob telefonou para os advogados que o puseram então ao corrente, enquanto se dirigia para o Ministério das Finanças. Minutos antes, o BIAP tinha anunciado uma oferta de aquisição sobre o capital do BNCE, um dos maiores do sistema bancário português. O prémio oferecido era substancial, o que iria certamente fazer cair muito as cotações do BIAP. A sensação que os advogados portugueses transmitiam era de espanto. Ninguém, no mercado português, estava à espera desta OPA. Só no dia seguinte poderiam saber mais qualquer coisa.

A conversa com o ministro das Finanças correu como esperava. A reunião foi mais curta do que a do primeiro-ministro. Bob tentou, sem êxito, recolher alguma informação do ministro. Este apenas se referiu à reunião que tivera horas antes com o presidente do BIAP naquele mesmo gabinete, mas não levantou a ponta do véu sobre as razões ou as condições da oferta.

Bob Perry estava já cansado deste périplo e da dificuldade em obter informações. Foi com grande alívio que ocupou o lugar no avião da

Iberia a caminho de Madrid. A partir daqui seguiria sem os acompanhantes, que regressariam aos EUA nos dias seguintes.

* * *

A notícia aterrara como uma bomba nas redacções dos jornais, das agências e das televisões, pouco passava das cinco horas. O mercado estava fechado e as cotações do oferente, o BIAP, suspensas desde o princípio da tarde, devido a forte subida e intensa especulação. Era grande a curiosidade sobre a forma como abririam as cotações no dia seguinte. Atendendo ao avultado prémio que o BIAP se propunha pagar pelas acções do BNCE, era normal que as acções do oferente não aguentassem o nível anterior e muito menos a forte subida da véspera. Quem comprou, no entusiasmo da subida especulativa dessa segunda-feira, iria perder dinheiro. As acções do BNCE há muito que rondavam os 3,5 euros, apenas registando pequenas oscilações. Com a oferta de 4,5 euros por acção, o BIAP pretendia desestabilizar o accionariado do BNCE, tentando aliciar os accionistas com um prémio de quase 30 por cento. Era sem dúvida uma oferta que merecia ser analisada. Mas onde iria o BIAP arranjar fundos próprios para este enorme salto? Ninguém parecia saber. Os vários comentadores que foram desfilando pelos telejornais da noite dessa segunda-feira limitavam-se a colocar hipóteses. Umas mais fantásticas, outras mais verosímeis. Todavia, nenhum representante dos principais actores, oferente e sociedade visada, quis dar a cara. O principal problema focado foi a escassez de capitais do oferente para fazer face à aquisição de uma instituição de crédito muito maior. Uns achavam que o Banco de Portugal não devia deixar a oferta seguir, outros, interpretando o Código dos Valores Mobiliários, entendiam que nem o banco central, nem a autoridade do mercado, nem tão-pouco o governo tinham competência para colocar o problema nesses termos. A oferta que corresse. O oferente só no fim, e em caso de sucesso, teria de levantar fundos no mercado de capitais. E não podia deixar, nesse caso, de recorrer a um aumento de capital. Esta última era a posição que reunia maior consenso, embora não fosse unânime.

Victor Paiva assistia a tudo, verdadeiramente perplexo. Não conseguia perceber que consequências teria para si esta nova situação. Habituado a grandes reviravoltas nos negócios, estava agora menos eufórico do que no início do dia. Mesmo assim, acreditava que ainda poderia tirar proveito da nova situação. Não sabia ainda como, mas confiava, como sempre fizera, na sorte. Era evidente que alguma coisa não tinha corrido como previsto. Mas, por outro lado, também estava agora certo de que Figueiredo tinha realmente um informador de confiança, facto de que chegara a duvidar. Apesar de conhecer Figueiredo já há alguns anos, não lhe inspirava muita confiança. Se alguma coisa Victor Paiva tinha aprendido com a vida era a avaliar as pessoas. António Figueiredo não era uma pessoa em quem ele confiasse totalmente. Paiva sabia que Figueiredo vivia muito acima das suas possibilidades e era dado a gostos extravagantes. Com mulheres, automóveis e quadros era capaz de perder a cabeça. Já por duas vezes se tinha encravado valentemente. Valera-lhe então o sogro, que viera em seu auxílio.

Sabendo dos seus gostos caros, Paiva aliciou-o quando Figueiredo foi para Nova Iorque. Admitiu que de lá talvez pudesse passar-lhe alguma informação útil. Pelos vistos, não se enganara.

Também Carla viu com apreensão os noticiários da noite. Quando o seu cliente lhe telefonou, 48 horas antes, propondo a operação, não pensara que agora estaria no centro da actualidade. Uma frase de Jorge, porém, pairava na sua mente causando-lhe intranquilidade. A «coincidência» da compra de acções por Victor Paiva e do lançamento da OPA não lhe saía da cabeça. Esperava bem não vir a ser incomodada por isso. Passou em revista os contornos da operação, procurando encontrar alguma irregularidade. Mas nada descobriu. Os papéis estavam já todos em ordem e devidamente assinados por Paiva e pelo filho. Tinha cumprido integralmente as normas internas do banco. Mesmo assim, esta operação causava-lhe um certo mal-estar.

Porém, não era só a operação. Também a situação com Rui a trazia maldisposta. Hoje ele tentara várias vezes falar-lhe para o telemóvel, mas Carla tinha conseguido resistir. Agora, já noite feita, desligara o telemóvel, mas recebera no telefone fixo de sua casa dois telefonemas sem identificação de número, que estava certa serem do Rui. Continuava a aguentar-se sem atender, mas não sabia por quanto tempo.

8

ROMANCE FALHADO

Depois do telefonema de Bernardo, Miguel tinha entrado num estonteante corrupio de telefonemas e reuniões. Primeiro, fechou-se com Francisco no gabinete para esboçar a constituição da equipa da defesa. Depois, já com esta reunida, foi a escolha dos consultores, mas antes disso quis ouvir a opinião de cada um dos membros da equipa de defesa sobre o anúncio preliminar. Recebeu-o já passava das dez da noite. Apesar de Bernardo lhe ter dito no telefonema que seguiria dentro de minutos, só foi remetido quase cinco horas mais tarde. No entanto, a notícia foi dada por todas as estações de rádio a partir das seis, e pelas televisões nos telejornais da hora de jantar. Algumas estações convidaram comentadores para explicar a operação. Tudo antes de se conhecer o anúncio e os termos da oferta...

Esta apareceu finalmente. Contudo, não como Bernardo lhe tinha dito, ou insinuado. Não era uma oferta total mas parcial. O BIAP apenas lançava a oferta sobre uma percentagem de 33,3 por cento do capital do BNCE e a condição de sucesso, ou seja, o limite inferior era de 30 por cento. Quer dizer que se não conseguisse pelo menos 30 por cento do capital e direitos de voto do BNCE, a oferta não se concretizava. Miguel reparou logo que o BIAP não tinha acrescentado uma cláusula usual nas ofertas, a reserva do direito de ficar com qualquer quantidade de acções que sejam vendedoras. Com essa cláusula, o oferente pode, se quiser, comprar qualquer quantidade de acções abaixo do limiar de sucesso que indicou na oferta, neste caso 30 por cento. Sem essa cláusula, não o pode fazer e a oferta cai obrigatoriamente se aquele limite não for atingido. Se por hipótese só houver accionistas interessados em vender na OPA 29 por cento das acções, o oferente não pode comprá-las, pois não tem a tal cláusula de reserva de direito.

Todos se detiveram longamente sobre o possível significado da não introdução da cláusula, mas ninguém apresentou uma justificação plausível para o efeito. Já quanto à alteração, que tudo indicava teria sido de última hora, da dimensão da oferta, não havia duas opiniões: os capitais próprios do BIAP não lhe permitiam ir mais além. No entanto, Miguel não estava suficientemente descansado em relação a isso:

— É claro que essa é a explicação lógica. Mas pode também ser uma jogada táctica. O que não percebo é por que razão ele falou como se a oferta fosse geral. É claro que nunca o disse com todas as letras, mas insinuou. Já conhecia os limites do seu capital. A menos que fosse uma imposição do Banco de Portugal. Isso explicaria também a demora no envio do anúncio preliminar. Mas sendo assim, que estrutura de oferta teria delineado antes? Certamente tinha uma maneira de ultrapassar a limitação dos capitais próprios. E foi essa solução que alguém não aceitou. Podem ter sido também os outros accionistas. Não se esqueçam que a família não chega a controlar um terço do capital e, só com os votos dos accionistas aliados, consegue a maioria. Um grande aumento de capital iria diluir de tal forma as suas posições que pode ter sido recusado pelos accionistas portugueses ou pelos fundos.

De um modo geral, todos concordaram com esta análise do presidente, mas ninguém tinha qualquer informação útil para acrescentar. Um a um, os sete membros escolhidos por Miguel para coordenar as acções de defesa, pronunciaram-se sobre aquilo que consideravam os pontos fracos da OPA e quem consideravam melhor para aconselhar o BNCE na sua defesa.

No final da reunião, havia consenso na escolha dos consultores. Em seguida foram feitos os telefonemas para Londres convocando o banco de investimento e os consultores de comunicação. Em Lisboa, foi contactado o escritório dos advogados portugueses que daria o apoio jurídico e a CMI – Comunicação Marcas e Imagem, a quem caberia a tarefa de intermediário junto dos *media* portugueses. Todos foram convocados para a reunião inicial a realizar-se no dia seguinte, terça-feira, às 15h00.

Entretanto, Miguel mandou convocar o Conselho de Administração para o dia seguinte, às 9h00. Teria de ouvir o Conselho sobre a composição da equipa e a estratégia de defesa, embora soubesse de antemão que não lhe adiantaria de muito. Isto apesar de lhe tomarem toda a manhã, fazendo perguntas mais ou menos imbecis. Miguel sabia também que iriam querer infiltrar na equipa de defesa alguém de sua confiança. Por isso, ficara ele próprio com a liderança da equipa.

No Conselho, Miguel decidiu começar por se opor a qualquer alteração à equipa. Depois, se insistissem muito, deixaria acrescentar uma pessoa, mas só uma. Assim eles ficariam contentes porque já teriam a sua fonte de informação assegurada. Era geralmente assim que as coisas se passavam. Miguel, com o tempo, habituou-se a lidar com o problema desta maneira. No entanto, não faz concessões em coisas essenciais. Uma vez ratificada a constituição da equipa e a escolha dos consultores, Miguel delegaria em Rui Soares a coordenação. Tudo isto era demorado e acabaria por se traduzir em desgaste. Por isso a perspectiva de passar a controlar o Conselho trazia Miguel animado. Agora, porém, tudo parava. Ou melhor, voltava à estaca zero. Só depois desta OPA ultrapassada poderia retomar o caminho de reestruturação do banco encetado havia um ano.

* * *

Nessa noite, Miguel regressou a casa já passava da uma da manhã. Bebeu apenas um copo de leite antes de subir para o seu quarto, no primeiro andar. Joana e os filhos já dormiam há horas. Antes de se deitar, ficou alguns minutos sentado no sofá do quarto, contemplando a sua mulher. A escuridão do quarto era cortada por uma faixa de luz que entrava pela porta semiaberta da casa de banho. Joana dormia de barriga para baixo, os lençóis atirados para os pés da cama. Como era seu hábito no verão, vestia apenas uns *boxers*, deixando descobertas as costas, onde a sua magreza revelava os contornos das vértebras. O cabelo comprido escondia-lhe grande parte da cara. Respirava pesadamente.

Miguel não se cansava de olhar para aquela mulher que continuava a achar incrivelmente *sexy*. Gostava de vê-la dormir. Muitas vezes pensava que se tivesse jeito para desenho, faria como Andrew Wyeth fez com Helga, a sua amante secreta, e pintaria uma série de belos quadros de Joana a dormir. Casados há quase dezoito anos, não tinha ainda sentido aquilo de que muitos amigos falavam — cansaço da mulher. Não sentia cansaço de Joana, no sentido em que eles falavam e que os levava a procurar alternativas, muitas vezes, se não sempre, piores. Miguel sentia-se tão atraído por Joana como no primeiro dia. Isso não o impedia de sentir os efeitos de uma relação que era desgastante. Tiveram já várias crises. Na mais grave, há cerca de cinco anos, a separação fora evitada por um fio. Joana sempre teve um feitio difícil e rebelde. Raramente encontrava a maneira apropriada de dizer as coisas, e não conseguia disfarçar minimamente as suas emoções. Foi assim desde a infância e Miguel sabe que será sempre assim. Por isso considerou seriamente a hipótese de se separar. Agora, está satisfeito por não ter ido com a ideia por diante. Teria sido pior para os filhos e para ele também.

Joana atravessou uma fase de grande tensão nessa altura, mas parece agora mais tranquila, mais segura e em paz consigo própria. Grande parte da sua instabilidade advém da frustração que sente quando não consegue que as coisas tomem o rumo que deseja. Muito autoritária, detesta ser contrariada. Como se entrega a tudo com muita intensidade, tem enorme dificuldade em lidar com a frustração do insucesso. Daí as crises de mau humor.

Desde muito nova que esse temperamento se manifestou. Começou então a revelar algumas dificuldades de relacionamento. O primeiro a senti-las foi o pai. Joana não aceitava as regras e imposições do pai, que era bastante autoritário. Valia-lhe a mãe, que vinha em seu auxílio disfarçando, escondendo, desculpando ou atenuando os castigos do pai. Durante a infância e adolescência, foi sempre muito mais chegada à mãe. Mas quando atingiu os dezassete ou dezoito anos, achou-se independente e entrou também em choque com a mãe. Primeiro, por causa da liberdade que reclamava para si, depois por causa dos namorados.

Aos vinte anos, estava ainda a meio do curso de Direito, conheceu um rapaz que iria agravar ainda mais o seu afastamento dos pais. Apaixonou-se perdidamente por Rui Borges, então estudante de Engenharia. Apesar de três anos mais velho, estava mais atrasado no curso. A princípio, nem Joana percebia bem que ano ele frequentava. Depois, descobriu que nunca passara do primeiro. Era um verdadeiro boémio. Vivia numa farra permanente. Não se preocupava muito com dinheiro, pois ele acabava sempre por lhe ir parar às mãos. O pai era médico e a mãe dava-lhe uma generosa mesada. Joana teve namoro com ele durante dois anos, com alguns intervalos. A princípio, os pais dela simpatizaram com Rui. Era educado e amável. Joana, desde que se tinha apaixonado, ficara mais calma e estável. Os pais atribuíram essa evolução a Rui. Porém, à medida que o foram conhecendo melhor, aperceberam-se de algumas características do rapaz que o tornavam menos interessante como pretendente. Era um preguiçoso crónico e um mentiroso compulsivo. Os pais apercebiam-se também da vida que levava e até que ponto isso perturbava Joana. Apesar disso, o pai nada disse. Passou simplesmente a mostrar mais distanciamento em relação ao namorado da filha.

A mãe, porém, cometeu o erro de alertar a filha para os defeitos de Rui. A partir daí, Joana entrou em conflito aberto com os pais. Tentava impô-lo como forma de afirmação de personalidade. Ao aperceber-se disto, Rui manipulou a situação a seu favor. Estava em vanta-gem e não deixou de a aproveitar. A sua influência e ascendente sobre Joana aumentaram vertiginosamente. Ela agora não via outra coisa senão Rui e não pensava noutra coisa que não fosse ir viver com ele. Desculpava-lhe tudo. Ele tratava-a cada vez pior, chegando a humi-lhá-la em público. Saía praticamente todas as noites com os amigos, Ricardo e Manuel. Umas vezes sozinhos, outras com pequenas que iam engatando aqui e ali. Geralmente jantava com Joana. Nos primeiros tempos em casa dos pais dela, depois com a animosidade crescente des-tes, passaram a jantar fora. Tomavam café e deixava-a em casa pelas onze. Depois ia ter com os amigos e a farra durava até às seis ou sete da manhã. No dia seguinte, dormia até às duas ou três da tarde. Almo-çava em casa e só saía para ir buscar Joana à faculdade ou a casa. Depois recomeçava o ciclo. Oficialmente, já deixara de estudar e estava agora à procura de emprego.

O pai dele, farto de tanta inutilidade, arranjou-lhe trabalho. Nessa época já era evidente para todos que nunca mais estudaria. Rui, muito contrariado, lá compareceu. Mas pouco durou. Raramente chegava antes do meio-dia e muitas vezes com sinais de ressaca. Era muito des-leixado no trabalho. Pouco tempo depois, foi despedido, e a sua vida voltou ao que era.

Quanto a Joana, ia passando de ano e estava prestes a acabar o curso. Apesar da relação atribulada, das zangas constantes e das men-tiras imaginativas, continuava sob o efeito hipnótico do feitiço de Rui. Tudo lhe perdoava. Ele, pelo contrário, foi-se tornando cada vez mais intransigente com ela. Era um ciumento obsessivo. Não podia vê-la olhar para alguém, muito menos falar. Se num jantar ficavam em lu-gares separados, Rui não despregava os olhos dela durante toda a noite. Depois fazia-lhe um interrogatório cerrado sobre as conversas que mantivera. Se numa discoteca ela encontrasse algum amigo ou colega com quem conversasse, tinha depois uma cena de ciúmes. Esta po-dia variar entre um simples amuo ou, se já estivesse mais bebido, che-gava a ser inconveniente com os amigos dela, colocando-a em situações embaraçosas. No dia seguinte, pedia desculpa e levava-lhe um pre-sente. Além destes interrogatórios, controlava todos os seus passos.

Joana gostava de usar vestidos e saias justos e curtos, e decotes ousados. Tinha um corpo de modelo que gostava de valorizar. Rui dizia que ela era provocante na forma como andava e como falava com as pessoas. Não descansou enquanto não condicionou toda a sua ma-neira de vestir e, mesmo, de estar. Joana submeteu-se. Sob a influên-cia de Rui, parecia outra pessoa.

As amigas comentavam entre si estas modificações, mas só as mais íntimas tiveram coragem para tentar fazer-lhe ver que estava a anular-se como pessoa. Tentaram chamá-la à razão, mas teve o efeito contrário. Joana não aceitou bem a intromissão e afastou-se delas. Os pais, agora em pânico, não ousavam abordar o assunto.

Quando acabou o curso, arranjou de imediato um emprego no serviço de contencioso de uma companhia de seguros. Alugou um apartamento e anunciou à família que ia viver com Rui. Os pais ficaram destroçados, mas nada puderam fazer. Os irmãos e os poucos amigos com que ainda se dava tentaram, sem êxito, demovê-la.

Aos 22 anos, formada em Direito e com emprego, fazia o que bem queria. Rui já tinha sido despedido quando se mudaram para o pequeno T1 em Paço de Arcos. Na sua condição de desempregado, vivia mais uma vez na dependência da mãe, e não podia suportar a sua metade das despesas da casa. O salário de Joana cobria-as e chegava ainda para os gastos pessoais dela. Teoricamente, ele andava à procura de emprego, mas os seus horários não lhe permitiam procurar grande coisa. Passava as manhãs na cama e as noites com os amigos. Joana por vezes via no jornal anúncios de emprego que podiam servir-lhe. Recortava-os e trazia-os para casa. Outras vezes telefonava ela própria fornecendo os dados dele. Mas Rui acabava sempre por lhes pôr defeitos ou pura e simplesmente faltava às entrevistas, sob os mais variados pretextos.

Mesmo assim, Joana, durante essa época, viveu um período de relativa felicidade. Aos fins-de-semana saíam com os amigos do Rui e respectivas namoradas. Durante a semana ela trabalhava e ele basicamente dormia, ouvia música e bebia. O cheiro do álcool misturado com tabaco era a primeira coisa que chegava às suas narinas, logo que Joana acordava. Quando saíam à noite, percebia-se bem que ele e os amigos bebiam em excesso. Tentou chamá-lo à razão, depois de uma cena de ciúmes. Ele riu-se e desvalorizou o assunto, não negando o que era evidente, mas insistindo que se tratava de casos isolados, pois habitualmente não bebia tanto. Depois, com o seu habitual jeito para sair de apuros, beijava-a apaixonadamente e faziam amor até que ela se esquecesse.

A partir de certa altura, ele e os amigos começaram a ir frequentemente a uma casa em Carcavelos, onde se jogava póquer. De início iam duas vezes por semana em dias certos. Quando ganhavam, vinham radiantes. Ofereciam presentes às namoradas e levavam-nas a jantar fora a bons restaurantes no fim-de-semana seguinte, se ainda tivessem dinheiro. Quando perdiam, vinham mal-humorados e no sábado já nem queriam sair. Rui era o pior, uma vez que era ele o que mais perdia. Os outros tinham alguns rendimentos próprios, mas Rui era obrigado a pedir dinheiro à mãe para pagar as dívidas de jogo, o que o deprimia ainda mais. Quando isso acontecia, ficava na cama dias a fio. Só se levantava quando chegava o dia em que tinha que pagar a dívida e então lá ia a casa da mãe buscar o dinheiro. Ela, como sempre fizera, tentava protegê-lo dando-lhe o dinheiro às escondidas do pai e assim, involuntariamente, foi encorajando o vício do filho.

Por vezes, quando se tratava de pequenas quantias, a própria Joana lhe dava o dinheiro, contra a promessa dele de que não voltaria a jogar. De nada servia, pois voltava sempre. Como, de vez em quando, ganhava qualquer coisa, não conseguia libertar-se. Com esta combinação de ócio, álcool e jogo, tornou-se uma pessoa neurasténica. A vida quotidiana de Joana foi-se tornando deprimente. Durante a semana, trabalhava de sol a sol e assistia às neuras de Rui. Aos fins-de-semana, via-o embebedar-se com os amigos ou ficava sozinha em casa, enquanto ele saía com os amigos e as pequenas que engatavam. Todos viam que a enganava a cada passo. Apesar disso, Joana vivia suspensa dele e das suas palavras. A sua única vontade era agradar-lhe e satisfazer-lhe o mais pequeno desejo. Perdera toda a objectividade em relação ao que estava a acontecer na sua vida.

No dia em que se completava um ano que tinha entrado na companhia de seguros, logo de manhã foi chamada ao gabinete do director do Contencioso. Pouco à vontade, subiu as escadas que a separavam do andar da direcção.

O director era um senhor de sessenta e poucos anos, muito educado, formal e distante. Durante esse ano apenas tinha falado com Joana três ou quatro vezes, incluindo o primeiro dia, quando lhe tinha dado as boas-vindas, despachando-a rapidamente para o chefe da secção do ramo de acidentes de trabalho.

Agora, convidou-a a sentar-se na cadeira colocada em frente à sua secretária e fez-lhe várias perguntas sobre o trabalho e até sobre a sua vida privada. Joana ficou um pouco embaraçada, quando lhe perguntou se era casada e se tinha filhos. Respondeu ambiguamente que não às duas perguntas em conjunto, deixando o outro na dúvida sobre a sua situação conjugal. Depois de alguns minutos de conversa de circunstância, o director atacou o motivo da entrevista:

— Chamei-a para lhe dizer que, apesar de pouco termos falado durante este ano, tenho seguido de perto o seu trabalho. E quero dizer-lhe que apreciamos a sua atitude profissional e estamos muito satisfeitos com o seu desempenho. A Joana apreendeu depressa a nossa forma de trabalhar e absorveu bem a nossa cultura empresarial. Além disso, revela, nas propostas que faz, muito bom senso e sólidos conhecimentos jurídicos. Por isso vou fazer-lhe um desafio. O chefe da secção do ramo automóvel vai sair no fim do mês para outra seguradora. Nós, e digo nós porque consultei os restantes chefes de secção e todos concordaram comigo, achamos que você tem qualificação para exercer esse cargo. Tenho autorização do Conselho de Administração para lhe fazer a seguinte proposta: se aceitar, será nomeada chefe do contencioso automóvel, a título interino por seis meses; se as coisas correrem bem durante esse período, a nomeação será convertida em definitiva; caso contrário, voltará à sua posição actual. Terá agora um aumento de salário de 30 por cento e, quando for definitiva, mais 20 por cento. O lugar é exigente, mas estou absolutamente convencido que está ao seu alcance. É uma equipa muito maior do que aquela em que a Joana está agora integrada e tem muito mais processos para gerir. Como pode calcular, é o sector do contencioso que mais dinheiro e processos movimenta. Em contrapartida, 99 por cento dos casos são relativamente simples; muito menos complexos que os de acidentes de trabalho que conhece. A sua principal preocupação será garantir que a secção não deixa expirar prazos nem faz acordos extrajudiciais ruinosos para a companhia. O bom ambiente de trabalho na secção é vital. Mas já percebi que é uma pessoa de fácil relacionamento. Todos os colegas dizem bem de si. Então, o que acha deste desafio?

— Nem sei o que dizer — começou Joana, com um misto de embaraço e vaidade. — Pela minha parte, estou disposta a aceitar o desafio. Eu gosto do que faço actualmente, e tenho aprendido muito neste ano. Só tenho receio que no ramo automóvel o trabalho seja menos variado.

— Mais monótono, quer dizer — interrompeu o director. — Pode contar desde já com isso, porque de facto assim é. Mas tem mais processos, o que lhe permite ganhar mais experiência. Como tudo na vida: tem vantagens e inconvenientes. É preciso saber tirar partido daquelas. Repare que apesar do apreço que temos por si, esta proposta normalmente não seria feita a uma pessoa tão nova, não fossem as circunstâncias. Estas dificilmente se repetem. Por outras palavras esta oportunidade pode não voltar a surgir-lhe nos próximos anos.

— Pode contar comigo — respondeu a Joana, resoluta.

Depois de acertarem a data em que a decisão seria comunicada, Joana despediu-se do director agradecendo a confiança que depositava nela.

Voltou ao seu andar. Estava esfuziante. Apetecia-lhe dizer a alguém, mas não podia. Aos colegas nada se poderia dizer. Com os pais e irmãos mal falava. O que queria verdadeiramente era contar ao Rui. Joana estava radiante com a perspectiva do desafio e da responsabilidade acrescida, e também com o acréscimo de ordenando, que sabia ir também agradar-lhe. Mas, àquela hora, ele devia estar ainda a dormir. Mais próximo da hora do almoço telefonar-lhe-ia. Atirou-se então ao trabalho que tinha entre mãos com novo entusiasmo.

Perto do meio-dia e meia, a sua colega de gabinete, puxando de uma sanduíche que trouxera de casa, disse-lhe que iria almoçar ali mesmo, pois precisava de sair às 4 horas, para levar o filho ao médico. Joana teve então a ideia de ir a casa surpreender Rui e contar-lhe a sua promoção. Dar-lhe-ia pessoalmente a notícia, e possivelmente mais qualquer coisa. Como não haveria muito trânsito àquela hora, não demoraria mais de quinze minutos em cada sentido, o que ainda lhe dava uma boa meia hora para comer qualquer coisa, ou talvez não... Radiante com a ideia, disse à colega que só voltaria pelas duas e meia e partiu a toda a velocidade a caminho de Paço d'Arcos.

O *Volkswagen* de Rui, estacionado à porta do prédio, no mesmo sítio onde o vira de manhã, confirmou-lhe aquilo que no fundo já sabia: Rui estava ainda em casa e provavelmente na cama, a dormir. Subiu e logo que entrou em casa chegou-lhe, vindo da casa de banho, o barulho do chuveiro a correr. Lentamente empurrou a porta que estava apenas encostada. Entrou num verdadeiro banco de nevoeiro no qual não via um palmo à frente do nariz, tal era a concentração de vapor provocada pelo chuveiro a correr há muito tempo. Intrigada, abriu o cortinado da banheira para verificar que estava vazia. «O Rui abriu a torneira e voltou para a cama», concluiu. Fechou a torneira e dirigiu-se ao quarto. Encontrou a cama desfeita, o pijama de Rui e o lençol de banho atirados para cima da cama, mas de Rui não havia sinal. Como a casa tinha duas assoalhadas, só poderia estar na sala, mas nesse caso já deveria ter sentido a sua presença em casa. Cada vez mais intrigada, Joana dirigiu-se à sala, no fim do corredor. Não se enganara. Rui lá estava. Dormia profundamente, deitado no sofá de barriga para cima, nu e numa pose de abandono; o braço direito caído para fora do sofá; junto à mão direita, um cinzeiro, com várias beatas, jazia no chão; a mão esquerda repousava no fundo das costas de Marta la Salle, que dormia deitada em cima dele, tão nua quanto ele.

Joana já não deu a Rui a novidade da sua promoção. Em vez disso, despejou-lhe em cima o café com leite que, quase intocado, permanecia, já frio, em cima da mesa junto ao sofá. Depois, sem dizer palavra, saiu por onde tinha entrado. Meteu-se no carro e guiou até à marginal. Aí estacionou e desceu à praia, onde vagueou durante uma hora. Precisava de pôr os pensamentos em ordem. Sempre soubera que isto era possível, mas não pensara que pudesse ser tão depressa nem tão humilhante. Nunca confiara completamente na fidelidade do Rui. Mas nunca pensara que tivesse de presenciar a traição de uma forma tão óbvia. Que estúpida fora! Como podia ter acreditado nele! Como se fosse possível modificar alguém! Razão, tinham os pais. Compreendia agora que eles sabiam que, de uma maneira ou de outra, ela acabaria por sair magoada daquela relação.

Sem deitar uma única lágrima, Joana tentava acalmar-se. Não poderia deixar de ir trabalhar e teria de tomar algumas decisões difíceis nessa tarde. Voltou ao escritório e foi logo procurar o director. Inventou uma desculpa e pediu-lhe 24 horas para pensar melhor sobre a proposta dessa manhã. Um pouco espantado, o director concordou. Depois telefonou ao pai pedindo para jantar a sós com ele, nessa mesma noite; tinha um assunto sério a tratar com ele. De seguida, telefonou à sua amiga Teresa. Passaria em sua casa depois do jantar.

Às oito e meia entrou no Restaurante 33, na Alexandre Herculano, a dois passos do escritório do pai. Era aqui que ele almoçava frequentemente e jantava quando tinha de trabalhar à noite. Encontrou-o já sentado, a estudar o menu.

— Pensei que já sabia a lista daqui de cor e salteado — disse-lhe Joana para aligeirar.

Depois de escolherem o jantar, Joana, como era seu hábito, foi direita ao assunto. Deixando de fora os pormenores, contou ao pai o que se tinha passado. Disse-lhe que queria voltar para casa dos pais, já nessa noite, pois não voltaria a Paço d'Arcos, e contou-lhe o convite profissional que tivera nessa manhã. O pai prometeu-lhe de imediato todo o apoio que ela quisesse e dispensou-a do «eu bem te avisei».

Apesar de austero, autoritário e muito dado a sermões, o pai sabia que estes se dão antes. Depois de as coisas terem corrido mal, não tem qualquer efeito a não ser agravar a irritação de quem sabe que errou e já está suficientemente magoado. Joana agradeceu mentalmente por ter sido poupada a esse sermão. Esperava que a mãe e Teresa procedessem da mesma maneira.

A mãe de Joana era também advogada, mas trabalhava numa área muito diferente do pai. Este tinha um escritório especializado em Direito Comercial, virado para os negócios. Sempre teve a esperança de um dia trazer a filha para trabalhar consigo, mas nunca a tinha forçado. Agora ela pedia-lhe um conselho, coisa que há muitos anos não acontecia.

— Se aceitares, vais comprometer a tua vida profissional, provavelmente toda. Tens 23 anos e muito tempo à tua frente para te enfiares numa grande empresa, agarrada à burocracia e à política de escritório. Tens o estágio da Ordem por fazer e isso tem um tempo na vida. Com um bom lugar numa grande empresa, dentro de três anos não terás paciência para o começar. Acredita que se te digo isto é porque já vi isso acontecer muitas vezes. A meu ver, tens duas hipóteses: ou começas já o estágio da Ordem, e podes fazê-lo comigo, com a tua mãe ou noutro escritório. Como preferires. Ou vais fazer um curso de pós-graduação numa boa universidade estrangeira numa área de especialização que te interesse. Voltas daqui a um ano ou dois e fazes então o estágio. Terás nessa altura 27 anos. Arranjarás com facilidade um lugar numa grande empresa, se quiseres; podes também vir trabalhar comigo ou com a tua mãe e podes até abrir o teu próprio escritório.

O pai fez uma pausa estudada, para observar a reacção da filha e deixá-la digerir. Depois, continuou:

— Se escolheres ir para fora, posso arranjar-te um estágio em Londres no escritório com que trabalho. Nesse caso, o ideal seria ires já. Farias durante uns meses um estágio nesse escritório até ao início do curso. Isso dava-te mais à-vontade com a língua, a terminologia jurídica, a cidade e as pessoas. A decisão é só tua. Se preferires ficar cá a fazer o estágio ou na seguradora, eu não te vou pressionar. Os pais estão cá para esclarecer e aconselhar os filhos, não para os empurrar. Eu e a tua mãe aceitamos as tuas escolhas porque gostamos muito de ti.

Acompanhou a frase com um beijo terno na testa da filha. O pai não era dado a manifestações de ternura. Joana recebeu o beijo, comovida. Pela primeira vez durante o dia as lágrimas vieram-lhe aos olhos.

O pai aconselhava-a a ir para fora por ser melhor para o futuro profissional da filha, mas também, apesar de não o dizer, por achar que era fundamental que ela se afastasse de Rui o mais rapidamente possível. Era a melhor maneira de ultrapassar o fracasso daquela relação e de evitar uma recaída, sempre possível...

Joana saiu do restaurante com outro ânimo. Agradava-lhe a ideia de se afastar de Lisboa por uns tempos. Do ponto de vista profissional, sabia que o pai tinha razão e que acabaria por se arrepender se aceitasse agora enterrar-se na burocracia da seguradora. Dentro de pouco tempo estaria farta dessa monotonia.

Em casa de Teresa demorou-se pouco tempo. Apenas o necessário para lhe contar a cena dessa manhã, que não surpreendeu a amiga. Teresa já ouvira inúmeros relatos e tinha mesmo encontrado Rui várias vezes com a sua «outra namorada». Teresa iria a Paço d'Arcos buscar a roupa e objectos pessoais de Joana. Felizmente ela ainda não tinha levado para lá todas as suas coisas. O contrato de arrendamento estava em nome de Rui, apesar de a renda ser paga por ela. Assim nada haveria a combinar quanto à casa. Com Rui, não queria voltar a falar, durante o resto da vida. Sobre o seu futuro profissional, nada referiu à amiga. Mas começava a entusiasmar-se com a ideia de ir para fora.

Joana despediu-se da seguradora na semana seguinte. Quinze dias depois de Rui ter trepado Marta na sala da casa que ela sustentava, já Joana estava instalada em Londres. Rui voltou para casa dos pais, incapaz de fazer face às despesas do apartamento. Fez várias tentativas para falar com ela, mas todas falharam. Durante uns meses, Joana estagiou no escritório londrino. Os amigos do pai não se pouparam a esforços para a fazer sentir-se em casa. Depois, começou o curso na LSE. Era muito exigente deixando-lhe pouco tempo livre. Os colegas eram sobretudos ingleses, mas havia meia dúzia de estrangeiros. Não lhes achou a mínima graça. Joana dedicou-se de corpo inteiro ao seu curso. Veio a Portugal nas férias e num ou outro fim-de-semana. No início, Rui fez várias tentativas para lhe falar e escreveu-lhe duas cartas. Devolveu ambas, sem as abrir. Com a passagem do tempo, as tentativas foram-se espaçando.

Através de Teresa, soube que ele agora apresentava Marta como sua namorada. Segundo Teresa, era uma relação que mantinha há quase um ano. A relação com Marta começara ainda antes de Rui e Joana estarem a viver juntos. Também jogava e bebia desalmadamente. Quanto mais sabia dele, menos vontade tinha de saber. Joana estava contente com a sua opção. Tinha eliminado Rui da sua vida. O curso corria-lhe muito bem — a sua média andava nos 95 por cento —, fruto de trabalho árduo. A sua vida social foi, no entanto, muito penalizada. Durante o estágio, saiu ainda umas vezes com um jovem advogado do escritório. Depois, telefonavam-se de vez em quando, mas raramente saíam. Levava vida de estudante.

No último trimestre do curso, conheceu, em casa de portugueses com quem se dava, João Miguel Machado e Sousa, que estava a fazer o MBA na LSE. Simpatizaram instantaneamente um com o outro. João Miguel, ou Miguel, como os amigos o tratavam, tinha um ar intrinsecamente honesto que a atraía, por razões fáceis de perceber. Desde a ruptura com o Rui, tinha dificuldade em confiar nos homens. Agora sentia que podia confiar em Miguel. Saíam e telefonavam-se ocasionalmente. Entretanto, Joana regressou a Lisboa e João Miguel continuou o seu programa de MBA, que duraria mais um ano.

De novo em Lisboa, Joana seguiu o seu plano. Fez o estágio e, uma vez terminado, ficou a trabalhar no escritório do pai. Durante esse tempo falara por telefone com Miguel algumas vezes. Viram-se nas férias, em encontros ocasionais. Miguel terminara já o MBA e ficara em Londres, trabalhando agora num grande banco de investimento.

Entretanto, Joana soube que Rui ia casar com Marta. Desde o último encontro em Paço d'Arcos, apenas o vira duas vezes, depois de regressar de Londres. A primeira vez, numa discoteca. Falou-lhe secamente e seguiu o seu caminho. Da segunda vez, num jantar organizado pela Ordem dos Advogados, em que ele acompanhava Marta, entretanto já formada e casada com ele. Falou-lhe com indiferença, mas fez questão de ser simpática com Marta, a quem deu os parabéns pelo casamento. «Nem sabes o sarilho em que te meteste!!», apeteceu-lhe dizer.

Ele conservava a sua altivez habitual. Esperara que Joana tivesse feito cenas, ficasse destroçada, se queixasse dele aos amigos. Ficou surpreendido pela força interior que ela revelou. Nunca esperara aquela reacção. Sabia que Joana estava apaixonada por ele e tinha ficado magoadíssima. O seu lado sádico queria vê-la sofrer e ficou frustrado quando percebeu que não conseguira. Ficara furioso com a ida dela para Londres, pois sentiu-se roubado da oportunidade de vê-la humilhada e a sofrer. Quando se reencontraram, mais de dois anos depois, tinham perdido a intimidade adquirida durante a sua relação de quatro anos.

Joana estava agora muito concentrada no seu trabalho. Ocupava-se de tudo o que fossem operações financeiras. De início sob a orientação do pai e de um outro advogado mas rapidamente ganhou autonomia. Certo dia, foi a uma reunião no Ministério das Finanças, para uma assinatura dos contratos de uma emissão de obrigações no mercado internacional. Presentes estavam quase todos os bancos portugueses e alguns estrangeiros. O emitente era uma empresa pública e o Estado, o garante. O escritório do seu pai era o consultor jurídico da empresa emitente. Os contratos tinham sido negociados por Joana com o líder do sindicato bancário, a Caixa Geral de Depósitos e os advogados do Ministério das Finanças. Na primeira reunião, foi acompanhada pelo pai. Depois passou a ir sozinha. Foi o primeiro grande contrato liderado por Joana.

Nesse dia, a assinatura fora marcada para as sete da tarde. Seria presidida pelo ministro das Finanças. Mas antes haveria uma reunião entre os advogados da emitente, do Ministério e do banco líder para verificação de toda a documentação: contratos de tomada firme, de garantia e anexos, e dos poderes dos outorgantes. Joana chegou ao velho edifício da Avenida Infante Dom Henrique, dez minutos antes da hora. Foi conduzida a uma sala do segundo andar, na Secretaria de Estado do Tesouro, onde se encontrava já a equipa jurídica da CGD. Pouco depois, entrou o chefe de gabinete do secretário de Estado com os seus juristas e um monte de documentos. Um a um, verificaram todos e tudo estava em ordem, com o número de exemplares necessário. De seguida, verificaram os documentos de delegação de poderes dos outorgantes que estavam também em ordem, com uma única excepção. A delegação de poderes no representante de um dos bancos portugueses não tinha o reconhecimento das assinaturas dos administradores na qualidade. Contudo, tratava-se de uma falha menor, que poderia ser resolvida *a posteriori*. Pouco passava das seis quando desceram para o enorme Salão Nobre do Ministério onde o Departamento de Relações Públicas tinha já montado todo o cenário. A grande mesa, os cartões com os nomes das instituições e o palanque do qual o ministro e o presidente da empresa emitente fariam os seus discursos, que todos esperavam fossem breves.

Joana estava contente por tudo chegar ao fim sem problemas. Era a sua primeira operação e queria que corresse bem. Também esperava que a sua actuação pudesse ajudar a trazer mais trabalho para o escritório.

Passeava pelo Salão Nobre enquanto aguardava o início de sessão. Passava os olhos pelas lombadas dos livros nas estantes que enchem as paredes da sala. «Todos bastante desinteressantes», pensou. Subitamente, ouviu alguém chamar o seu nome. Virou-se para dar de caras com Miguel Machado. Estava mais magro e com uma pose mais profissional. Vinha assinar pelo banco de investimento inglês onde trabalhava. Joana estava contente por finalmente encontrar alguém com quem pudesse falar de outra coisa, além de contratos financeiros. Escolheram dois lugares na segunda fila e puseram a conversa em dia enquanto esperavam pelo início da cerimónia. Com a sala já cheia às sete e um quarto, ninguém do Ministério ou da emitente tinha ainda aparecido. Nem uma secretária para dar uma explicação. Finalmente, apareceu o chefe de gabinete do secretário de Estado que pediu desculpa pelo atraso, e disse:

— Temos muita pena, mas não poderemos dar ainda início à sessão. Surgiu um pequeno problema que terá de ser resolvido previamente. Estamos a trabalhar na sua resolução, mas para já a sessão está adiada para as dez da noite. Devo acrescentar que este problema é de natureza interna e em nada interfere com o desenho da operação, tal como está, nem com a documentação, que ficará inalterada.

Agradeceu e pediu mais uma vez desculpa dizendo que voltaria às dez horas e esperava ter nessa altura o problema resolvido. Joana ficou preocupada. O que estaria em causa? Poderia todo o trabalho até essa altura perder-se assim? Era assim que o Estado trabalhava? Deixou Miguel e o grupo, que entretanto se formara, e foi ao segundo andar procurar alguém que pudesse esclarecê-la. Encontrou finalmente o chefe de gabinete que, ao vê-la ao longe, veio ao seu encontro:

— Ia precisamente buscá-la, pois preciso de falar consigo — disse-lhe enquanto a conduzia ao seu gabinete. — Não pude dizê-lo lá em baixo, mas o problema é político e um pouco embaraçoso. O ministro das Finanças e o presidente da empresa estão lá em baixo e querem falar consigo, mas primeiro deixe-me explicar-lhe o que se está a passar. Não pode deixar transparecer ao ministro que sabe o que vou contar-lhe. O problema que surgiu não é jurídico nem sequer verdadeiramente político, mas protocolar. Só que pode ter consequências devastadoras para o governo. A meio da tarde, o gabinete do ministro, que tutela a empresa emitente, telefonou-nos dizendo que o ministro tinha sabido por acaso que o contrato ia ser assinado hoje e estranhava muito que não tivesse sido convidado. Procurou-se, de imediato, remediar esse facto, mas o convite foi declinado. O ministro diz que não vem cá para fazer figura de verbo de encher. Para cá vir, terá que assinar os contratos conjuntamente com as Finanças. Ora isso, não só não faz sentido nenhum como obrigava a refazer a delegação de competências e toda a documentação com os bancos. Podia levar semanas. Está fora de questão. Só que o ministro da tutela diz que considera a assinatura dos contratos, tal como estão, uma afronta directa ao seu poder de tutela, e apresenta imediatamente a demissão. O ministro das Finanças pediu já a intervenção do primeiro-ministro, que chamou os dois a S. Bento. A reunião começa dentro de meia hora. O ministro das Finanças quer falar consigo antes de ir. Parece que o argumento oficial do ministro da tutela é que nunca autorizou a empresa a endividar-se.

— Mas isso é mentira — interrompeu Joana. — Ele que veja o anexo II: o Despacho Conjunto que aprova a operação. Está assinado pelos dois ministros.

— Pois é, Joana, bem sabemos, mas infelizmente em política isso pouco interessa. O que está aqui em causa não é quem tem razão, mas como fazê-lo desistir da sua ameaça de se demitir. O primeiro-ministro já mandou recado de que não pode ter uma remodelação neste momento e, se for caso disso, sacrifica esta operação. Obviamente, o ministro das Finanças não quer sequer ouvir falar disso, pois, chegado a este ponto, ficaria desacreditado perante os mercados. Além de que teria de arranjar uma alternativa para o financiamento da empresa. Não é fácil. Agora que conhece os contornos do problema, vamos descer. O ministro quer fazer-lhe umas perguntas sobre aspectos legais da operação, para se preparar para o embate com o colega.

No seu gabinete no primeiro piso, o ministro, o presidente da empresa e o secretário de Estado do Tesouro esperavam sentados à volta da grande mesa oval. O ambiente era pesado. O ministro, sempre cavalheiro, levantou-se e cumprimentou-a de beija-mão. Joana levemente corada com o excesso, cumprimentou os restantes e sentou-se ao lado do ministro, na cadeira que este lhe indicou. Era um homem de outra época. Um independente, sem partido político e com pouca paciência para a *partidarite*. Professor catedrático, com quase sessenta anos, Júlio Andrade já tinha feito tudo na sua longa carreira profissional. Dizia o que pensava sem preocupação pelo que era politicamente correcto. No entanto, não era um desbocado e estava habituado a abordar os assuntos com discrição e diplomacia.

Sem explicar o problema, nem pôr em causa o colega de governo, fez várias perguntas a Joana sobre a estrutura dos contratos, tentando encontrar uma solução de compromisso que a todos permitisse salvar a face. Queria também ter a certeza do terreno que pisava quanto à alegação do colega de que a autorização de endividamento não era válida. Joana garantiu-lhe que sim, fundamentando os seus argumentos de forma objectiva. Depois, deu-lhe uma sugestão para ultrapassar o problema com um mínimo de alterações aos contratos, mas que permitia que o «queixoso» participasse também na assinatura.

No contrato de garantia não poderia outorgar, pois as Finanças opunham-se terminantemente. No contrato de tomada firme também não, pois os bancos não permitiriam. Porém, havia uma solução. Joana sugeriu que se poderia transformar o contrato-programa, celebrado entre o Estado e a empresa, num documento contratual em vez de um simples anexo. Assim, não haveria alteração substancial dos contornos nem das condições da operação, pois as cláusulas do contrato-programa já estavam contempladas. Bastaria um pequeno número de alterações, como a numeração dos anexos e refazer as páginas das condições precedentes que se referiam ao contrato-programa. Este seria incluído no grupo de contratos principais e assinado (pela segunda vez) ao mesmo tempo que os outros. Desta forma, sempre o ministro da tutela assinava qualquer coisa.

Era isso que o Prof. Júlio Andrade procurava. Juntou alguns documentos que Joana lhe mostrara e, satisfeito com a solução que levava, retirou-se a caminho de S. Bento.

Aproveitando a retirada deles, Joana saiu também. Foi direita ao Salão Nobre. Encontrou Miguel com um pequeno grupo de pessoas que conversavam no átrio. Dentro da sala já não estava ninguém. Todos tinham aproveitado para ir jantar. Joana pegou-lhe no braço e arrastou-o pela escada abaixo, sem lhe dar tempo para reagir. Já na rua deu-lhe o braço e disse:

— Vais oferecer-me um jantar, e eu conto-te uma história hilariante.

Intrigado pelo mistério, Miguel deixou-se levar, visivelmente agradado com a iniciativa de Joana. Gostava de mulheres que tomassem, de vez em quando, a liderança.

Enquanto atravessavam o Terreiro do Paço e subiam a Rua Augusta, Joana contou-lhe, divertida, o que se tinha passado com a minicrise política. Àquela hora, poucas pessoas cruzavam as ruas da Baixa, com excepção de alguns *workaholics* que saíam dos bancos e companhias de seguros. No Gambrinus, ainda longe da hora da enchente, não tiveram dificuldade em arranjar mesa. Apenas dois casais de turistas jantavam na sala grande. Miguel escolheu uma mesa no canto oposto para poderem continuar a conversa sobre o que se passara no ministério.

Joana sentia-se particularmente bem. Estava contente por ter sido chamada pelo ministro e por ter tido uma ideia que provavelmente salvaria a operação. Agora, jantava com um homem inteligente, interessante e divertido e que não resistia ao seu encanto. Sentia-se segura e irresistível. O jantar decorreu num ambiente divertido. Comeram e beberam pouco, pois teriam ainda trabalho pela frente. Joana falou da sua vida depois de regressar de Londres e Miguel, mais aberto, falou de si, da sua infância, do trabalho em Londres e do seu projecto de voltar para Portugal, dentro de meia dúzia de anos, para fundar a sua própria companhia financeira.

Dez minutos antes das dez, saíram para regressar ao ministério. Aí encontraram novamente os mesmos participantes, ainda sem notícias. Já passava das dez e meia quando o chefe de gabinete voltou ao Salão Nobre. O ambiente era agora bastante mais caótico. Já ninguém estava sentado no seu lugar. Enquanto uns vagueavam pela sala, outros conversavam sentados em cima da mesa e alguns solitários liam os jornais, aparentemente indiferentes ao que estava a passar-se.

O chefe de gabinete mais uma vez se dirigiu aos presentes:

— Lamento ter de informar que os contratos não poderão ser assinados hoje. O senhor ministro pediu-me que lhes apresentasse o seu pedido de desculpas. Os contratos não podem ser assinados hoje por motivos que escapam ao nosso controlo. Mas o problema parece estar ultrapassado e o contrato poderá será assinado na próxima segunda-feira à mesma hora, isto é às sete. Haverá ligeiras alterações aos documentos. Serão feitas durante o fim-de-semana e comunicadas até segunda, ao meio-dia. Não alteram a configuração geral da operação, pelo que estou certo de que todos as aceitarão. No entanto, se alguma das instituições subscritoras quiser abandonar a operação, compreenderemos a vossa posição. Os documentos alterados serão apenas dois e serão enviados aos advogados de cada grupo.

Despediu-se e retirou-se sem dar azo a perguntas. Joana estava agora certa de que a sua proposta fora aceite. Iam alterar os documentos no sentido que ela havia sugerido. O ministro amuado aceitara a solução proposta. Assim, todos salvavam a face. A política era decididamente uma actividade do faz-de-conta.

Pouco a pouco, as pessoas foram saindo e a sala ficou deserta. Joana e Miguel saíram também. Joana estacionara o seu carro no Terreiro do Paço e ofereceu-se para deixar Miguel no Tivoli, onde estava hospedado até domingo. Agora teria de prolongar a sua reserva até terça. Chegados ao hotel, Joana parou o *Golf* em frente à porta e continuaram a conversar. A operação e os contratos, tinham agora cedido o lugar a temas mais pessoais.

Depois de estarem a conversar no carro há quase uma hora, Miguel sugeriu que fossem beber um copo à discoteca da Barata Salgueiro situada a menos de cinquenta metros da entrada do hotel. Joana de imediato concordou. Fechou o carro e, de braço dado, seguiram a pé. A discoteca estava, àquela hora, quase vazia. Tomaram café, beberam *whisky* e conversaram, no espaço que é hoje sala de jantar de banqueiros. De início tocava «música de elevador». Quando esta deu lugar a Charles Aznavour, Joana, pegando na mão de Miguel, levou-o para pista.

Dançaram em silêncio. Miguel dançava bem, deixando ao seu par a escolha do grau de «aproximação». Joana encostou primeiro a cara e depois o corpo todo. A atracção mútua era agora indisfarçável e dançavam como dois namorados. Quando os *slows* acabaram, regressaram à mesa e Miguel pagou a conta. Mal entraram no elevador, Joana beijou-o apaixonadamente. Caminharam abraçados pela Barata Salgueiro e Avenida da Liberdade até à porta do Tivoli. Quando chegaram, Joana subiu com ele sem dizer uma palavra. Como se do seu quarto de hotel se tratasse.

Mal entraram no quarto, beijaram-se sofregamente. Miguel, acariciou-a suavemente e, sem pressas, começou a despi-la. Joana, quase sem o deixar respirar, ia-o ajudando a desembaraçar-se da roupa. Por fim, foi ela quem o despiu. Fizeram amor desenfreadamente.

Os contratos foram assinados na segunda-feira seguinte. O ministro das Finanças fez um elogio a Joana que a fez corar. Miguel regressou a Londres, mas passou a telefonar-lhe diariamente e no fim-de-semana seguinte estava novamente em Lisboa. Pouco depois anunciava que decidira aceitar uma oferta de emprego que o BNCE lhe fizera já há algum tempo. Casaram seis meses depois da sua primeira noite. Tinham ambos 28 anos. Os pais de Joana gostaram logo de Miguel. Era inteligente, bem formado e educado. Parecia ser suficientemente paciente para Joana, mas isso só mais tarde se saberia. Se alguma característica um marido para Joana teria de ter era paciência. Os pais sabiam isso melhor que ninguém.

Pouco depois do casamento, Joana começou a trabalhar ocasionalmente no escritório da mãe. Este ocupava-se sobretudo de Direito da Família: divórcios, paternidades, heranças. De início, Joana não achava grande graça a esse tipo de acções. Porém, ia mais a Tribunal, coisa que no escritório do pai pouco acontecia. Começou a gostar do tribunal e do apoio jurídico que passou a dar gratuitamente a várias organizações de assistência à família, a vítimas de violação, a mães solteiras, a órfãos, à terceira idade, etc.

Ao fim de uns anos, quase só trabalhava para organizações de assistência. De vez em quando, ocupava-se de algum caso pago ou dava ajuda no escritório do pai nalguma operação, para garantir o seu sustento. Dizia que não queria ser sustentada pelo marido, mesmo sendo ele o banqueiro bem-sucedido em que, entretanto, se tornara.

A carreira de Miguel adquirira entretanto um ritmo muito diferente. No entanto, Joana tinha cada vez menos paciência para a vida social do marido, para aturar mulheres de banqueiros, políticos, homens de negócios e jornalistas idiotas e metediços. Miguel aparecia quase sempre sozinho nessas ocasiões e declinava grande parte dos convites. Tinha, por isso, conquistado fama de bicho-do-mato. Depois de ser eleito presidente do BNCE, após grande insistência do marido e até do próprio Azeredo e Silva, Joana dispôs-se a aparecer com mais frequência em acontecimentos sociais. E fez algum esforço nesse sentido, embora não fosse suficiente para impedir que os jornais se referissem sempre a Miguel como um banqueiro reservado, tímido, recluso, ou pouco mundano.

A crescente dedicação de Joana ao seu trabalho de voluntariado, e os dramas humanos que acompanhava, foram-na afastando progressivamente de Miguel, cuja vida era preenchida por outro tipo de problemas e contacto com outro tipo de pessoas. Para ela, os pequenos problemas do marido, com os colegas da administração, os accionistas do banco ou os clientes não passavam de frívolos, ao pé dos muitos casos de miséria social e moral com que diariamente se deparava. Sem se aperceber, Joana deixou que esses problemas passassem a povoar a sua vida. Perdeu a sua alegria e o optimismo que lhe eram próprios. E, pelo menos aparentemente, perdeu também a admiração que antes demonstrava por Miguel e pelas suas qualidades.

Apesar disso, o marido ia resistindo e ultrapassando as crises conjugais com paciência e realismo. Perdeu, com os anos, o seu idealismo e já não encarava a mulher como no início da sua relação. No entanto, continuava a amá-la e a sentir uma enorme atracção física por ela.

9

O IMPACTO DA OFERTA

Enquanto tomava o seu pequeno-almoço, Marta esperava os jornais que a empregada lhe trazia, todas as manhãs depois de levar os filhos à carrinha do colégio. Naquela terça-feira, iria lê-los com mais interesse do que habitualmente. Passara os últimos dias enfiada em reuniões de preparação da OPA do BIAP sobre o BNCE. O escritório delegara nela toda a preparação jurídica da operação. Uma enorme responsabilidade. Estava contente por isso e confiante no sucesso da operação, mas sentia-se também nervosa e cansada. Nas últimas noites, quase não tinha ido à cama, e o mesmo a esperava nos próximos dias. Em princípio, as coisas acalmariam depois um pouco. O prazo normal de decurso da OPA era longo e as intervenções dos juristas tenderiam depois a ser mais espaçadas. Agora estava tudo no auge. Ao início da manhã, teria a reunião preparatória da conferência de imprensa e depois teria de estar presente na própria conferência.

Depois, seria a vez da reunião com os outros consultores para trabalharem no pedido de registo definitivo, prospecto, requerimentos, e notificações à CMVM, à ADC e ao Banco de Portugal. Só quando esses documentos estivessem prontos, a sua vida recuperaria alguma normalidade. Felizmente, tinha a sua casa entregue à insubstituível Amélia, que lhe tratava de tudo e tomava conta dos filhos, quando ela não estava. Viera directamente de casa da sua mãe, quando nasceu Nuno, o seu primeiro filho. Vinha para a ajudar durante uns dias. O Nuno já tem 15 anos e ela ainda lá está, e estará. A vida profissional de Marta não poderia ser o que era sem Amélia.

Com o marido, não podia contar para nada. Já não era mau que ele conseguisse levantar-se da cama e apresentar-se ao trabalho, todos os dias, para não ser despedido. Enquanto trabalhasse, pelo menos

estava ocupado por umas horas, e Marta não se veria obrigada a dar-
-lhe mesada. Já lhe bastava ter de pagar todas as despesas da casa e
da educação dos filhos. Rui dispensara-se de contribuir desde o primeiro dia de casado, com a desculpa de que ganhava muito menos
que ela, o que era verdade. A certa altura era a mãe dele que pagava
o colégio do neto. Marta aceitou, porque pagava já a totalidade das
despesas da casa e sozinha não aguentaria o elevado encargo do colégio. Depois, quando a sua situação melhorou, disse à sogra que dispensava essa ajuda. A dependência incomodava-a. A mãe passou a dar
esse dinheiro a Rui para as suas despesas. A ele, não o incomoda-
vam as dependências.

Marta mal tinha visto Rui nos últimos dias. Só na segunda-feira à
noite, já depois de lançada a OPA, o avisara de que estava a trabalhar
nessa operação. Como sempre, Rui não se mostrara impressionado.
Marta, porém, estava habituada a esse desinteresse pela vida profissional da mulher. Com um enorme complexo de inferioridade, Rui
nunca aceitara bem o facto de Marta se ter formado e ele não. Nem
que ela tivesse um trabalho com um nível de responsabilidade muito
superior ao dele, apesar de ele também beneficiar disso. Sempre que
podia, desfazia na actividade profissional e nos êxitos dela. Tinha também ciúmes do escritório e dos colegas. De início, Marta ainda aceitou algumas limitações para não o indispor mas, com o tempo, passou
pura e simplesmente a ignorar os seus ditames. Se tivesse seguido o
que ele queria, nunca teria conseguido vingar na advocacia. Nos primeiros anos, sofreu bastante com as crises e as cenas de ciúmes, mas
já ultrapassara essa dependência.

Agora trata da sua vida, dos filhos e da casa e pouco se importa
com os estados de espírito do marido. Só estão ainda juntos porque é
melhor para os filhos e Rui não tem para onde ir. Marta percebe perfeitamente as escapadas dele, mas finge-se distraída. Aos 40 anos,
é ainda uma mulher atraente. É bonita e arranja-se bem. Tem cabelo
castanho-claro e olhos verdes, estatura média e ligeiramente roliça.
Tem um olhar simultaneamente inteligente e doce. É o que se chama
uma mulher interessante.

Todos os jornais nessa manhã trazem a OPA na primeira página. Elogiam o arrojo da iniciativa do BIAP. Uns são mais cépticos,
outros mais seguros do sucesso. Os artigos são relativamente superfi-
ciais, porque pouco se sabe da oferta. O *Diário de Notícias* publica os
perfis dos dois presidentes: Bernardo Hallbrook de Noronha e João
Miguel Machado e Sousa, salientando as semelhanças e diferenças dos
respectivos percursos. Os jornais económicos comparam os desempe-

nhos dos dois bancos e sublinham as dificuldades enfrentadas por Miguel, desde que está à frente dos destinos do BNCE. Não o dizendo abertamente, apresentam como principal debilidade deste banco a falta de solidez de accionariado e a gestão tradicional e pouco eficiente. Fazem várias insinuações a divergências no Conselho do BNCE. Todos referem que, depois da privatização, este banco tem sido lento na modernização, enquanto o BIAP, um banco que sempre foi privado, teria conseguido actualizar-se mais depressa. A apreciação geral era favorável à OPA e ao Presidente do BIAP. Nos *media*, o primeiro *round* fora ganho pelo BIAP. Era um bom presságio para a conferência de imprensa dessa manhã.

* * *

A grande sala do Conselho no último andar do prédio na baixa pombalina, onde o BIAP tinha há décadas a sua sede, fora arranjada para receber a conferência de imprensa do seu presidente. Os consultores de comunicação foram peremptórios na escolha do local — nem sequer queriam ouvir falar em hotéis. A sala foi transformada para o efeito, substituindo-se os sofás e mesas de apoio que normalmente ocupavam o recanto do topo, por várias filas de cadeiras, assim se aumentando a capacidade. Bernardo ocuparia a cabeceira da mesa. Atrás de si, sentados em duas filas de cadeiras, ficariam os outros administradores, os consultores e alguns quadros superiores. Os jornalistas ficariam sentados à mesa, dos dois lados, mas não na cabeceira oposta à de Bernardo. Esta ficaria vazia para que as pessoas sentadas nas cadeiras do outro extremo da sala pudessem ver o presidente do BIAP. Pouco antes do meio-dia, começaram a chegar os jornalistas e as equipas de televisão.

Bernardo entrou poucos minutos depois. Era seguido por enorme séquito que rapidamente ocupou os lugares atrás do presidente. Os que não tinham lugar ficaram em pé na entrada da sala e até na sala contígua. A expectativa dos presentes era enorme. Marta não conseguiu um lugar sentado. De pé, por trás das cadeiras, preparava-se para ouvir Bernardo ler o curto texto que tinham acabado de retocar. Apoiada no rebordo da estante que forrava toda a sala, ouviu o presidente dar as boas vindas aos jornalistas.

Um bocado nervoso, mas controlado, Bernardo leu o texto que sintetizava as razões da OPA. Era apresentada como amigável e vantajosa para o sistema bancário. Com extremo cuidado, para não atacar nem expor as fragilidades do banco alvo da oferta, explicando as muitas maravilhas que as duas instituições poderiam fazer se actuassem em conjunto ou como uma única entidade. Todos beneficiariam, os clientes, os accionistas, o Estado, e até os concorrentes. Esta OPA era de facto o remédio para todos os males do País e da banca, podia concluir-se.

Os jornalistas ouviam, com pouco interesse. Já conheciam de cor esse discurso. Era o discurso politicamente correcto. Os jornalistas económicos, habituados a ouvi-lo, não ficaram obviamente impressionados. Não tinham vindo cá para isto. Tinham vindo para ler nas entrelinhas. Mas primeiro tinham de ouvir aquela monótona lengalenga enquanto esperavam pelo período de perguntas.

Quando estas chegaram, a assistência finalmente acordou. O director de Comunicação do banco explicou aos jornalistas as regras da conferência de imprensa. Uma pergunta por pessoa, e só se houvesse tempo poderia fazer-se uma segunda ronda. Os jornalistas deveriam, antes da pergunta, identificar o respectivo órgão de comunicação social.

O espectáculo ia começar com o comentador de negócios da *SIC Notícias*, um jornalista ainda novo, mas já bastante conceituado. Tem à-vontade e sentido de humor e gosta de se ouvir:

— *SIC*: Senhor Doutor, gostei muito de ouvir a sua intervenção e estou certo de que os meus colegas também. Mas convenhamos que não nos trouxe grandes novidades. Já todos ouvimos bastantes vezes presidentes de empresas oferentes apresentar as suas ofertas. O discurso não é muito diferente do seu. E também não podia deixar de ser. Acho que nunca se ouviu o presidente de uma oferente dizer: «esta é uma operação muito arriscada mas muito vantajosa para o meu banco e para mim, pessoalmente»; ou então: «com esta operação pretendo criar valor exclusivamente para os meus accionistas; depois dela vamos despedir e reformar 90 por cento dos colaboradores do banco que vamos comprar, pois não fazem falta, e os clientes do banco que se cuidem, pois vamos aumentar as nossas margens e comissões e reduzir as linhas de crédito...»

Teve de fazer uma pausa pois a assistência ria às gargalhadas. Depois continuou:

— Ontem corria no mercado que a OPA seria geral, mas afinal o anúncio refere-se apenas a um terço do capital do BNCE. Pode dizer-nos porquê esta alteração de última hora? E como acha que com essa escassa percentagem vai poder controlar o BNCE?

— Não sabia que corria esse rumor ontem, mas posso dizer-lhe que nunca foi contemplada pelo BIAP a possibilidade de fazer uma oferta geral. E a razão é simples. A dispersão do capital permite, como disse, controlar a sociedade visada com esta percentagem do capital. Então por que haveria de pedir aos nossos accionistas um esforço maior e desnecessário? — respondeu Bernardo, num tom seguro e, como é sua especialidade, terminando com uma pergunta.

— *Jornal de Negócios:* Já falou com o Presidente do BNCE? Antes ou depois do lançamento da oferta?

— Isso já são duas perguntas e não uma como estava combinado — começou Bernardo ironizando —, mas creio que consigo dar-lhe só uma resposta para as duas: falei com o Dr. Miguel Machado e Sousa ontem, pouco antes da difusão da notícia.

— E qual foi a reacção dele? — insistiu o homem do *JN*.

— Isso terá que lhe perguntar a ele e julgo que terá oportunidade para isso — disse Bernardo secamente.

— *Diário Económico:* Quando começou o BIAP a estudar esta oferta e porquê? — Finalmente, alguém avançava com a pergunta crucial.

— Quando exactamente, o dia e o mês em que isso sucedeu, não me recordo — começou Bernardo preparando-se para uma resposta com mais fôlego. — Mas posso dizer-lhe que há muito tempo vimos olhando à nossa volta, pensando no inevitável movimento de consolidação, que em Portugal tem sido tímido. Noutros países, com estruturas bancárias semelhantes à nossa, tem sido mais ambicioso. Tínhamos há muito tempo a noção de que teríamos, nós e os outros bancos, de encarar a possibilidade de fusões. Como disse na minha intervenção inicial, depois de estudar várias alternativas, concluímos que o BNCE seria o parceiro ideal para esse efeito e que este seria o momento para o fazer. Daqui para a frente, a decisão já não será nossa, mas dos accionistas do BNCE.

— *RTP*: O preço oferecido pode ser revisto? — perguntou, no seu tom de voz esganiçado, uma jornalista com quem Bernardo embirrava há muito tempo.

— Acha muito alto? — atirou Bernardo.

Gargalhada geral na sala.

— Como sabe, a lei permite que o preço seja revisto em alta. Mas nós achamos que o preço está correcto. Tem implícito um prémio muito substancial — concluiu Bernardo.

— *Rádio Renascença*: Quantos colaboradores do BNCE serão despedidos ou reformados?

— Nenhum será despedido. Todos serão reformados — começou Bernardo fazendo, deliberadamente uma pausa nesta frase —, mas só quando atingirem a idade da reforma — concluiu.

Nova risota na sala.

— *Público:* Todos sabem que o BNCE é muito maior em activos e tem muito maior capitalização do que o BIAP. Pode dizer-nos como pensa financiar esta aquisição? Certamente terá de recorrer a um aumento de capital. Não receia que o seu próprio banco fique mais fragilizado após a OPA, se esta tiver sucesso? E, já agora, podia dar-nos uma ideia da dimensão do aumento de capital que vai fazer?

Esta era a pergunta mais embaraçosa mas também aquela para a qual o presidente do BIAP vinha mais bem preparado. Tinha ensaiado quatro respostas diferentes para utilizar nos próximos dias. Sabia que seria uma pergunta recorrente. Sabia também que era neste ponto que se jogava a credibilidade da oferta no mercado. Como era a primeira vez que a pergunta era feita, resolveu dar a resposta mais simples.

— Não será a primeira vez que uma instituição mais pequena adquire outra maior. Nem no mundo, nem na Europa, nem mesmo em Portugal. Não direi que isso acontece todos os dias mas digo que há exemplos abundantes. E são em geral casos de sucesso. A extensão do aumento de capital não está ainda decidida, mas não vos será muito difícil calcular o valor necessário para repor o rácio de capital do BIAP. Em todo o caso, posso dizer que não vamos pôr em causa a solidez financeira do BIAP nem do BNCE.

Depois de mais algumas perguntas, o director de Comunicação veio anunciar que, devido ao adiantado da hora, só seriam aceites mais três perguntas.

— *TVI:* Na sua intervenção inicial, se bem percebi, o senhor disse que o BIAP tem um modelo de gestão mais eficiente o que do BNCE. Propõe-se retirar vantagens desse modelo, criando valor para os accionistas de ambos os bancos ao aplicar o seu modelo de gestão aos activos do BNCE que seriam, e estou a repetir o seu raciocínio, actualmente geridos por um modelo menos eficiente. Como explica então que o seu banco tenha um *cost to income* (rácio de custos administrativos sobre proveitos), muito pior que o do BNCE? Segundo os últimos dados oficiais, o rácio do BIAP é 63 por cento e o do BNCE apenas 52 por cento.

— Como sabe, um modelo de gestão não se esgota no rácio que referiu. Nós entendemos que o BIAP tem condições para criar mais riqueza com os activos combinados dos dois bancos do que o BNCE tem criado. Esta é a verdadeira questão. Se a gestão do BNCE tivesse conseguido criar mais valor para os accionistas, as cotações das suas acções estariam agora mais altas e esta oferta não seria lançada. A sua comparação de rácios está incompleta. Teria de ver como são feitas as contas pelos dois bancos. Terão aqueles rácios o mesmo conteúdo? A resposta é negativa. A comparação dos rácios que fez, está falseada.

— *Diário de Notícias:* Como pensa que pode convencer os accionistas de referência do BNCE a vender, eles que sempre apoiaram a gestão de Azeredo e Silva?

— Não posso falar pelos accionistas do BNCE. Terão de lhes fazer essa pergunta directamente. Contudo, lembro-lhe que para esta oferta ter sucesso basta que alguns accionistas vendam. Mas há ainda muito tempo. Estamos no primeiro dia após o lançamento. Daqui até ao fim do prazo, os accionistas terão muitas oportunidades para avaliar a oferta, à luz dos seus interesses.

— A última pergunta — lembrou o director de Comunicação.

— *Financial Times:* Como explica a evolução das cotações das acções do BIAP ontem e hoje? Não acha estranho que ontem tenham subido tão alto para depois caírem para um valor muito abaixo da cotação do fecho da semana passada? Não acha que terá sido alvo de um movimento especulativo? E, nesse caso, quem poderá estar por trás desse movimento?

— Nunca comento a evolução dos preços no mercado. Se houve movimento especulativo ontem ou hoje, só posso garantir-lhe que o BIAP não esteve por trás desse movimento. Se acaso houve abuso de informação privilegiada, o BIAP é totalmente alheio, cabendo à CMVM investigar, e eu não devo fazer qualquer declaração sobre esse assunto. Muito obrigado a todos por terem comparecido. Teremos certamente outras oportunidades para falar sobre a nossa oferta.

Triunfante, Bernardo saiu acompanhado pelo seu séquito. A conferência durara uma hora e meia.

10

CONTAS À VIDA

Logo que entrou no seu gabinete no 29.º andar do prédio da 3.ª Avenida, Duarte reparou no monte de papéis acumulado em cima da sua secretária.

No meio desses papéis encontrou uma folha de um bloco de notas A5, com timbre da Parker and Schmitt, onde havia alguns apontamentos manuscritos. Números e nomes. Paiva, BIAP, 25 milhões, opções, 75 milhões, 1,5 milhões de contos. Este último valor estava sublinhado várias vezes. Havia também setas e círculos rodeando alguns números. Duarte não compreendia estes apontamentos, mas tinha a certeza de que lhe não eram destinados. Era evidente que se tratava de apontamentos de Figueiredo que este esquecera no gabinete de Carlos e por engano foram misturados com o expediente. Alguém estava metido num negócio de acções do banco que lançava a OPA, precisamente no dia do lançamento. A operação devia envolver Paiva e seria muito provavelmente ilegal. Os números não deixavam margem para dúvida — não se tratava de uma conversa com o seu banco dando ordem de compra ou venda de acções da sua carteira. Os muitos milhões indicavam tratar-se de uma operação muito para além das possibilidades da bolsa de Figueiredo, que, todos sabiam, estava sobretudo recheada de dívidas.

Agora já não poderia devolver a folha; não queria que percebessem que ele sabia. Resolveu guardá-la na pasta para levar para casa. À cautela, colocou-a num compartimento disfarçado cuja existência só ele conhecia. Carregando simultaneamente em dois pontos das paredes laterais colocados assimetricamente, o fundo da pasta soltava-se. Ele próprio concebera o sistema e o mandara fazer em Portugal quando estava colocado em Berlim Leste. Utilizava-o para esconder documentos que levava para casa e não queria que os serviços secretos comunistas vissem. Sabia que a senhora da limpeza era assalariada da polícia secreta, o mesmo acontecendo com a porteira do seu prédio, que possuía chave de sua casa.

Estava certo de que Carlos, quando desse pela falta do papel, viria à sua procura. Tinha, no passado, constatado, por várias vezes, que ele fazia isso. Pelo menos duas vezes se havia apercebido de que a sua secretária, incluindo gavetas, fora revistada durante o fim-de-semana. Tinha também confirmadas suspeitas de que fazia o mesmo a vários funcionários da Missão. Duarte não gostava de segredos e, geralmente, não tinha na secretária nada que não pudesse ser visto, mas detestava a violação de privacidade. Logo que percebeu a laia do colega, deixou de guardar na secretária quaisquer documentos particulares, cartas, fotografias, etc...

Durante toda a manhã, Duarte não viu Carlos no gabinete. Pouco antes de sair para almoçar, recebeu um telefonema de Susan.

— Estou em Nova Iorque. Vou a caminho do Pierre para almoçar com Martha Herzog — disse ela, falando a cem à hora como era seu hábito. — A revista vai fazer um perfil dela e o director pediu-me para lhe apresentar o projecto. Ela vai-se embora amanhã para Boston, por isso combinámos almoçar hoje. Depois do almoço, vou à sede da revista falar com o editor. Devo ficar despachada às seis. Há um concerto do Emmanuel Ax, no Lincoln Center, às oito. Queres ir?

— Está bem. Hoje não tenho nada. Vou tratar dos bilhetes. Ficas para amanhã?

— Se me quiseres. Estou em tua casa pelas seis. Agora tenho de ir. Beijos e até logo — disse antes de desligar.

Duarte saiu para almoçar e seguiu para uma reunião na ONU. Percorreu a pé os quarteirões que separam o edifício da Missão da sede das Nações Unidas. Parou no caminho para comer uma sanduíche e passou grande parte da tarde metido numa sala de reuniões, ouvindo vários delegados dissertar sobre o financiamento da organização.

Quando regressou à Missão, passava das cinco. Carlos já tinha saído. Pouco depois Duarte saiu também, regressando a casa a pé. Só quando chovia muito apanhava um táxi. Tirar o carro da garagem para o seu dia-a-dia era coisa que não lhe passava sequer pela cabeça. Apesar do intenso calor e da humidade tropical que já se instalara para passar o Verão em Nova Iorque, caminhava bem-disposto com a perspectiva do encontro da noite. Sempre que Susan vinha a Nova Iorque, mesmo que só por uma noite, alegrava a sua monótona existência. Hoje em dia cada vez mais difícil de animar.

* * *

Passavam dez minutos da uma quando Miguel entrou no seu gabinete, no final da reunião do Conselho. Esperava-o já José Maria Azeredo e Silva, sentado naquele que fora durante muitos anos o seu cadeirão preferido. Aqui se sentava quando recebia pessoas, ou quando via os noticiários. Era o que fazia agora, agarrado ao comando do aparelho de televisão. O engenheiro, de 71 anos, apresentava um aspecto excelente. Usava agora o cabelo mais comprido, tapando-lhe as orelhas e o colarinho da camisa. Ainda pouco grisalho, ficava com ar de rapazola. Bronzeado das muitas horas passadas nos campos de golfe, vestia um casaco de *sport* e gravata amarela. Tinha agora um aspecto muito mais descontraído do que quando presidia aos destinos do BNCE.

Nessa época, vestia-se de uma forma discreta e monótona e tinha um ar pálido e olheirento. Com um metro e oitenta e cinco e físico de atleta, era uma figura imponente.

Depois dos cumprimentos e de alguns minutos de conversa de circunstância, os dois homens encaminharam-se para a porta do gabinete que dava para um pequeno *hall* onde entraram no elevador privativo do presidente, que conduzia ao andar de cima. Aí entraram numa das salas de jantar do Conselho de Administração.

Miguel vinha ainda tenso da reunião do Conselho que relatou resumidamente a Azeredo, enquanto este sorria a algumas peripécias e reacções das *catatuas*.

— É bom que eles tenham um representante no grupo de defesa — disse Azeredo ao ler o papel com os nomes da equipa de defesa que Miguel trazia na mão desde que saíra da reunião e então lhe mostrou. — Assim evitas os telefonemas deles a toda a hora a pedir informações.

— Isso e as críticas à actuação do grupo, se algo correr mal — acrescentou Miguel.

— Nisso não me fiava, Miguel. A memória deles é muito curta. Tudo o que correr bem será consequência das decisões do Conselho, mas o que correr mal, será por culpa do Presidente, da sua equipa e da sua estratégia «mal concebida». Isto é uma lei da vida, mas aplica-se especialmente a esta casa.

Azeredo e Silva falava descontraidamente, dando a sensação de não ter uma única preocupação no mundo. Mas a verdade é que era a sua gestão e o seu modelo que estavam em causa. Tinha presidido aos destinos do BNCE durante quinze anos, e estava totalmente identificado com a instituição. A sucessão fora livremente escolhida por si e se não tinha conseguido resolver o problema das *catatuas*, não fora por falta de tempo. Pontos fortes e fracos do banco eram todos de sua responsabilidade. Miguel mal tinha começado a pôr em prática o seu programa. Em pouco mais de um ano, não podia ter feito grandes mudanças. Na realidade, Azeredo, por baixo da sua aparente descontracção, estava profundamente preocupado. O sucesso da OPA seria um grande revés para si. Significaria encerrar a sua carreira com um monumental fracasso. Estava disposto a lutar com todas as suas forças para que isso não acontecesse, mas não ia revelar ansiedade ou insegurança perante terceiros, especialmente diante do seu sucessor. Mal recebera a notícia, apetecera-lhe largar tudo, meter-se no carro e vir para o banco, mas resistira. Esperara pelo telefonema de Miguel com o convite para almoçar. Inventou ainda uma desculpa sobre um pretenso compromisso que tentaria desfazer. Tudo para que Miguel não o sentisse preocupado. Agora, esforçava-se por dar alguns conselhos, enquanto transmitia optimismo e confiança.

Passando os olhos pelo segundo papel que Miguel lhe dera, com a lista dos consultores e as linhas gerais da defesa do BNCE, continuou:

— Tens tudo pensado. Há aqui alguns pontos que merecem, no entanto, alguma reflexão. Alguns destes argumentos só podem ser usados numa fase muito mais avançada. Depois, é necessário ver esclarecidas muitas questões de pormenor. Por isso temos de deixar cair os nossos argumentos devagar. O preço, a muitos accionistas, pode parecer bom e são capazes de vender. Falarei com alguns para os segurar. Na declaração que fizermos deveremos sempre sustentar que é baixo, ridiculamente baixo. Mas não façam ataques pessoais. Tentem manter a guerra dentro dos limites da decência. No entanto, é preciso ser firme na resposta para dar confiança aos accionistas. Eles puseram no anúncio 30 por cento de limiar de sucesso. Quer dizer que temos de assegurar mais 21 por cento do capital para bloquear esta OPA.

Azeredo fazia indirectamente alusão aos 30 por cento do capital detido por si e pelo grupo por si controlado, que incluía os quadros do banco. A estes juntavam-se os 20 por cento dos accionistas que eram representados pelas *catatuas* e vários fundos que votavam habitualmente consigo. Estas contas, tinham-nas feito inúmeras vezes no passado. Sempre que tinham uma deliberação da assembleia geral mais delicada, contavam-se espingardas. O máximo que alguma vez conseguiram foi 66,8 por cento para uma alteração estatutária. Desta vez tinham de «descobrir» mais 4 por cento. Parecia pouco, mas não era tarefa fácil. Azeredo continuou, no seu tom ligeiro e bem-disposto:

— Vocês terão de emitir um comunicado. Aliás, terão de fazer vários comunicados. Mas estava a pensar na comunicação ao público. Nessa, não devem deixar de referir a recente melhoria do *rating* do banco pelas agências internacionais. Isto é um enorme trunfo, pois significa que as agências aprovam o programa de medidas que está em curso. Dá uma visão positiva do futuro do banco. Além de que nos coloca a par das instituições portuguesas com melhor *rating*, com excepção, naturalmente, da República. É um trunfo que não poderemos desperdiçar. Além disso, evitamos, por agora, falar dos termos da oferta e centramo-nos num ponto em que somos melhores que eles. Retirem do relatório das agências algumas frases e expressões sobre a qualidade do crédito, o nível de provisões ou os custos de transformação, para serem citadas no comunicado. Vejam também se os homens da comunicação arranjam maneira de algum dos jornais pegar no tema e fazer, por exemplo, um artigo comparando os *ratings* dos bancos e empresas portugueses e os principais europeus. Enfim, agora é preciso dar corda a um tema destes, todos os dias. Depois, não descurem o comunicado aos colaboradores e uma carta aos clientes a explicar a oferta e a transmitir confiança. Muitos clientes e quase todos os colaboradores são também accionistas...

Miguel mostrou então ao seu antigo presidente uma lista de accionistas actualizada que, além dos nomes, indicava as percentagens do capital de cada um e os respectivos representantes e números de telefone. Azeredo percorreu a lista lentamente; detendo-se num ou outro nome, fazendo comentários e escrevinhando algumas notas à frente desse nome. Por fim levantou os olhos do documento, tirou os óculos e disse:

— É um grande desafio. Não vai ser fácil conseguir mais 4 ou 5 por cento do que conseguimos no passado para alterar os estatutos. Mas temos de tentar. Não devemos ter pressa. Isto está para durar. Até pareceria mal começar já a telefonar a accionistas que no passado nunca foram contactados. Primeiro, deixamos seguir a carta para os accionistas e só depois fazemos esses contactos. Para já posso começar por falar com os que votam habitualmente connosco e com os quais falamos regularmente.

Terminado o almoço, Miguel acompanhou Azeredo à garagem, onde o motorista o aguardava no Jaguar preto que o acompanhava há treze anos. Antes de se sentar no banco de trás, Azeredo deu uma palmada nas costas de Miguel dizendo:

— Descontrai-te. Vais ver que isto acaba bem. A Joana está boa? Não a vemos há tanto tempo... Vou dizer à Nica que lhe telefone para combinar um jantar lá em casa, no fim-de-semana.

* * *

Nos últimos dois dias, Rui tinha feito uma meia dúzia de tentativas para falar com Carla, a que ela conseguira resistir. Mas não sabia quanto tempo mais aguentaria. Agora, acompanhava a conferência de imprensa do Presidente do BIAP, pela televisão, enquanto lançava no computador as rotineiras renovações de depósitos e operações de Bolsa dos clientes. De vez em quando, espreitava as cotações da Bolsa. A sessão começara bem, mas estava agora em queda geral. O título mais penalizado era o BIAP, depois da euforia da véspera, na qual as acções tinham atingido o máximo de 8 euros. Nessa terça-feira, tinham começado a cair pouco depois da abertura e, quando a conferência de imprensa acabou, estavam abaixo de 7 euros. Todo o ganho da véspera desaparecera e já estava abaixo do fecho da semana anterior. Carla olhava apreensiva para as cotações, pensando na operação firmada 24 horas antes pelo seu cliente Victor Paiva. Se continuassem a descer, em breve iriam começar as «chamadas de margem», o que obrigaria o cliente a ter numa conta--margem o valor dos prejuízos, avaliados dia a dia.

O mesmo fazia Victor Paiva, sentado à sua secretária, enquanto ouvia as respostas redondas de Bernardo Noronha às perguntas dos jornalistas. Não percebia o que teria acontecido. Em todo o caso, era para si evidente que a sua fonte de informações se revelara fidedigna, pois alguma coisa estivera realmente na forja. A sua fonte dera-lhe uma informação correcta, mas incompleta, provavelmente por não controlar todo o processo. O problema era o seu intermediário, que nada entendia de mercados financeiros e não tinha capacidade para avaliar, e muito menos validar, as informações que recebia. Paiva sempre considerara Figueiredo um bocado tonto, mas pensara que saberia avaliar a consistência das informações. Afinal não era essa a essência do seu trabalho? Mas agora, constatava que o homem só pensava em ganhar dinheiro depressa. E gastá-lo ainda mais depressa.

Era evidente que, além do que Figueiredo lhe tinha dito, passara--se algo mais que levara ao lançamento desta OPA, impedindo a outra. Agora teria de raciocinar dentro dos novos pressupostos. E estes significavam que, por cada cêntimo que as acções caíssem abaixo de 6,5 euros, era obrigado a colocar 250 mil euros numa conta-margem. Um cêntimo de descida e ele, Paiva, perdia 50 mil contos... Iria ao banco falar com Carla. E quanto antes. Não podia deixar o problema avolumar-se.

Decidiu fazê-lo no dia seguinte. Tinha de obter do banco uma linha de crédito para fazer estes pagamentos. Como só utilizara metade da linha de crédito que lhe concederam, pediria para usar o saldo de mais de 40 milhões de euros, para satisfazer as chamadas de margem. Com isso, aguentaria até o preço chegar aos 5 euros. Se as acções descessem mais que isso, seria obrigado a recorrer a outro sistema. Podia ainda ir buscar outro financiamento mas ia sair-lhe muito caro em juros. Teria de ver com Carla e o *dealer* do banco que soluções haveria para fechar a posição, vendendo o contrato. Mas ainda não tinha perdido as esperanças de vir a ganhar dinheiro com esta operação, por isso não estava para já preparado para desistir dela.

11

REENCONTRO

Às 13h10m o táxi parou na 5.ª Avenida em frente da porta do Hotel Pierre. Discreto, sóbrio, continuava a ser um dos mais elegantes hotéis de Nova Iorque. Susan pagou ao motorista e saiu apressadamente. Faltavam exactamente cinco minutos para a hora marcada para o seu encontro. A sua obsessão pela pontualidade levava-a a empreender as mais tresloucadas correrias para não chegar um minuto sequer atrasada. No restaurante, o *maître d'hotel*, envergando um *smoking* preto impecável, veio recebê-la. Susan disse-lhe que procurava Martha. Num francês impecável, o chefe de sala comunicou-lhe que «Madame Herzog» a esperava e de imediato a conduziu à mesa.

Martha vestia um casaco branco e uma saia preta travada e curta. Ao pescoço, usava um fio de ouro branco que terminava num pendente com um diamante, suficientemente grande para ser bonito, mas suficientemente pequeno para não dar nas vistas.

Era indisfarçável a sua alegria por rever a amiga. Um pouco mais baixa que Susan, Martha era mais bonita e mais feminina. Tinha seguramente muitos milhares de dólares a mais em tratamentos de pele e cabelo, mas não se esticava nem se metera no *botox* ou no silicone. Apesar de vaidosa e *coquette*, não escondia a idade. Desde muito nova se habituara a ser o centro das atenções masculinas, e aprendera a lidar com isso. Mas o desaparecimento gradual da juventude não a preocupava. A sua aparência era muito cuidada, mas recusava-se a entrar no jogo irreversível da cirurgia plástica. *Spas*, ginásios, piscinas, cremes, massagens, cabeleireiros e costureiros ocupavam-lhe muito tempo.

O resto ocupa-o nas reuniões dos conselhos de administração a que pertence e a fazer conferências e palestras sobre o seu tema de eleição — a ética na gestão das empresas. Considerada uma activista de *cor-*

porate governance é temida pelos executivos das empresas. Herdou do marido uma fortuna considerável em acções de grandes empresas e património imobiliário — hotéis e edifícios de escritórios — que lhe proporcionam um nível de vida muito folgado.

Gasta muito dinheiro com obras de caridade em Connecticut e Nova Iorque às quais dedica também algum tempo. A sua carteira de acções confere-lhe direito a lugares não-executivos nas administrações de várias empresas, que Martha aproveita para a sua campanha pela ética nos negócios. Gasta o tempo e o dinheiro que lhe sobram em viagens e obras de arte.

Martha e Susan estudaram Relações Internacionais na Universidade de Berkeley, na Califórnia. Depois Susan veio para Nova Iorque, onde começou a sua carreira de jornalista, enquanto Martha ficou em Los Angeles onde trabalhou durante uns anos como assessora do governador da Califórnia. Aí conheceu John Herzog, um jovem advogado formado em Harvard. Oriundo de uma família conservadora de Connecticut, era membro do Partido Republicano e conselheiro assíduo do governador. Pouco tempo depois, foi eleito para a Câmara dos Representantes pelo estado de Connecticut, e para a cama de Martha no estado de solteira. Casaram-se em menos de um ano e foram viver para Washington. Depois de dois mandatos na Câmara, John foi eleito para o Senado e aí ficou durante dois mandatos de seis anos até à sua morte prematura, num estúpido desastre de avião.

Martha atravessou então um período muito depressivo. Tinha 40 e poucos anos, sem filhos. Era demasiado velha para recomeçar a trabalhar e nova de mais para se assumir como viúva inconsolável. Contactos políticos e jornalísticos não lhe faltavam, mas não sabia como pô-los ao serviço de uma causa. Durante vinte anos vivera intensamente a carreira política do marido, que alguns consideravam uma «esperança» dos Republicanos.

Foi quase por acaso que se viu obrigada a participar pela primeira vez numa assembleia geral. Apercebeu-se da existência de uma enorme conspiração de silêncio em torno de um sistema de remunerações de administradores executivos que era injusto e lesivo dos pequenos accionistas. A partir de então, começou a sua luta por transparência nos regimes de compensação dos executivos. Utilizando os direitos de voto de que dispunha, bem como a sua popularidade, fez-se eleger para vários Conselhos de Administração. Aí constatou que o problema tinha uma extensão muito superior àquela que imaginara. Já não era só o regime de atribuição de opções e de bónus aos executivos; é que estes violavam sistematicamente os mais elementares deveres para com os seus accionistas, demonstrando o mais descarado desrespeito pela ética, sendo frequentes os conflitos de interesses. Estava encontrada a cruzada que mobilizaria as suas energias nos próximos anos.

Durante o tempo em que viveu em Washington, Martha pouco saía dos círculos políticos do Capitólio. Susan via-a muito raramente. Passavam anos sem se ver. Depois da morte de John, Martha passou a vir a Nova Iorque com frequência e a circular fora dos meios políticos da capital. Passaram assim a ver-se com mais assiduidade, até que, com a ida de Susan para Washington, inverteram-se os papéis. Ainda assim, encontram-se agora com mais frequência do que antigamente.

Ao aproximar-se da mesa, Susan reparou que Martha falava com um homem sentado na mesa do lado. Era um rapaz com ar de executivo, ou advogado, e com bom aspecto. Depois de brindarem mutuamente com os seus copos de vinho branco e de encomendarem o almoço, puseram a conversa em dia, falando das suas vidas e de amigos comuns de Washington e da Califórnia. Não sendo propriamente amigas de infância, pois só se conheceram na faculdade, Martha e Susan tinham criado e consolidado, durante aqueles anos de convívio universitário, uma amizade firme e saudável. Foi por isso que o director da revista *Town & Country*, ao decidir publicar o perfil de Martha Herzog, encarregou Susan de liderar o projecto e de obter a concordância da amiga. A revista tinha sido durante muitos anos considerada pelos meios jornalísticos uma publicação mundana e frívola. O novo director pretendia aumentar-lhe a credibilidade, introduzindo gradualmente alguns temas mais sérios. Este perfil de Martha inseria-se nesse objectivo. Era uma mulher mundana, bonita e rica. Ficava bem nas páginas da revista, mas em vez de falar das festas que dava, ia abordar um tema na ordem do dia: a ética na vida das empresas.

Ao fim de alguns minutos de conversa, Susan resolveu introduzir o tema:

— Como te disse ao telefone, a minha revista quer publicar no número de Setembro um perfil teu. Será um artigo da redacção que eu irei supervisionar. A ideia é descrever um pouco a tua infância e adolescência, o meio onde nasceste e cresceste e a tua vida na universidade. Depois a tua vida com John Herzog. Não queria desviar as atenções para o John; só na medida do indispensável para te descrever a ti e à tua vida em Washington. Já se escreveu muito sobre ele e não gostaria que se pensasse que este artigo era apenas uma tentativa de aproveitar a imagem do ídolo dos Republicanos e a sua popularidade. Por último, e como prato forte, descreveríamos a tua actividade como *activista de direitos dos accionistas* ou *cruzada da ética,* como lhe queiras chamar, pois é nessa qualidade que o público da revista hoje te vê. Esta seria a parte mais desenvolvida do artigo.

Susan fez uma pequena pausa para deixar a amiga absorver a informação e, se quisesse, fazer alguma pergunta. Como não fez, Susan continuou:

— O projecto será supervisionado por mim, mas os textos serão escritos por três colaboradores que se ocuparão de partes separadas. Eu encarregar-me-ei de lhe dar uniformidade. Eles vão precisar de te entrevistar durante aproximadamente quatro horas cada um, onde e quando tu disseres. Para não ser muito cansativo, é preferível fazer várias entrevistas. Queríamos também tirar fotografias na tua casa de Connecticut, e que nos facultasses fotografias antigas das várias fases da tua vida, para escolhermos meia dúzia. No total, o artigo deve ter entre 6 e 8 páginas e outras tantas fotografias. Então o que achas?

— Eu posso ter controlo sobre o conteúdo? — perguntou Martha secamente.

— Isso não posso dar-te. É política da revista. Só posso enviar-te o artigo quando a revista já estiver na expedição.

— Já calculava, mas nunca faz mal perguntar. Nos últimos anos, dei algumas entrevistas destas, à *Business Week* e à *Fortune*. Não era bem o mesmo na medida em que se tratava de entrevistas sobre casos concretos que estavam na ordem do dia: Enron, Worldcom etc... Estou disponível para dar a entrevista e a informação para o artigo, com uma só condição: não quero qualquer referência ou simples insinuação a semelhanças entre mim e a Jackie ou a o John ser o Kennedy dos Republicanos. Quando ele morreu, a tua revista publicou a sua biografia e não deixou de mencionar isso. As pessoas não calculam o que essa história o irritava. Não que ele não gostasse de Jack Kennedy. Pelo contrário, admirava-o imenso. Mas não gostava de se pôr em bicos dos pés. Já há por aí tantos que gostam de ser comparados aos Kennedy... Mas em resumo, desde que me garantas isso, podem fazer o artigo.

— Óptimo. Tens a minha palavra que não deixarei entrar qualquer comparação desse género. Gostava também que me indicasses dois, no máximo três, casos em que tenhas obrigado as administrações a introduzir melhores práticas de *corporate governance*. As coisas têm outro impacto quando são ilustradas.

— Posso falar-vos de alguns casos exemplares. Terei apenas de me cingir aos que sejam ou possam ser do domínio público. Nada melhor para alguns dos meus inimigos de estimação do que apanharem-me numa violação de sigilo. Faria a felicidade de muita gente. Não faltaria quem dissesse que eu sacrificava tudo por um pouco de notorie-dade. No entanto, há certamente casos que foram já noticiados. Por exemplo, estou a lembrar-me de uma das minhas primeiras batalhas. Foi com a Comissão Executiva do First American and Trust Bank. Tenho perto de 2 por cento do capital do banco e um lugar não-exe-cutivo na administração. O presidente e os seus apaniguados tinham um sistema de compensação incrível. Recebiam cerca de 100 milhões de dólares cada um, mesmo que as cotações das acções caíssem. E caíam sistematicamente, ano após ano. Além disso recebiam ainda quantida-des astronómicas de opções, também sem qualquer ligação ao desem-penho do banco. Quando comecei a falar nisto, ninguém me deu ouvidos, nem sequer os outros administradores não-executivos. O pre-sidente um dia chamou-me de parte, num intervalo de uma reunião, e disse-me: «Não vale a pena continuar com esta retórica demagógica, pois eu tenho uma deliberação da assembleia geral de accionistas que dá integral cobertura aos contratos assinados com os membros da comis-são executiva, para mandatos de cinco anos.» E de facto tinha e eram inteiramente válidos, se bem que escandalosamente abusivos. Para en-curtar a história, digo-te que só consegui que alterassem o sistema de compensação quando os ameacei com um processo em tribunal. Mas, primeiro, tive de lhes mostrar cem páginas da petição inicial do pro-cesso, para acreditarem. Depois foi convocada uma nova assembleia geral na qual foi revogada a deliberação anterior que na prática lhes dava poderes para se pagarem a si próprios como bem entendessem, e foi seguido o processo normal de eleição de uma comissão de remune-rações, realmente independente. Hoje, passados anos, ainda estão a receber menos de metade do que ganhavam nessa altura. Entretanto, os dividendos duplicaram e o preço das acções subiu quase 60 por cento. Se falares com Bob Perry, ele dá-te uma visão diferente e dir-te--á que a bruxa de Connecticut (é assim que se refere a mim) fez muito barulho e está tudo na mesma. Ele representa bem uma classe de ges-tores que deviam ser pura e simplesmente banidos. Alguns já estão na cadeia, mas ainda há muitos cá fora. Ao pé dele os da Enron ou da Worldcom são meninos de coro. Mas nem sempre consegui fazer valer os meus pontos de vista. Neste caso consegui, porque o conflito de inte-resses e o abuso de poder eram demasiado óbvios. Contudo, neste momento não é conveniente falar publicamente no FATB. Mas con-sigo arranjar dois ou três dos quais possa falar.

Martha partia no dia seguinte para Boston, onde deveria fazer uma palestra numa conferência do Instituto Americano para Corporate Governance. Antes de se despedirem, as duas amigas combinaram voltar a falar na semana seguinte para acertar as datas das sessões de fotografias e entrevistas com os redactores.

Susan seguiu para a revista contente com o resultado do seu encontro com Martha. Com o director da revista, combinou o planeamento do projecto. Depois, chamou os três redactores, fez-lhes o *briefing* sobre Martha e deu orientações sobre o estilo de peça que pretendia fazer. Duas horas depois, saía do edifício da Avenida Madison, a caminho de casa de Duarte.

Depois do concerto, jantaram na esplanada do Relais, em plena Park Avenue. Susan relatou o seu almoço com Martha e o projecto de fazer o seu perfil na revista. Duarte não conhecia Martha. Lembrava-se apenas do Senador Herzog, por ser um membro influente da comissão de negócios estrangeiros do Senado. Susan falava com entusiasmo do seu projecto. Uma das suas qualidades que Duarte mais apreciava era o empenho e entusiasmo que punha em tudo o que fazia. Susan tinha grande admiração por Martha e estava visivelmente satisfeita por dar-lhe destaque na sua revista.

— Já na faculdade, Martha era uma referência para as outras raparigas. Era bonita, *sexy*, inteligente e culta. Tinha todos os rapazes atrás dela. Era também afoita e atiradiça. Nas aulas, tomava posições que mais ninguém tinha coragem de assumir. Não era *hippie* mas simplesmente contestatária. Julgo que foi o seu espírito rebelde que fez John apaixonar-se por ela. Ele e a sua longa lista de pretendentes. Era levada da breca. Quando queria ir para a cama com um rapaz não ficava à espera, atirava-se a ele. Em Berkeley, tinha fama, e pelos meus cálculos algum proveito, de ter dormido com toda a equipa de futebol. Mas enquanto esteve casada, nunca ouvi dizer nada a esse respeito. E Washington é um meio em que essas coisas se sabem logo. Agora, já depois da morte do marido, ouvem-se rumores de vez em quando sobre as suas aventuras. Mas nada a impede, pois nem sequer tem filhos; é uma mulher independente, por que não há-de dormir com quem quer?

Regressaram a casa a pé. Duarte gostava destes momentos em que estava com Susan, e tinha pena de não viverem juntos. Mas nunca lho confessou, pois logo a seguir resistia à tentação de pensar nisso mais vezes.

* * *

Como combinado, Victor Paiva chegou ao banco pelas dez horas e de imediato se fez anunciar. Foi encaminhado para uma das salas de reuniões com clientes. As cómodas D. José, as louças da Companhia das Índias, os tapetes persas, os óleos de Turner e Carlos Reis tinham por missão dar aos clientes a ilusão de que eram importantes para o banco. Depois de alguns minutos e de um café, viu entrar Carla, que trazia o seu computador portátil e alguns papéis. Paiva normalmente gostava de falar com Carla: era simpática, bonita e tinha umas pernas de sonho. Naquele dia, porém, não estava com disposição para conversa de circunstância. Vinha ali com um objectivo muito claro: encontrar maneira de sair do buraco em que Figueiredo o metera poucos dias antes.

— Carla, cada vez que as acções do BIAP descem 1 cêntimo, eu perco 250 000 euros. Tenho de fazer qualquer coisa para fechar esta posição ou minimizar os prejuízos — começou Paiva, num tom de preocupação que Carla não lhe conhecia.

— Já chamei o meu colega da sala de mercados, que vem a caminho para nos ajudar a encontrar uma solução. Mas acontece que a situação não é fácil. Ninguém sabe até onde irão cair as acções, no entanto é certo que vão acabar por voltar a subir. Só que ninguém sabe quando. Julgo que o que o Sr. Paiva deveria fazer era definir um limite de *stop loss*. O meu colega vai explicar-lhe as alternativas de que dispõe.

Jorge entrou nesse momento e sentou-se ao lado de Carla.

— Vou começar pelas más notícias — começou Jorge. — Duas agências de *rating* acabaram de anunciar que colocaram as acções do BIAP sob observação com implicações negativas. Foi divulgado agora mesmo, mas escusado será dizer que isto por si só vai fazer descer as acções ainda mais. O mercado vai assumir já que o *rating* vai baixar um escalão. Depois desta queda, as cotações estabilizarão. A menos que desça dois escalões, o que teria efeitos devastadores. Ou que o BIAP reveja a oferta para cima o que seria também uma catástrofe. Mas, para já, não creio que seja caso para nos preocuparmos com esses cenários.

— Perante esta trágica situação, queria saber o que posso fazer, que possibilidades tenho de fechar ou modificar esta posição — perguntou Paiva dirigindo-se a Jorge.

— A sua posição neste momento é muito desfavorável. Com a descida do *rating*, as acções podem cair aí para os 6 ou 5,9 euros. Mas isso já sabe. No entanto, ainda dispõe de algumas opções. Neste momento tem quatro alternativas: em primeiro lugar a solução mais óbvia será vender o contrato a alguém que tome a sua posição; só que não vejo comprador possível e o prejuízo seria sempre substancial. Em segundo lugar, podemos comprar-lhe uma opção contrária à que vendemos; quer dizer, faríamos um contrato inverso deste. Os prejuízos de um contrato eram cobertos pelos lucros do outro. Parece bom, mas, para as cotações actuais, o problema é semelhante ao da solução anterior. É difícil encontrar contraparte e ia sair-lhe muito caro. Se quiser, posso pedir uma cotação ao mercado para essa opção, mas julgo que para já não tem interesse. A terceira possibilidade será tentar renegociar o contrato com o fundo. É evidente que, a fim de o melhorar para o seu lado, será também necessário melhorá-lo para eles, por exemplo revendo os dois limites: o inferior e o superior. E não estou a dizer que isto seja possível, estou apenas a exemplificar, baixando o limite inferior para 5,5 e aumentando o superior para 9 ou 9,5. Não se livra da opção e perde todo o ganho potencial em caso de recuperação das acções, mas limita as perdas. Julgo que é uma hipótese a explorar. A quarta e última hipótese será utilizar a cláusula da liquidação física. Como este contrato não é negociado em bolsa e é atípico, incluí no texto, como deve ter reparado, uma cláusula que lhe dá a si a opção de comprar as acções a 6,5 euros com entrega das mesmas, se as cotações permanecerem abaixo de 6 euros durante 45 dias seguidos ou interpolados. Quer dizer: logo que esta condição se verifique, o que pode acontecer dentro de mês e meio se as acções, como julgo, estabilizarem abaixo dos 6 euros, pode a qualquer momento, e qualquer que seja o preço nesse momento, adquirir todas ou as que quiser pelo preço de 6,5 euros. É uma cláusula de escape que introduzi para o precaver. — (Na realidade, Jorge tinha de facto introduzido a cláusula mas para precaver o banco; não sendo o contrato negociado em Bolsa, o banco teria de se substituir ao cliente se este faltasse ao compromisso; nesse caso, a cláusula de escape dava-lhe a possibilidade de comprar as acções para a sua carteira, dispondo assim de muito mais tempo para resolver o problema.) — Tudo visto e ponderado, neste momento a solução que me parece mais promissora e que julgo vale a pena explorar será a terceira, isto é, renegociar com o fundo, tentando limitar as perdas mesmo que prescindindo de algum ganho potencial.

Victor Paiva tinha tomado notas enquanto Jorge falava. Estava agora um pouco mais tranquilo do que quando chegara. Não sabia que ainda dispunha de tantas alternativas. Estava convencido de que aqueles contratos eram verdadeiros coletes de forças. Afinal, ainda lhe permitiam algum espaço de manobra. Tanto melhor.

— Não vou dar-lhe já uma resposta, pois quero consultar o meu filho sobre isto e julgo que não é forçoso tomar medidas hoje. Mas primeiro preciso de saber se o banco me pode dar uma linha de crédito, usando como colateral os meus activos cá depositados, para suportar os pagamentos para a conta-margem. E qual será o valor máximo dessa linha. Só com essa informação posso tomar uma decisão.

Carla ofereceu-se para lhe dar uma resposta em minutos, saiu da sala com Jorge e foi direita ao gabinete do seu director. Depois de conversarem os três durante cerca de vinte minutos, voltou à sala já sem Jorge. Sentou-se e deu a resposta à pergunta do cliente:

— A linha de crédito que lhe concedemos para a compra das acções só foi utilizada em cerca de metade, e posso ainda reforçá-la. Tudo somado, pode dispor de uma linha exclusivamente para pagamentos na conta-margem de 65 milhões de euros, o que, em números redondos, lhe permite «aguentar» os pagamentos, mesmo que as acções desçam até aos 4 euros. O Jorge pensa ser esse um cenário altamente improvável. Mas como o senhor bem sabe, nada é impossível.

Paiva agradeceu a rapidez e eficiência da resposta e prometeu comunicar-lhe a sua decisão dentro de um ou dois dias. Depois, ficou ainda a conversar sobre a OPA e a conferência de imprensa da véspera. Estranhava a fraca reacção do BNCE. Queria conhecer a posição do seu conselho de administração. Seria possível que tudo estivesse combinado, como alguns boatos sugeriam? Carla não acreditava nessa hipótese e Paiva não queria acreditar, pois nesse caso podia dizer adeus definitivamente a uma boa parte da sua fortuna, que tanto trabalho lhe dera a acumular.

— O BNCE deve ter uma qualquer estratégia para se defender. Os jornais de hoje já dizem quem são os consultores. Se eu soubesse o que podia fazer para sabotar esta OPA, pode ter a certeza que estaria na primeira linha de combate. Mas não sei. Já pensei em comprar acções do BNCE, mas se depois lhes acontece o mesmo que a estas? Mais vale estar quieto... Se a Carla se lembrar de alguma maneira de combater esta OPA ou dispuser de alguma informação que possa ajudar-me, diga-me.

Carla aquiesceu, embora não visse muito bem que informações poderia obter de interesse para o seu cliente. Todavia aquele não era o momento para contrariar o seu melhor cliente, que estava a perder 250 mil euros, de cada vez que as acções do BIAP desciam um cêntimo.

Dois dias mais tarde, Victor Paiva telefonou dizendo que queria que tentassem renegociar o contrato com o fundo, a fim de diminuir as suas perdas. De imediato passou a informação a Jorge, que entrou em contacto com o fundo. Ficou surpreendido com a receptividade que encontrou. O fundo estava seriamente preocupado com o rumo dos acontecimentos que rodeavam o BIAP. Não compreendia a lógica da oferta lançada sobre o outro banco nem o preço oferecido. Perdera a confiança na Administração do BIAP que considerava pouco profissional e nada transparente. Em condições normais, despejariam as acções que detinham no BIAP, mas, na actual situação, isso faria os preços cair ainda mais e seria contraproducente. Contudo, a posição do fundo era sem dúvida vendedora. «Esta administração não nos merece qualquer confiança. Por isso o fundo está aberto a reequacionar o contrato.» Iria analisar e fazer uma proposta. Jorge ficou animado com estas informações, que logo deu a Carla para ela as passar ao ansioso Victor Paiva.

Três dias depois, Jorge recebeu do seu contacto no fundo o telefonema esperado. O comité de investimento tinha analisado a situação e propunha uma revisão do limite inferior da opção se o cliente aceitasse aumentar o prazo do contrato para um ano e o montante para passar a incluir a totalidade da posição do fundo, ou seja, 50 milhões de acções. Nessa hipótese, baixariam o preço da opção do fundo de 6,5 para 6 euros para todas as acções, mantendo-se inalteradas todas as restantes condições.

Victor Paiva fez algumas contas e aceitou logo a proposta. A tal cláusula negociada por Jorge deveria, no entanto, figurar também neste contrato, naturalmente agora para o novo preço de 6 euros. Como Jorge lhe garantiu que assim seria, Paiva concordou em cobrir a totalidade das acções do fundo. Victor Paiva nutria ainda a esperança de ganhar dinheiro nesta operação. Desde que conseguisse algum tempo sem ter de fazer os pagamentos da margem, poderia ainda vir a ganhar dinheiro, isto caso as informações de Figueiredo fossem verdadeiras.

Foi fácil, fácil demais até, fechar negócio com o fundo, pois este estava verdadeiramente desesperado. Jorge conseguiu ainda, a troco de uma redução do prémio da opção, introduzir um direito de preferência geral a favor do seu cliente. Se o fundo quisesse vender as acções teria de oferecê-las primeiro a Paiva, e só em caso de recusa deste as poderia alienar a terceiros. Mais uma vez, Jorge incluía uma cláusula pensando na hipótese, para si cada vez mais provável, de o banco acabar por ter de assumir a posição contratual do cliente. No entanto, este, quando soube da descida do preço e do direito de preferência ficou radiante. Não era frequente, nos bancos que ele conhecia, darem este tipo de acompanhamento e era isso que o levava a privilegiar este banco nas suas operações particulares e em muitas da empresa. Como agradecimento, convidou Carla e Jorge para jantar, no fim-de-semana seguinte, num restaurante em Cascais.

12

CILADAS

A reunião de Miguel Machado com os seus consultores e a equipa de defesa terminou já depois das dez e meia da noite, num clima de total unanimidade. Aquela era a terceira reunião em três dias, desde a chegada dos consultores. A equipa estava a aquecer os motores e começava já a produzir resultados. Parecia haver uma boa ligação entre todos. Sem as habituais guerras, que só servem para atrapalhar, mas quase inevitáveis sempre que há muitos e grandes egos em presença. Miguel assinou o texto do comunicado que deveria ser emitido no dia seguinte e ainda dois requerimentos à CMVM. Estes eram os inócuos pedidos da praxe. O comunicado era a primeira tomada de posição do BNCE relativamente à OPA. Tinha sido longamente discutido. Os consultores tinham proposto inicialmente um texto que Miguel considerou muito agressivo. Foi sujeito a várias revisões. Cada palavra foi discutida e ponderada. Miguel não queria tomar uma posição que pudesse ser considerada precipitada, mas o banco não poderia deixar de tomar uma primeira posição durante esse fim-de-semana. Caso contrário, passada uma semana sem nada dizer, a sociedade visada parecia estar de acordo com a oferta.

No entanto, Miguel queria ser cauteloso. Por um lado, pretendia passar uma mensagem clara de que estava contra a OPA, mas sem ir longe demais, para não ter de se desdizer mais tarde. Acabaram por acordar num texto curto que, no essencial, dizia que a OPA era indesejada, hostil, irracional, perigosa e oportunista. Hostil, porque não tinha sido solicitada e não era necessária. Irracional, porque não obedecia a uma qualquer lógica económica. Perigosa, porque não era claro quem se propunha verdadeiramente comprar o capital do BNCE. O BIAP não seria, pois assumidamente não dispunha de capitais próprios para o efeito. Teria de proceder a um aumento de capital que não estava sequer quantificado. Tão pouco se sabia quem subscreveria esse aumento de capital. Nestas condições, podia dizer-se que se conhecia o oferente mas não o comprador. Daí ser perigoso para o sistema bancário que se fizesse esta transacção sem se conhecer verdadeiramente o comprador. Por último, era oportunista, na medida em que o BIAP estava a aproveitar-se de um mau momento do mercado e de uma lacuna da lei que não obrigava um oferente a provar previamente que dispunha dos capitais próprios para fazer a aquisição que se propunha.

Miguel considerou o texto suficientemente forte e aprovou-o para ser enviado durante o sábado aos órgãos de comunicação, uma vez que o *Expresso* desse fim de semana estava já perdido. Mas talvez até fosse melhor assim. Traria provavelmente uma entrevista com Bernardo ou algum artigo sobre os sucessos do BIAP. Era melhor deixá-los dar os primeiros tiros.

Já no carro a caminho de casa, recebeu um telefonema de Francisco Botelho. A Reuters acabava de anunciar que a Moody's baixara o *rating* do BIAP. O comunicado referia que a acção da agência de *rating* se devia à OPA. A Administração do BIAP revelava uma enorme inconstância estratégica. Ora defendia o crescimento orgânico, ora se lançava em aquisições. Ora defendia pretender ter um papel nos mercados externos, ora se afirmava como banco essencialmente doméstico. A agência apresentava declarações recentes do presidente do BIAP, reiterando a opção pelo crescimento orgânico para sustentar aquilo que apelidou de desorientação. Apesar da descida, a agência mantinha o *rating* do BIAP sob observação. Isto para Miguel, eram boas e más notícias. Boas, porque atrapalhavam o oferente. Más, porque vinham perturbar o seu fim-de-semana. Mandou suspender o comunicado. No domingo à tarde teriam nova reunião para alterar o comunicado, em função das notícias do fim-de-semana e da eventual reacção do BIAP a esta «bomba». Todavia, apesar do evidente embaraço que seria para o BIAP, Miguel não ficou particularmente satisfeito. Isto significava que teria de passar uma parte do domingo a trabalhar, o que não ia certamente contribuir para melhorar a disposição de Joana.

A sua mulher sempre revelara uma enorme dificuldade em aceitar as restrições que a vida profissional do marido impunha à família. Há mulheres que aceitam com naturalidade as imposições da vida profissional do marido, outras não. Joana pertencia ao segundo grupo. Poucas vezes se dispunha a acompanhá-lo a jantares e viagens do banco. Até os jantares em casa de José Maria Azeredo evitava, mesmo quando já era evidente para todos que Miguel seria o seu sucessor. Não era propriamente uma mulher que ajudasse a carreira do marido. Nas raras ocasiões em que o acompanhava, via-se que era com evidente enfado. Esquecia-se frequentemente dos nomes e mesmo das pessoas a quem tinha sido apresentada recentemente, e a sua falta de paciência era evidente mesmo para o observador mais distraído. Ultimamente tinha refinado. Pouca atenção prestava a outros assuntos que não os dos seus filhos e da sua actividade profissional. Depois de uma fase muito difícil do casamento, em que tinham chegado a considerar seriamente a separação, as coisas tinham acalmado um bocado, mas sempre com alguma tensão.

A partir de então, a sua agressividade, sempre em crescendo, manifestava-se de uma forma incompreensível, e a propósito dos pretextos mais insignificantes. Joana estava cada vez mais virada para dentro e concentrada na sua actividade. A intensidade dos dramas humanos que testemunhava e o contacto permanente com a miséria nas suas diversas formas — a material e a moral — deixavam-na com pouca paciência para outro género de problemas. Tudo o que não fosse apoio aos mais necessitados era, aos seus olhos, fútil. Só o seu trabalho e as pessoas que através dele contactava tinham algum interesse; desvalorizava tudo o que fosse diferente, incluindo o trabalho do marido. Não compreendia que Miguel se motivasse por desenvolver o banco e contribuir para a modernização da sua gestão. Para Joana, tudo isso era frívolo e egoísta. Desprezava o poder e o dinheiro de uma forma ostensiva. Não conseguia por isso manifestar qualquer admiração pelo trabalho do marido. Gradualmente, Miguel foi deixando de lhe falar da sua vida profissional. Aumentou o distanciamento entre ambos e avolumaram-se os silêncios. Em público, era frequente Joana ridicularizar o marido e os seus colegas e amigos, comportando-se por vezes como uma adolescente rebelde e contestatária, em fase de afirmação de personalidade.

Miguel tentava não se deixar perturbar. Atribuiu esse comportamento às dificuldades de relacionamento com o pai durante a adolescência e juventude. Este era muito autoritário e inflexível e nunca a deixou pisar o risco. A mãe ia depois interceder a favor da Joana e conseguia, muitas vezes às escondidas do pai, dar-lhe algum espaço de manobra. Mas ficou a faltar-lhe o afrontamento com o pai que nunca teve na adolescência. Mesmo que acabasse por fazer o que queria, ou quase, era com a cobertura da mãe e sem o pai saber. Não tinha, para a adolescente que tentava afirmar-se, o mesmo sabor, e deixou-lhe uma certa frustração. Depois, com os anos construiu uma excelente relação com o pai, por quem tem enorme respeito, mas ficou a faltar-lhe vencer o medo que tinha dele.

Actualmente, era Miguel quem sofria as consequências desse trauma de adolescência. O espírito, rebelde e contestatário, virara-se contra ele. De início, Miguel mostrava-se acomodado, mas com a passagem dos anos esse temperamento de Joana acabou por provocar algum desgaste. Miguel continuava apaixonado pela mulher mas sentia cada vez mais dificuldade no relacionamento do dia-a-dia. A única reacção que recebia dela era indiferença. Raramente tinha um gesto ou uma palavra simpática. Não se lembrava de quando ela lhe fizera uma festa pela última vez ou lhe dissera uma frase agradável. A relação física estava obviamente também *arrefecida,* para não dizer *esquecida.* Tudo piorara desde que Miguel assumira a presidência do banco. A exigência das novas funções só tinha servido para agravar os problemas. Miguel atribuía isso ao pouco tempo de que dispunha para a família e ansiava agora por ser capaz de repor o equilíbrio. Era isso que se preparava para fazer, assim que o seu plano de reorganização estivesse plenamente implementado. Aquela OPA, porém, vinha congelar tudo isso e criar-lhe mais dificuldades no curto prazo.

Encontrou Joana ainda acordada. Deitada a ler, mostrou-se pouco interessada pelos desenvolvimentos da OPA e falou-lhe das reuniões no colégio na semana anterior em tom de censura por ele não ter ido.

No domingo, bem cedo, Miguel saiu de casa para reunir com a equipa de defesa e discutir o texto do comunicado. Leram e releram vezes sem conta o anúncio preliminar e o texto do comunicado da agência de *rating.* Este parecia feito de encomenda para o BNCE e encaixava-se que nem uma luva no comunicado que a equipa de defesa tinha redigido na sexta-feira anterior. No meio de outros aspectos, salientava a incerteza associada ao aumento de capital a que o BIAP teria de recorrer e que seria de grandes proporções. Acabaram por acrescentar apenas uma frase ao comunicado do BNCE. Sublinhava que o mercado estava a penalizar fortemente as acções do BIAP, ao mesmo tempo que parecia não acreditar na concretização da OPA.

Na abertura do mercado, na segunda-feira seguinte, as acções do BIAP abriram mais uma vez em queda. Estabilizaram pela hora do almoço em torno dos 5,7 euros. Mas as do BNCE mantinham-se no preço pré-OPA, em torno dos 3,5 euros.

* * *

No início da segunda semana após o lançamento da OPA, o ambiente dentro do BIAP não era muito animado, nem optimista. Passara a primeira euforia associada à novidade da iniciativa e ao sucesso da conferência de imprensa de Bernardo. Esta fora bem recebida e, nos primeiros dias, a comunicação social mostrou-se claramente favorável ao BIAP e ao seu presidente. Descreveram-no como um génio financeiro e um estratega brilhante. O seu arrojo e imaginação foram muito louvados. Passados os primeiros dias, porém, o entusiasmo começou a passar. A sociedade visada — o BNCE — não reagia e não parecia estar incomodada pela OPA. Resultara bem a táctica de ignorar a oferta num primeiro momento. Irritara o BIAP e confundira o mercado. Mas este parecia agora dar razão ao BNCE. E isso era muito preocupante para o BIAP. Que Miguel Machado se mostrasse indiferente era normal, mas as acções do BNCE deveriam ter subido logo para um nível próximo do oferecido, tanto mais que a oferta comportava um prémio substancial. Todavia, o mercado não fez caso. Isso era preocupante para Bernardo e a sua equipa, na medida em que punha em causa a credibilidade da oferta, dando a ideia de que ninguém acreditava que se concretizasse.

Ao fim de uma semana, a única consequência perceptível da OPA era a descida do *rating* do seu banco. Muito preocupante.

O comunicado do BNCE foi recebido sem grande surpresa pelo mercado, assim como pelo próprio Bernardo. Era aquilo que esperava. Ganhava tempo sem dar trunfos ao adversário, enquanto aproveitava os ventos que agora lhe eram favoráveis.

Mas o oferente não podia ficar de braços cruzados. A atitude da agência de *rating* já era esperada, mas caiu mal o facto de continuar a manter o *rating* sob observação, o que dava ao mercado um sinal de alerta — atenção que a queda do *rating* podia não ficar por ali. A S&P faria o mesmo mais tarde, ampliando-se assim o efeito. Bernardo preferia que as agências todas tivessem anunciado logo a descida do *rating* nos primeiros dois dias. Era normal e ninguém daria ao facto grande importância. Mas assim, a conta-gotas, davam. Os jornais nacionais tinham puxado o assunto para a primeira página, juntamente com o comunicado do BNCE. Aquela segunda semana começava nitidamente a favor da sociedade visada, ao contrário da semana anterior. Bernardo chamou José Maria Ribeiro e convocou uma reunião para essa tarde com todos os consultores, a fim de analisarem a situação e proporem medidas a adoptar.

Quando ao fim da tarde entrou na sala onde os consultores já o esperavam, Bernardo foi direito ao assunto:

— Neste momento acho que, em traços gerais, as coisas estão a correr bem para o nosso lado. O saldo da semana que passou foi-nos claramente favorável na comunicação social.

Virando-se para os consultores de comunicação continuou:

— Foi bem feito o vosso trabalho de casa. Mas não nos iludamos, pois esta era a semana mais fácil. Mal estaríamos se esta não fosse ganha por nós. Tivemos a iniciativa e beneficiámos do efeito surpresa. A partir de agora, vai ser mais difícil. Porém, temos de conseguir manter a vantagem. Falei nos últimos dias com muitas pessoas, accionistas, membros do governo, alguns presidentes de outros bancos. Recolhi a impressão de que a nossa iniciativa foi bem recebida. As pessoas admiram o nosso arrojo e ambição. Agora vamos ao que está menos bem: a evolução dos preços das acções. Está a correr-nos mal. O comunicado do BNCE já pegou no assunto e, se não acontecer nada dentro de uma ou duas semanas, a oferta fica condenada. A excessiva penalização das nossas acções, conjugada com a total imutabilidade das do BNCE, vai ser interpretada de uma só forma: o mercado não acredita que a OPA venha a concretizar-se. A estratégia do BIAP e a sua gestão não têm credibilidade. É a pior das críticas. Se não se alterar esta situação dentro de dias, nada haverá a fazer: o BIAP estará coberto de ridículo! Por isso pedi esta reunião e peço os vossos contributos.

Marta La Salle foi a primeira a falar. Sabia que as palavras de Bernardo lhe eram dirigidas. O que ele queria era a autorização para começar as compras de acções do BNCE, pois todos sabiam que seria a única forma de as obrigar a subir. Depois, impulsionadas por esse empurrão, poderiam continuar a sua trajectória ascensional, até se aproximarem um pouco do valor da oferta. O que verdadeiramente preocupava o presidente do BIAP era a falta de uma resposta da CMVM aos seus requerimentos. Marta explicou os procedimentos da CMVM relativos a aquisições pelo oferente de acções da sociedade visada. Deu alguns esclarecimentos sobre os requerimentos já apresentados, pedindo autorização para comprar em Bolsa e fora de Bolsa acções do BNCE. Descreveu também as diligências por si efectuadas, quase diariamente, junto dos serviços da CMVM. Não sabia o que mais poderia fazer. Noutros casos a CMVM chegara a demorar mais de um mês até dar a autorização. Afinal, passara ainda pouco tempo desde o lançamento da oferta.

Bernardo ouvia as explicações com um ar atento, se bem que um pouco enfastiado. No fim agradeceu as diligências num tom amável, mas seco. Percebia-se que o que ele queria agora eram resultados. Pouco lhe interessavam os pormenores.

Os consultores de comunicação aproveitaram o impasse da reunião para pedir a aprovação do plano de *road shows* que tinham entretanto feito circular por todos. Começariam ainda nessa semana no Porto e em Londres. Na semana seguinte iriam a Nova Iorque e a Frankfurt. Na seguinte ao Oriente. Possivelmente, a Hong Kong, Singapura e Tóquio. Mas esta parte estava ainda dependente do parecer do banco de investimento inglês — o Shoenberg & Likermann — que vinha a assessorar a oferta. Andrew White tomou a palavra para tecer algumas considerações sobre o potencial interesse do mercado do Extremo Oriente. Tratava-se sobretudo de preparar a colocação do futuro aumento de capital com que o BIAP financiaria a oferta. Isto porque esse mercado era interessante e tinha revelado alguma apetência para acções de bancos europeus. O próprio BIAP já era lá conhecido pois em tempos colocara num *Hedge Fund* um lote de acções que ficaram convenientemente adormecidas.

Bernardo concordou com os pormenores dos primeiros encontros com investidores. Iria ao Porto nessa quinta-feira e de lá seguiria para Londres, regressando a Lisboa no sábado. Acompanhavam-no, além de José Maria Ribeiro, os consultores de comunicação, Andrew White e a sua equipa, bem como Marta La Salle.

Concluída esta parte da reunião, atendendo ao adiantado da hora, Bernardo dispensou os consultores de comunicação, prosseguindo a reunião apenas com Marta La Salle e os homens do Shoenberg & Likermann.

Bernardo insistiu de novo no tema do preço das acções e, dirigindo-se agora mais a Andrew, pediu alternativas à autorização da CMVM que todos concordavam não ser previsível.

Andrew White distribuiu então um documento, preparado pela sua equipa, com uma proposta que apresentou:

— Em primeiro lugar, peço desculpa por distribuir este documento sem antecedência e em papel sem timbre, mas trata-se de política interna do Shoenberg & Likermann. Certamente compreenderão depois de lerem o documento. Nele apresentamos um plano de compras de acções do BNCE que pode ser desencadeado em 48 horas, se for essa a vossa decisão. Não se trata de contrariar a decisão da CMVM mas sim de a antecipar. As acções serão compradas em nome de doze companhias, todas em *off shore*. Estas empresas estão já constituídas e têm contas bancárias e de custódia de títulos, abertas há muito tempo em vários bancos. Mas não têm quaisquer activos ou passivos. Apenas os seus capitais sociais simbólicos: 10 000 dólares. Estas empresas pertencem a *trusts* que estão sediados em várias cidades nos EUA, e foram constituídos segundo a lei americana. Como sabem, nenhuma autoridade pode violar a constituição de um *trust*. O documento que têm à vossa frente apresenta um programa de compras de acções do

BNCE que permitirá que, ao fim de dois meses, tenham adquirido, em nome daquelas sociedades, entre 3 e 4 por cento do capital do BNCE. Caso a autorização venha, passam-se as acções para o BIAP através de uma operação fora de Bolsa. Caso não venha, caberá ao BIAP dizer o que pretende fazer com elas. Podem ficar «congeladas» ou ser vendidas a outra entidade. Note-se que, se o fizer, terá de respeitar-se a lei. Mas não é ilegal que as acções fiquem paradas, esterilizando assim os direitos de voto, se houver interesse nisso. Com este sistema, que já pusemos em prática noutras ofertas e que, repito, não é ilegal, caso contrário não o proporíamos, o oferente antecipa os efeitos das compras, sem ter de aguardar pela burocracia. E geralmente o regulador não nega essa autorização. Pode colocar restrições. Nesse caso, respeitá-las-emos, na passagem das acções das sociedades *offshore* para o BIAP. Verão também que essas compras serão feitas de uma forma desencontrada. Algumas sociedades compram mais que outras, todas vendem algumas acções de vez em quando, para que pareçam estar a fazer *trading*. Em termos consolidados, será diariamente adquirido um montante de acções não inferior a 1 200 000. Com este programa, calculamos que os preços subam gradualmente até ao limiar da oferta. Não sabemos quanto tempo demorarão, mas também não se pretende que esse movimento seja muito rápido. Como as primeiras compras serão feitas a um preço relativamente baixo, haverá lucros que servem para financiar a operação. Esta seria montada pelo nosso banco da seguinte forma: o BIAP abre uma linha de crédito a favor do Shoenberg & Likermann; nós faremos a distribuição dos fundos pelas sociedades *offshore* e daremos as instruções de compra e venda monitorando todo o sistema; os lucros gerados servirão para cobrir os juros do empréstimo do BIAP e a nossa comissão de gestão, que é de 1,5 por cento sobre o valor global.

O silêncio instalou-se na sala. Marta olhava, circunspecta, para o papel que tinha à sua frente. Bernardo olhava à volta da mesa procurando interpretar as expressões dos presentes. Ao fim de um minuto, que pareceu uma eternidade, foi ele quem quebrou o silêncio.

— Se me garantem que é absolutamente legal, eu considero esta alternativa que me parece bem construída. Caso contrário, teremos de a abandonar.

— Se não fosse, não tomaríamos a liberdade de a propor. O Shoenberg tem uma política muito restritiva em relação a esse tipo de coisas. No entanto, não lhe escondo que é uma operação que pode prestar-se a equívocos. Recomendamos por isso alguma cautela e enorme discrição. Pela nossa parte, garantimos total confidencialidade. Se for aprovada, além de nós, só o nosso *managing director* saberá da sua existência. De igual modo, conviria que, do vosso lado, só as pessoas sentadas a esta mesa estivessem a par desta operação.

— Eu tenho muitas dúvidas sobre a legalidade e os riscos de uma operação destas — interrompeu Marta. — Bem sei que são moeda corrente nas OPA, mas isso não quer dizer que sejam legais. Nem eticamente correctas. No mínimo, trata-se de uma simulação com o objectivo de iludir o regulador. Isso bastaria para que a CMVM recusasse o registo definitivo da oferta, para além de aplicar coimas. No plano dos princípios, não tenho dúvidas de que não deve fazer-se. No plano prático, acho que comporta riscos elevadíssimos. A legalidade é também, no mínimo, duvidosa. Se me pedissem para dar agora um parecer de sim ou não, eu teria que recomendar ao nosso cliente que não fizesse esta operação. Posso analisar melhor e dar uma opinião mais ponderada dentro de dias.

Bernardo, fitou-a pensativo durante algum tempo, depois foi claro na sua decisão:

— Sendo assim, é assunto encerrado. Não queremos problemas no futuro, e nós também temos uma política muito restritiva — em caso de dúvida, não se faz. É tão simples quanto isso. Agradeço no entanto o vosso esforço. Dr.ª Marta, obrigado pelo seu parecer. Vemo-nos no Porto, na quinta-feira. Até lá continue a pressionar a CMVM a fim de obter uma resposta.

Bernardo saiu da sala, acompanhado por José Maria Ribeiro. Logo que entrou no seu gabinete, fechou a porta e disse-lhe:

— Diz a Andrew White que podem montar o programa de compras. Mas não quero que o nome do BIAP apareça em nada. Eles que não voltem a trazer isto a qualquer reunião, nem sequer falem comigo sobre o assunto. Tratam de tudo contigo. Montas a operação na Direcção de Relações com Investidores. Abres uma linha de crédito a favor do Shoenberg & Likermann para *trading* de títulos cotados. Não recebas nenhum papel na tua direcção sobre isto e pede-lhes apenas que te dêem, diariamente, o número total de acções adquiridas acumuladas. Só um número numa folha de papel, mais nada. E que não falem disto com mais ninguém a não ser contigo. Não quero que a Marta sonhe que estamos a comprar.

* * *

Nessa noite, Marta ficou sozinha na sala, depois de deitar os filhos. Rui tinha saído com os amigos. Oficialmente para jogar *bridge*, mas

Marta sabia bem que na realidade era póquer e jogado a doer — a única forma de jogar que Rui conhece. Sentada na sala, ouve o noticiário da televisão enquanto passa os olhos pelos jornais que trouxe para casa. De manhã mal tivera tempo de olhar para eles. Nos portugueses, o comunicado do BNCE e o anúncio da queda do *rating* do BIAP faziam as manchetes. O tom geral já é menos laudatório do que o da semana anterior. No *Financial Times*, uma breve notícia da queda do *rating* num tom neutro. Já o *Wall Street Journal* dava um pouco mais de picante à história, como é seu timbre: *Guerra pelo Segundo Banco Português Aquece Verão de Lisboa,* o título dum pequeno artigo do seu correspondente em Lisboa, inserido nas últimas páginas. O texto resumia o comunicado do BNCE e o anúncio da Moody's sobre a descida do *rating* do BIAP, para concluir que era ainda muito cedo para se prever o desfecho desta operação que, para os padrões americanos, era insignificante, mas no estreito mercado português assumia grande importância. Depois, traçava muito sumariamente o perfil dos dois bancos. No confronto, o BIAP saía em melhor posição. Destacava a ambição da operação, enquanto dava a entender que o BNCE estava menos atento à evolução do mercado e à tendência de consolidação da banca, em todo o mundo.

Ao lado deste, vinha um outro artigo com cabeçalho mais pequeno. O título dizia: *Polícia de Boston Prende Investidora Activista.* Em subtítulo: *Martha Herzog é detida por suspeita de crime.* Este subtítulo chamou a atenção de Marta por causa do nome. O artigo pouco mais dizia. A viúva do senador Herzog, conhecida activista dos direitos dos accionistas e combatente pela ética nos negócios, fora detida num hotel, em Boston, onde tinha ido proferir uma palestra numa conferência promovida pelo Instituto Americano de Corporate Governance, na sexta-feira anterior. A polícia de Boston recusava-se a dar qualquer informação sobre o caso, mas um porta-voz do Instituto dissera ao *WSJ* que as autoridades estavam a investigar Ms. Herzog relativamente a um crime, que nada tinha que ver com as actividades profissionais de Martha Herzog, nem com os seus investimentos. Era um assunto da sua vida privada. Marta nunca tinha ouvido falar da sua homónima. Terminada a leitura do artigo, deitou-se sem prestar grande atenção à notícia. Passava pouco da meia-noite.

A essa hora, já Rui estava em Birre com os seus parceiros de jogo. Jantou em Lisboa com Ricardo e Manuel. Incapazes de convencer Manuel a acompanhá-los, Rui e Ricardo partiram para Cascais pelas dez e meia. Nessa tarde, tinham confirmado com o dono da casa, Mário Pinheiro, que haveria jogo. Normalmente havia sempre às segundas e sextas, e por vezes também aos sábados, mas era preciso confirmar primeiro. Mário disse-lhes que esperava ter, nessa segunda-feira, até mais gente que o habitual. Isso mesmo Rui constatou ao chegar. Além da meia dúzia de *habitués*, estava também um espanhol com a mulher e dois amigos de Mário, do Porto.

A moradia de Birre, vista de fora, parecia uma vulgar casa de família. Construída nos anos 50, recebera uma grande renovação no início da década de 90 que lhe dera um aspecto mais moderno. O muro alto escondia o jardim, sempre impecavelmente tratado e limpo, e grande parte da casa. Mário insistira durante muito tempo que era a sua casa. E estava decorada como tal. Mas nunca se via ninguém da família dele, nem os normais vestígios de crianças. No *hall* não havia casacos em cima das cadeiras, uma bola esquecida ou correio por abrir em cima da mesa. A única pessoa que ali se encontrava, além de Mário, era Esteves, que servia as bebidas, arrumava os casacos das visitas, limpava os cinzeiros e por vezes aparecia com a ceia, pelas cinco ou seis da manhã. A partir de certa altura, Mário deixou de fazer de conta que vivia lá, dizendo que a mulher não gostava da casa e que esta estava à venda, o que aliás encaixava bem com a sua pretensa actividade de promotor e agente imobiliário. Pretensa, porque nunca se viram os seus empreendimentos nem se ouviu falar de alguma propriedade por ele intermediada. Alegava que a casa lhe tinha ficado muito cara e não conseguia agora vendê-la pelo preço que pedia. Entretanto, podiam continuar a usá-la para estas *reuniões*. Embora Mário não o admitisse, todos sabiam que a casa não estava em seu nome, mas sim no de uma sociedade *offshore*.

Como de costume, entraram para a sala. Um tapete de Arraiolos cobria a maior parte do soalho de madeira escura, em ripas compridas. As paredes cor de pêssego muito claro, ostentavam dois óleos e várias serigrafias de pintores portugueses sem grande interesse. Dois grandes sofás de tecido estampado encarnado e amarelo, com um mesa de apoio, formavam um recanto em frente à televisão. Encostada a uma parede, por detrás de um dos sofás, havia uma mesa de jogo com duas cadeiras, onde por vezes se jogava gamão, e uma consola com bebidas. Quatro cadeirões, uma cómoda, réplica de D. Maria, uma pequena estante com livros e louças completavam a decoração, sóbria mas impessoal. Além dessa sala de estar, onde eram recebidos à chegada e podiam ver televisão no intervalo dos jogos, ou no fim para quem já não quisesse jogar mais, havia no rés-do-chão uma sala de jantar com uma mesa para catorze pessoas. Era aí que jantavam ou ceavam nos dias de maratonas e noitadas. Depois, havia a sala de jogo propriamente dita, resultado de um acrescento da casa para o jardim traseiro. Era uma sala de uns 50 metros quadrados. Nestes dias tinha ao centro uma mesa redonda com dez ou doze cadeiras. Por vezes Mário, em vez dela, montava três ou quatro mesas de jogo quadradas, dependendo daquilo que se iria jogar.

Rui reparou que conhecia quase todos. Havia, no entanto, quatro caras novas que Mário apresentou. O espanhol, Adolfo Tacera, médico de Madrid. Maria, a sua mulher, que tal como ele, teria trinta e tal anos. Morena, com uns olhos bonitos e boca sensual. As suas feições eram finas, era muito bem-feita e vestia-se com gosto. Uma mulher atraente, elegante e sofisticada. Avisou logo que não jogava, estava apenas como acompanhante. Formavam um casal simpático, com muito bom ar. Tudo neles, desde os sapatos, passando pelos casacos de corte impecável, ao *Patek Phillippe* dele e às jóias dela, sugeria dinheiro e bom gosto. Os dois amigos do Porto foram apresentados como empresários. Eram mais velhos, na casa dos quarenta e muitos, tinham forte pronúncia nortenha, um ar desconfiado e bastante possidónio. Os outros participantes, eram *habitués:* um construtor da zona de Cascais com quase setenta anos, um arquitecto também de Cascais, e dois rapazes novos, filhos de pais ricos, que vinham regularmente arejar o dinheiro paterno. Mário também se sentava à mesa de jogo, mas só para fazer de conta, pois pouco jogava. Arranjava mil e um pretextos para se levantar. Raramente ia a jogo mais que uma ou duas vezes e mesmo assim sempre a defender-se nas apostas.

Mal o jogo começou, Maria sentou-se atrás do marido. Ao fim de meia hora, Adolfo perdia 5000 euros para todos os restantes, com excepção do arquitecto, que perdia 1000 euros. Este, pouco depois, pagou e saiu. Os outros continuaram. Os amigos do Porto jogavam de forma muito defensiva, o que divertia Rui e Ricardo, que trocavam olhares cúmplices. Perto das duas, Maria, dizendo-se incomodada com o ar condicionado, exageradamente forte, retirou-se para a sala da televisão. Adolfo perdia já 10 000 euros. O construtor perdia também, mas apenas 500 euros. As diferenças normais nesta mesa andavam pelas centenas de euros. Só ocasionalmente havia diferenças daquele tipo. Mas o espanhol, que não parecia ser grande águia neste jogo, continuava a jogar e a perder descontraidamente. Os amigos nortenhos, percebendo que o espanhol era *tanso,* arriscavam agora mais. Rui e Ricardo jogavam com à-vontade e ganhavam 6 mil e 3 mil euros, respectivamente. O espanhol, esse, jogava desastradamente. De vez em quando, ganhava uma mão de cem ou duzentos euros, mas perdia aos quinhentos de cada vez. Contudo, mantinha-se imperturbável.

Pouco a pouco os outros jogadores foram abandonando a mesa. Pelas três e meia da manhã, Ricardo, achando-se já a ganhar 4000 euros, resolveu também dar o jogo por terminado.

Cada vez mais entusiasmado, Rui estava agora a ganhar 10 000 euros e cheio de vontade de continuar. Ricardo levantou-se e foi para a sala da televisão esperar pelo amigo. Aí encontrou Maria sentada no sofá com as pernas esticadas em cima da mesa de apoio à sua frente, vendo um filme na televisão. Tinha despido o casaco, visto que ali o ar condicionado estava desligado e a sala estava quente. O colete preto decotado que usava por baixo do casaco deixava–lhe os ombros e as costas à vista. Ricardo dirigiu-se ao bar que Esteves tinha deixado reabastecido. Serviu-se de um *whisky* e ofereceu uma bebida a Maria, que ela aceitou. Com os copos na mão, sentou-se ao lado da espanhola que entretanto tirara os pés de cima da mesa e se esticara no sofá. Maria continuou reclinada no sofá sem se mexer, mal dando a Ricardo espaço para se sentar. Com voz ensonada e cara de cama, estava incrivelmente *sexy*. Resumiu rapidamente o filme a Ricardo. Depois, começou a falar de outras coisas. Quis saber o que faziam Ricardo e Rui. Embora o sofá fosse grande, como ela estava sentada de lado, os seus joelhos quase tocavam os de Ricardo. A sua linguagem gestual era expressiva. A certa altura, colocou a mão no braço de Ricardo em reacção a uma graça dele. Foi um gesto breve, mas insinuante. Ricardo estava em crescendo de excitação e resolveu retribuir o gesto colocando a mão no joelho dela. Deixou-a ficar mais do que um breve instante, para ver a reacção. Maria continuou a falar, imperturbável, sobre a vida cultural de Madrid. Ricardo, pouco depois, colocou-lhe de novo a mão no joelho deixando-a escorregar um pouco pela perna acima. Maria não reagiu. Ele retirou a mão com naturalidade enquanto pensava: «Está no papo.»

Escassos segundos depois, abria-se a porta da sala e entravam Adolfo, Rui e Mário, anunciando o fim do jogo. Pela cara de Rui, a tendência perdedora de Adolfo tinha-se mantido. Porém, o espanhol não denunciava a mínima ansiedade ou preocupação. Abriu a carteira e tirou de lá algumas notas de 500 euros com as quais pagou a Ricardo os 4000 euros. Depois beberam todos um *whisky*, enquanto terminavam a conversa sobre a vida em Madrid. Maria estava agora sentada direita e falava de modo menos insinuante. Terminadas as bebidas, saíram juntos. Enquanto Adolfo se sentava ao volante do *Mercedes S* com matrícula de Madrid, que estava estacionado à frente do *Honda* de Rui, Maria, aproveitando a distracção dos outros com qualquer coisa do outro lado do carro, beijou Ricardo levemente na boca enquanto lhe fazia uma festa na cara. Depois, entrou no carro, e fechou a porta, deixando Ricardo quase em estado de choque, a ver o *Mercedes* afastar-se até que deixou de ver as luzes ao fundo da rua.

Como Rui de nada se tinha apercebido, Ricardo decidiu não lhe falar da sua troca de sinais com Maria. No caminho para Lisboa, falaram apenas do jogo e dos ganhos. Rui tinha acabado a ganhar 12 000 euros o que lhe trazia uma enorme boa disposição. Poderia ter ganhado mais, mas para o fim fez algumas asneiras, fruto do cansaço e do excesso de confiança. Mas, mesmo assim, foi excelente. Não se lembrava de alguma vez ter ganhado tanto dinheiro numa única noite. Podia pagar uma parte das dívidas. Mas não daria tudo aos seus credores, pois precisava de alguma margem de manobra para continuar a jogar. Poria em dia uma série de dívidas mais incómodas. Em geral mais comedido no jogo e nos gastos, Ricardo tinha uma situação financeira mais desafogada.

Comentaram o corpo da mulher do espanhol e a azelhice deste ao jogo. Parecia que jogava pela primeira vez. Mas deviam ser milionários, visto que ele saíra a perder quase 30 000 euros e pagara a todos sem pestanejar.

* * *

Susan lera a notícia da prisão de Martha às primeiras horas da manhã. Além do *Wall Street Journal*, também o *New York Times* pegava na notícia, referindo-se sempre a Martha como a conhecida accionista-activista. Preocupada, telefonou ao seu colega do escritório de Boston, para que tentasse averiguar o que se passava.

A meio da manhã, recebeu no seu gabinete o telefonema de uma pessoa que não conhecia:

— Fala John Ketz — disse o seu interlocutor. — Não me conhece, mas eu sou o advogado de Martha Herzog. Estou a telefonar-lhe a pedido da minha cliente. Como talvez já saiba, ela foi detida em circunstâncias ainda não totalmente esclarecidas, na passada sexta-feira, em Boston, de onde lhe estou a falar. Infelizmente, estive fora de Nova Iorque e só ontem de manhã o meu escritório conseguiu localizar-me. Agora estou a tratar da audiência de caução que deve realizar-se esta tarde. Se tudo correr como penso, Ms. Herzog sairá da prisão esta tarde. Ela pediu-me que entrasse em contacto consigo, pois queria falar-lhe pessoalmente logo que saísse da prisão. Pede-lhe, como um grande favor pessoal, que se desloque a Boston se possível ainda hoje, o mais tardar amanhã. Martha, com toda a probabilidade, não poderá afastar-se de Boston enquanto for a principal suspeita deste caso, ou seja, até que esteja concluída a investigação. Não posso ainda dar-lhe pormenores do caso, mas garanto-lhe que Martha está completamente inocente e estamos confiantes de que conseguiremos desfazer este equívoco e evitar que seja acusada.

Susan tratou o mais depressa que conseguiu de todos assuntos que tinha para essa tarde e manhã seguinte. Sabia que só estaria de volta, na melhor hipótese, na tarde do dia seguinte. Apanhou o *shuttle* para Boston, aterrando na capital de Massachusetts às cinco da tarde. Foi directamente para o Hotel Four Seasons, como o advogado a tinha instruído, quando lhe ligara pela segunda vez confirmando a libertação de Martha. Quando bateu à porta do quarto 808, esta foi aberta por uma mulher que nada tinha de parecido com a Martha com quem Susan almoçara poucos dias antes no Hotel Pierre. Acabara de tomar um duche e vestia o roupão branco do hotel; o cabelo molhado e escorrido, as olheiras profundas, a cara lavada, sem qualquer pintura, e a expressão carregada acentuavam as marcas da idade. Parecia ter envelhecido dez anos. Fez um sinal a Susan para que não falasse e disse apenas:

— Reservei-te o quarto 1011. Instala-te e depois vai ter comigo ao bar dentro de meia hora. — Deu-lhe o cartão-chave do quarto que tinha reservado para a amiga e voltou para dentro.

Intrigada com aquele secretismo, Susan fez como Martha lhe dissera. Meia hora mais tarde, Martha entrava no bar do Four Seasons, bem arranjada e já com melhor aspecto. Sentaram-se na mesa mais recatada do bar e pediram as bebidas.

Depois de instaladas, Martha explicou as precauções:

— Desculpa esta encenação, mas tenho medo que o meu quarto, e também o teu, tenham algum dispositivo de escuta, por isso aqui estamos mais seguras. Agora vou contar-te a minha aventura dos últimos dias.

Falando devagar, escolhia as palavras com a preocupação de dar à amiga, de forma rigorosa, toda a informação de que dispunha. Apesar de ter as rugas já um pouco disfarçadas, Martha tinha emagrecido uns quilos e perdera o seu ar despreocupado e descontraído.

— Como te disse durante o nosso almoço, vim aqui a Boston fazer uma palestra. No avião, sentado a meu lado vinha um rapaz que aparentava ter uns trinta e tal anos. Bonitão, atlético, cabelo castanho comprido, olhar inteligente, *sexy* e bem vestido. Um *pão*. Meti conversa com ele. Sim, fui eu que tomei a iniciativa. Ele vinha distraído a ler uns papéis. Disse que era cardiologista em Nova Iorque e vinha a Boston para participar num congresso médico. Estava instalado no

Carlton. Disse-lhe que vinha fazer uma palestra aqui no Four Seasons nessa noite durante o jantar anual do IACG e combinámos encontrar-nos aqui no bar depois do jantar. Pensei que ele não apareceria. Mas, às dez e meia, Mark aí estava. Tomámos uma bebida e ele propôs-me dar uma volta pela noite de Boston que disse conhecer, pois tinha aqui vivido uns anos. Levou-me a dois clubes nocturnos. Dançámos e conversámos. Era encantador. Nada de conversa de engate. Falou da mulher e das filhas, da sua clínica, e por aí fora. Um homem educado e interessante. Depois de dançar e beber uns copos, saímos. Já no táxi, convidou-me para um *night cap* no hotel dele. Aceitei logo. Confesso-te que estava morta por isso. Na recepção, pediu uma garrafa de *champagne* e subimos para o seu quarto. Quando a garrafa chegou, já nós íamos avançadíssimos. Foi uma noite extraordinária. Adormecemos já depois das três da manhã. Devo ter adormecido instantaneamente, vencida pelo cansaço, pois só me lembro de me meter na cama e que foi extraordinário... No dia seguinte acordei com um barulho que vinha de muito longe. Devia estar a dormir muito profundamente, pois lembro-me que estive algum tempo a ouvir esse ruído que no meu sonho eram umas vozes longínquas. Finalmente, acordei com um enorme estrondo. Abri os olhos e vi o meu quarto cheio de gente. Deviam ser mais de doze. Dois vestiam fatos cinzentos com as chapas de funcionários do hotel. Os outros eram polícias, uns fardados, outros à paisana, quase todos com armas na mão apontadas a mim. Sabia que não estava a sonhar, mas, num primeiro momento, não sabia onde estava nem conseguia compreender a situação. Olhei para o meu lado. Deitado de bruços, o Mark estava imóvel. Só nesse momento me lembrei de onde estava e o que estava lá a fazer. Olhando melhor, vi que das costas do Mark escorria um rio de sangue que caía para o lado de fora da cama. Nas suas costas via-se o cabo ensanguentado de uma faca cuja lâmina desaparecia dentro do corpo do Mark. Apavorada, dei um salto para fora da cama. Só depois me lembrei que não tinha nada vestido. Agarrei numa almofada para me tapar até me trazerem um roupão. O inspector-chefe leu-me os meus direitos e deixou-me vestir antes de me algemar. Fiquei sem saber praticamente nada, a não ser que era suspeita do homicídio. Até que ontem o John Ketz chegou.

Martha, após uma breve pausa para beber um gole de chá, continuou:

— Aparentemente, a Polícia recebeu uma queixa anónima, dizendo que se ouvia, no corredor, muito barulho proveniente daquele quarto. Parecia uma briga séria. Entretanto, na recepção do hotel receberam uma queixa idêntica. Quando a Polícia chegou, subiu com os funcionários do hotel e bateram à porta. Como ninguém respondia, tentaram entrar com a chave-mestra mas, com a corrente de segurança colocada, não conseguiram. Então arrombaram a porta. Foi quando acordei. Os detectives que estão a investigar o crime dizem que Mark foi assassinado uma hora antes da chegada da Polícia. Eu sou a principal suspeita, porque a corrente da porta estava colocada. Se alguém tivesse entrado, assassinado o Mark e depois saído, não poderia ter colocado a corrente. Esta é a prova mais demolidora contra mim. Não me lembro de ver o Mark colocar a corrente na porta, mas não posso garantir que não o tivesse feito, por exemplo, quando recebeu o *champagne*. Confesso que nesse momento estava pouco interessada na porta ou na corrente. Porém, as provas que têm contra mim não acabam aqui. Aparentemente o «Mark» chamava-se Peter Berman e vivia em Baltimore. Tem carteira profissional de modelo, mas exercia como *freelancer* a actividade de *escort*, que, como sabes, quer dizer *gigolo*. Por isso era tão bom na cama! Nunca tinha dormido com um profissional. Trabalhava com várias agências de Baltimore, Washington e Nova Iorque. Nenhuma lhe encomendou qualquer trabalho na semana passada. Mas ainda há mais. A autópsia revelou uma dose brutal de barbitúricos no sangue. O *champagne* que ficou na garrafa também. A suspeita da Polícia é que eu droguei o *champagne* e depois, com o Mark, ou Peter, ou lá como se chamava, adormecido, lhe espetei a faca nas costas, que tem as minhas impressões digitais por todo o lado. Como no quarto não havia talheres nem a faca é sequer do hotel, acham que planeei tudo. A Polícia encontrou em casa dele um cartão-de-visita meu e na sua agenda o meu nome e números de telefone. Na mala, aqui em Boston, tinha várias fotografias comigo. Todas tiradas no avião e no aeroporto. De tudo isto a polícia conclui que o Berman estaria a fazer chantagem comigo. Assim têm o motivo que lhes faltava. O John Ketz está convencido que eles vão tentar acusar-me de homicídio no primeiro grau.

Susan estava perplexa. Mal sabia o que dizer. Achava Martha muito controlada para o cataclismo que sobre ela se abatera, mas não queria alarmá-la:

— Pelo que dizes, Martha, isto é uma armadilha de proporções gigantescas. Quem pode ter interesse em te tramar? Quem estará por trás disto? Certamente alguém que te tenha grande ódio e que tenha enorme poder. Só uma pessoa que mexa muitos cordelinhos, pode montar uma armadilha com esta dimensão.

— Está claro. Porque achas que não quis falar no meu quarto? E sobre isso também te posso esclarecer. É claro que aquilo que vou contar-te não prova nada, mas apenas uma teoria sobre a armadilha que me montaram.

«Lembras-te do que te disse na semana passada sobre o Bob Perry?», continuou Martha. «O que te contei era apenas a ponta do icebergue. Conheço o Bob Perry há muitos anos. A guerra das remunerações do FATB foi apenas uma questiúncula. Foi azar meu, o John deter acções do FATB. Nem ele sonhava, quando comprou aquela posição, que o banco seria um dia dirigido por Bob Perry. Mas vou começar pelo princípio. Bob Perry foi, durante muitos anos, um quadro superior do National One Federal Bank. Foi colocado na América Latina nos anos 70. Começou em Buenos Aires e foi rapidamente promovido a director. É um homem venal e sem qualquer tipo de escrúpulos. Arranjou boas ligações políticas na Argentina ainda no tempo do Hector Câmpora e depois com o Perón. De lá foi para o Chile, onde ficou alguns anos. Depois, foi nomeado director de Região, uma espécie de administrador-delegado para a América Latina. A partir de Buenos Aires, chcfiava todas as operações do banco nos países da América Latina. Chegaram a ter operações em dez países, agências, sucursais e filiais: para além do Chile e Argentina, tinham também no Brasil, no Uruguai, no Paraguai, no Peru, etc... Todas controladas pelo Bob Perry. Com trinta e tal anos ele era o «senhor» da região. Colocava amigos seus nos postos-chave. E não penses que eram umas pequenas agências. Algumas eram bancos incorporados localmente e tinham uma vasta rede de agências e grandes carteiras de crédito e de clientes. Tudo foi engendrado pelo Bob Perry que convenceu o seu conselho de administração a seguir a estratégia por si desenhada. Beneficiou do facto de haver um momento alto nas relações entre os EUA e a América Latina. De um modo geral, todos os bancos seguiam essa estratégia. Bob Perry adquiriu uma fortuna colossal durante esses anos, graças ao esquema de negócios que montou. Negócios escuros que tinham várias vertentes. A mais comum era a das privatizações. Como te lembras, foi nessa época que foram privatizadas muitas empresas e actividades. Minas, explorações petrolíferas, propriedades agrícolas, redes de distribuição de combustíveis, hotéis e empreendimentos turísticos, etc, etc... Todas elas haviam sido nacionalizadas e chegara o momento de voltarem às mãos dos privados. Bob criava, com os seus sócios nesses países, empresas para concorrerem a essas privatizações ou para se candidatarem a concessões ou licenças de exploração de certas actividades. Como os tais sócios eram funcionários ou membros do governo corruptos, ganhava sempre. As empresas eram constituídas quase sem capital e financiadas pelo banco dele.

Mais tarde vendia-as a multinacionais ou a grupos locais pelo seu verdadeiro valor de mercado, retirando ele e os sócios avultadas mais-
valias. O banco cobrava juros altos pelos financiamentos, por isso na
sede ninguém fazia muitas perguntas. Também não havia créditos
incobráveis. Com operações tão rentáveis, porque haviam eles de se
incomodar? Bob ficava com alguns negócios para si. Nesses casos,
pagava do seu bolso aos sócios locais, e reembolsava os empréstimos
do banco. Construiu assim uma carteira impressionante. Eram sobretudo activos que geravam depois rendimento certo e fácil, hotéis que
alugava a cadeias internacionais, ou fazendas que eram arrendadas a
multinacionais de fruta ou de café, concessões que eram depois sub-
concessionadas, etc... Sempre que pudesse ficar a cobrar uma renda,
ele não se desfazia do negócio; nos casos restantes, vendia um ano
depois e cobrava a sua mais-valia. Tudo isto ao longo de mais de uma
década. Ele tinha um «associado» que o ajudava e que anos mais tarde
se tornou seu empregado. Era o número dois de uma estação da CIA
na região, Paul Mallik. Deves estar a pensar: como sei isto tudo?
O Senado investigou as actividades da CIA na América Latina, e o
John presidiu a essa comissão, à qual o Bob Perry veio várias vezes
depor. Conseguiram provar o envolvimento de Mallik, que além de
corromper funcionários locais se ocupava muitas vezes de tarefas mais
sujas. Sempre que alguém tentava atravessar-se num negócio do Bob
Perry, o Mallik era chamado e tinha uma conversinha com essa pessoa que geralmente mudava de opinião. Se não mudasse, o Mallik
passava à chantagem, ou mandava dar uma tareia no sujeito ou nal-
gum seu familiar. Em último caso, liquidava-o ou fazia-o pura e simplesmente desaparecer. Tudo isto ficou provado nas averiguações da
comissão de inquérito. Não penses que estou a inventar. As actas
podem ser consultadas dentro de poucos anos pois estão quase a ser
desclassificadas. À medida que a investigação progredia, tornava-se
claro que Mallik tinha as costas quentes dentro da Agência. John chegou a oferecer-lhe imunidade limitada para ele contar a história toda
e incriminar os seus cúmplices, dentro e fora da Agência, mas ele sempre recusou. A CIA alegava desconhecer totalmente as suas actividades ilegais mas, já muito perto do fim do inquérito, demitiu-o.
O inquérito foi conclusivo em relação a ele, mas não se reuniram provas em relação a Bob Perry, embora não restassem grandes dúvidas
quanto ao modo de funcionamento do esquema. Nunca se descobriu
quem era o outro implicado dentro da Agência. Deveria ser alguém
suficientemente alto na hierarquia, mas aí a comissão encontrou uma
barreira. John suspeitava que Bob tivesse comprado o silêncio da pró-

pria agência financiando algumas das actividades «encobertas» com que o Congresso costuma implicar. A comissão de inquérito censurou a direcção da CIA por falta de adequada supervisão dos seus operativos, mas não passou daí. Remeteu todo o processo sobre Paul Mallik ao FBI, mas, quando os agentes se preparavam para o prender, ele desapareceu. Nunca mais se soube dele. Suspeita-se que viva num país da América Latina, a partir do qual superintende aos negócios do Bob, mas também já apareceram indícios de que vive em Espanha, sob um nome falso. Bob desapareceu de cena, igualmente. Foi convidado pela administração a pedir a demissão do banco e foi trabalhar para um pequeno banco comercial na Carolina do Norte. Esse banco cresceu e mais tarde foi comprado pelo FATB e agora aí o temos à frente de um dos maiores bancos deste país. Um homem que devia ter passado o resto dos seus dias na prisão, pelos crimes que cometeu. O John, perto do fim do inquérito, percebeu que não conseguiria acusá-lo, e disse-lhe o que pensava dele e o que sabia que ele tinha feito. Por isso já vês como ele deve gostar de me ter no *board* do seu banco. Mas tudo isto pertence à história e, para Bob Perry, à história da antiguidade. O pior é o que ainda não te contei.»

Após uma breve pausa para tomar fôlego, Martha prosseguiu:

— Na semana passada, houve uma reunião do *board* do FATB, na qual Bob Perry propôs e viu aprovada a aquisição de um banco na Europa. Eu opus-me, mas não consegui trazer ninguém para o meu campo. Pareceu-me, em dado momento, que conseguira convencer um administrador holandês, mas ele *borregou*. O estranho desta aquisição é que não faz qualquer sentido face à estratégia do FATB nem à do Bob Perry, que poucas vezes deve ter posto os pés na Europa. Não gosta da Europa cultural e não acredita nela como centro de negócios. Não percebo por que quer ele comprar um banco num pequeno país da Europa. Mais estranho ainda é o facto de, no dia seguinte, o banco português que ele se preparava para comprar, ter lançado uma OPA sobre um outro banco português. Não encontro justificação para esta oferta. Será que os dois bancos portugueses estão combinados para se defender do FATB? Ou será que algum deles está conluiado com o Bob? Mas para quê? De uma coisa tenho a certeza, pelo que conheço daquele homem: eu estou no seu caminho e a situação em que actualmente me encontro é obra dele.

Susan sentia-se esmagada pela dimensão da trama enredada em torno da sua amiga. Não sabia o que dizer. Felizmente para si, Martha não esperava naquele momento um conselho seu e tomou a iniciativa de lhe explicar o que queria dela:

— A única saída que tenho será descobrir toda a extensão da conspiração. Para que quer Bob Perry aquele banco em Portugal e de que forma esta OPA em Portugal se prende com a sua estratégia? Já pedi ao John Ketz que ponha os seus meios de investigação em marcha para tentar descobrir quem me montou esta armadilha, e como. Mas preciso também de desmascarar o Perry. Para isso tenho de saber o que pretende ele dos bancos portugueses e aí o detective de Ketz já não chega. Por isso te chamei. Preciso que fales com Peter Garrison. Ele tem uma empresa de consultoria em Nova Iorque, que encontrarás facilmente. Chama-se CIG — Corporate Intelligence Group. Contas-lhe tudo o que sabes e pedes-lhe que mande investigar a operação do Bob Perry e a sua relação com os bancos portugueses, até perceber a verdadeira motivação dele. Tenho toda a confiança no Peter. Sei que ele saberá o que fazer, e os meios que terá de mobilizar. Mas neste momento não quero entrar em contacto directamente com ele.

13
RECONCILIAÇÃO

Rui estava desde as seis horas à espera de Carla. Nessa sexta-feira, saíra mais cedo do emprego para ir a casa arranjar-se. Depois, passou na Romeira, onde comprou um grande ramo de rosas, e pela Loja das Meias, onde comprou um vestido e um perfume para oferecer a Carla. Com estas «munições», estacionou o velho *Honda* junto ao portão da garagem do banco, num ponto do qual não teria dificuldade em ver o carro dela a tempo de ir ao seu encontro, antes que desaparecesse no meio do trânsito do fim da tarde. Deixou as flores com o porteiro, que mandou de imediato entregá-las. Depois, sentou-se no carro a ler a *Visão* que trouxera do emprego. De vez em quando, olhava para a porta do banco de onde saíam os primeiros pelotões de jovens empregados. Todos vestidos da mesma maneira: eles de fato cinzento--escuro, camisa branca e gravata encarnada ou azul, sempre berrante; elas com os seus saia-e-casaco pretos ou azul-escuros; poucas vestiam calças. Quase todos usavam óculos escuros. Saem a pé, dirigindo-se à entrada do metropolitano ou do parque de estacionamento mais próximo. São, na sua maioria, jovens de 25 a 30 anos, ainda sem direito a carro ou estacionamento. Pouco depois, começavam a sair da garagem os primeiros carros. Pequenos *Opel*, *VW* ou *Audi*, conduzidos por jovens gestores de conta e de cliente. Vestem também fatos escuros mas de marcas conceituadas. Elas também. E carteiras caras. São licenciados e ocupam-se das contas dos clientes. A espinha dorsal de qualquer banco, pois são eles que falam todos os dias com os clientes e que lhes vendem os inúmeros «produtos», assegurando assim que a conta de resultados do banco melhora, trimestre após trimestre. São os verdadeiros gestores do banco. Os seus clientes podem ser particulares ricos, muito ricos ou remediados, ou grandes empresas, médias empresas ou minúsculas empresas. Prósperas empresas ou empresas falidas, todas têm o seu «gestor de conta». É com eles que os clientes falam quando precisam de um aumento numa linha de crédito, de mais um cartão, de aplicar excedentes de tesouraria, ou de resolver qualquer outro problema. Só mais tarde, depois das oito horas, começam a sair as carrinhas *BMW*, *Audi* e *Mercedes*. São os directores, que os jovens gestores de conta ambicionam ser um dia. Também estes têm automóveis iguais, os mesmos gostos e se vestem da mesma maneira, só que no Rosa e Teixeira, na Dunhill ou Hermès. Fazem férias na Tailândia ou no Quénia e esqui em Aspen.

Rui gosta de observar os grupos e os seus comportamentos típicos. Carla pertence ao segundo grupo, o dos gestores. Tem direito a lugar na garagem, mas ainda não tem carro do banco. Rui sabe que ela está para sair a todo o momento. E sabe também que vai fazer as pazes com ele. Não é a primeira vez que recorre a este sistema. Já no passado se viu obrigado a fazer uma «espera» semelhante, e deu resultado. Por isso foi a casa tomar um duche, barbeou-se e vestiu umas calças lavadas. Como Marta só regressará de Londres no domingo, e ele ainda guarda algum do dinheiro que ganhou ao espanhol, teve margem de manobra para montar aquela reconciliação. Decorridos quase quinze dias sem conseguir falar-lhe, Rui já não aguentava estar mais tempo separado de Carla.

Pouco depois das sete, o 307 prateado de Carla apareceu à porta da garagem, com a capota recolhida. Antes que tivesse tempo de tentar entrar no monstruoso engarrafamento, Rui fez a sua «abordagem». A primeira coisa que viu no banco traseiro foi o ramo de flores.

Com os anos e a experiência, tinha desenvolvido a capacidade para inventar histórias e desculpas, a um ponto que ele próprio achava surpreendente. E não apenas com Carla, mas com todas as suas namoradas e com a mulher também. Com esta, as coisas eram mais difíceis, pois Marta era inteligente e intuitiva. A partir de certo ponto, deixava de acreditar mas sem nunca lhe revelar qual era esse ponto. De um modo geral, as mulheres gostam de fazer isso, e fazem-no razoavelmente bem. Mas Rui, do alto da sua vaidade, nem sempre se apercebia de que também Carla já intuía mais do que lhe revelava. E foi esse o caso nesse dia. Carla queria fazer-se de incrédula e fingiu acreditar em toda a rocambolesca história inventada por Rui ao longo de duas semanas. Mas não o fez por puro altruísmo, pois a reconciliação também lhe dava jeito. Isto porque tinha aceitado um convite do seu cliente Victor Paiva para jantar nesse sábado e Jorge, depois de ter também concordado, disse-lhe no seu estilo descontraído, na própria sexta-feira, que por nada deste mundo iria a esse jantar. De pouco serviram as súplicas de Carla. Por mais argumentos e promessas que Carla apresentasse, ele concluía sempre:

— Ele é teu cliente. Atura-o tu.

Por fim, já cansado das insistências da colega rematou a conversa, dizendo:

— Contigo janto quando quiseres, mas a sós. Com ele, nem que me prometesses que ias para a cama comigo...

Quando viu chegar as flores de Rui com o cartão, anunciando a reconciliação, Carla teve uma ideia. Telefonaria a Paiva no próprio sábado invocando uma indisposição súbita de Jorge e perguntaria se podia levar um amigo. Não queria apresentar-se naquele jantar sozinha. A presença de Rui naquela sexta-feira vinha mesmo a calhar. Se não fosse o jantar de Paiva, teria ainda de «penar» mais umas semanas. Mas isso ele nunca haveria de saber...

Carla aceitou os presentes da Loja das Meias e o convite de Rui para jantar, embora começasse por dizer que não podia, pois tinha de ir ao ginásio. Já com alguma experiência no tocante a situações daquelas com Rui, fez-se cara antes de aceitar. Depois, acabou por ceder, mas só estaria pronta lá para as nove e meia, pois não desistiria do ginásio. Despediram-se e o carro de Carla entrou no intenso caudal de automóveis que enchiam as artérias de Lisboa naquele fim de tarde de Julho.

Rui ficou ainda algum tempo sentado no seu carro, a fumar, enquanto observava o movimento da rua àquela hora. Rui tinha duas horas para «matar» e não sabia como. Não queria ir ter com os amigos, porque era demasiado arriscado. Tinha receio de se deixar seduzir pelos programas deles. Naquele dia seria fatal para a sua relação com Carla. Acabou por se dirigir lentamente ao Parque Expo. Estacionou o carro perto da casa de Carla e, com a revista na mão, foi sentar-se numa esplanada a lê-la enquanto bebia uma cerveja.

À hora combinada, encontrou Carla sentada no seu carro à porta de casa. Fez sinal a Rui para se sentar ao volante. Lentamente, o *Peugeot* descapotável pôs-se em marcha. Quando entraram na Segunda Circular, Rui revelou os seus planos para essa noite. Jantariam no English Bar, no Monte Estoril, e depois iriam dançar a uma discoteca em Cascais. Quando saíram do carro à porta do restaurante, Rui começou uma frase que não chegou a acabar:

— Sempre que aqui venho, lembro-me do Gonçalo...

Interrompeu-se a meio, aproveitando a presença do criado que lhes indicava a mesa.

«... da *Angústia para o Jantar*, do Sttau Monteiro» era a frase que Rui não chegou a proferir, por se lembrar a tempo que o paralelo não era muito simpático para Carla. Com toda a probabilidade, não lera o livro. Mas perguntaria e ele teria que lho explicar, o que ainda seria pior. Felizmente calou-se a tempo.

Depois do jantar, passearam a pé na baía e dançaram ao som de música romântica numa discoteca de Cascais. Carla não era particularmente culta, mas tinha um temperamento divertido e sabia ouvir. Em noites como esta, sentia-se nas nuvens. Rui, bem-disposto e conversador, dedicava-lhe toda a atenção. Raramente o fazia. Normalmente estava ou muito neura, ou demasiado bebido para dizer coisa com coisa. Porém, quando queria, sabia fazê-lo como ninguém.

A noite acabou mais cedo do que habitual. Era muito raro saírem só os dois, mas sempre que isso acontecia, acabava mais cedo e melhor para a Carla. A noite da reconciliação é sempre especial, e Carla saboreou bem esta.

No sábado, levantaram-se tarde e foram dar um mergulho à Caparica. Bastante contrariado, Rui acabou por ceder às insistências de Carla. Normalmente escusava-se: ia ter com os amigos, enquanto Carla ia com as amigas à praia; mas desta vez não quis cortar a «onda boa» e aceitou ir, na condição de regressarem cedo. Antes de sair de casa, enquanto Rui tomava duche, Carla telefonou a Victor Paiva com a história da indisposição de Jorge. Para justificar a substituição, acrescentou que este seu amigo era casado com uma advogada do BIAP, o que achou que despertaria o seu interesse. Pediu, no entanto, que não revelasse que sabia, embora pudesse falar da OPA. Carla não se enganou. Paiva gostou da substituição. Aproveitou para a informar de que levaria consigo o seu filho, Fernando.

O dia de praia fora estupendo e a noite estava quentíssima. Carla estreou o vestido que Rui lhe oferecera na véspera. Era preto, curto e decotado com alças. Por cima, usava um casaco branco. Ficava-lhe a matar. Estacionaram o carro perto da baía de Cascais e foram a pé até ao restaurante que Paiva tinha escolhido no jardim Visconde da Luz. Encontraram-no sentado no bar. Vestia um casaco cor de mostarda, calças azul-petróleo, e uma camisa de quadrados, com dois botões desapertados mostrando um grosso fio de ouro. Um relógio *Franck Muller* e uma pulseira de ouro completavam a sua indumentária. Carla insistira com Rui para que trouxesse gravata, mas não conseguiu, afirmando que o *blazer* já era uma enorme concessão. Raramente Rui põe uma gravata. «Desta vez ainda bem», pensava Carla. O filho, que Carla já conhecia das visitas ao banco, foi

apresentado como Nando. Vestia um fato preto de tecido ligeiramente brilhante, com uma camisa preta, aberta. Os sapatos eram
lisos e cor de mel, de biqueira comprida e cortada como se um comboio da CP lhes tivesse passado por cima. Usava barba de três dias
e o cabelo rapado. Apesar de, àquela hora, a luminosidade não ser
já intensa, usava uns óculos escuros *Hugo Boss* que pareciam saídos
de um filme da série *Matrix*. Na realidade, o jovem Nando parecia
um segurança de discoteca em dia de festa. Paiva explicou que o
filho era licenciado em Gestão e era ele quem tomava as decisões
financeiras na sua organização. Carla sabia que esse era talvez o desejo
de Paiva, mas estava longe da realidade.

Victor Paiva parecia simpatizar com Rui, que tratava por doutor.
Enquanto o pai fazia conversa de circunstância, o filho mantinha-se
calado e olhava Carla de alto a baixo — sobretudo para dentro do
decote. Victor Paiva depressa percebeu que a actividade profissional
do *doutor* não proporcionava tema para conversa, e não querendo começar logo pelo que lhe interessava, divagou sobre outros assuntos, na
procura de um interesse comum. Falou de viagens, de política e até de
futebol. Foi aqui que encontrou o primeiro ponto de encontro. Tal
como Paiva, também Rui era sportinguista ferrenho. Quando se sen-
taram à mesa, já Nando tinha tirado os óculos, revelando uns olhos
castanhos pequenos e demasiado juntos. Deu a direita a Carla enquanto
o pai dava a direita a Rui. «Estranho protocolo este do Paiva», pensava Carla, divertida com toda a situação. À sua frente, Rui continuava
a conversar com Paiva sobre o Sporting e o último campeonato.

Os empregados desfaziam-se em atenções para com Victor Paiva
que tratavam por *senhor engenheiro*. Sugeriam toda a espécie de maris-
cos. Paiva falava com eles demonstrando à-vontade. Quanto mais eles
o bajulavam, mais notório era que gostava de ser bajulado. Carla tentava entretanto iniciar uma conversa com o jovem Paiva. Depois de
várias tentativas sem sucesso, conseguiu finalmente arrancar-lhe uma
resposta sobre música. Ficou a saber que gostava de *hip-hop* e *rap*. Mas
nada com grande entusiasmo. Falava sem encadear verdadeiramente
as frases. E parava depois de cada frase para ver a reacção dela. Podia
ser licenciado, mas não tinha a esperteza nem a intuição do pai. Parecia mesmo bastante limitado. Felizmente que Paiva, depois dos pedidos feitos, decidiu retomar uma conversa a quatro, agora que já tinha
estabelecido alguma empatia com Rui. Fê-lo introduzindo o tema que
o trouxera em desassossego nas duas últimas semanas:

— Como talvez saiba — começou, dirigindo-se a Rui —, eu tenho
uma posição de certa envergadura no BIAP.

Rui fez um sinal de não saber de que falava o outro. De facto, Carla, ao explicar o motivo do jantar com o cliente, omitira intencionalmente essa razão.

— É normal que o doutor não saiba, pois a Carla é uma profissional e leva estas coisas a sério, por isso não iria falar-lhe das nossas operações — continuou Paiva mostrando ter compreendido o gesto de Rui, que insistia em tratar por doutor. — Pois eu aqui há umas duas semanas tomei uma posição de certa dimensão no BIAP, e com tanto azar que aconteceu imediatamente antes do lançamento da OPA. Ora, esta fez baixar incrivelmente as cotações das acções do BIAP. Nunca tinha visto o anúncio de uma aquisição ter um efeito tão devastador nos preços das acções do comprador como neste caso. Julgo que é o resultado do preço alto que se propõe pagar pelo BNCE. A meu ver, não vale metade daquele valor. Em todo o caso, eu comprei as acções do BIAP e em pouco mais de 24 horas vi-me a perder bastante dinheiro. Se não fosse aqui a Carla e o banco dela terem-me arranjado uma solução de recurso, agora estaria certamente em apuros. Por isso a convidei e ao Jorge, que infelizmente não pôde vir, mas está aqui muito bem representado pelo doutor. Este jantar é para manifestar o meu reconhecimento. Eu sei que é o vosso trabalho — continuou Paiva virando-se agora para Carla —, mas gosto de agradecer quando alguém me ajuda, mesmo que não faça mais que a sua obrigação, e vocês fizeram mais que a vossa obrigação.

Envergonhada com tanto elogio, e preocupada com a cara de enfado que via estampada em Rui, Carla estava ansiosa por que ele mudasse de assunto. Mas Paiva continuava o seu discurso, alheio ao desconforto de Carla e ao desinteresse de Rui e do próprio filho, que comia presunto, queijo e pão aparentemente indiferente ao discurso do pai.

— O meu problema com estas acções é que não consigo perceber nem a OPA nem o motivo da queda dos preços. Precisava de mais informação para compreender melhor toda a operação. Com a alternativa que a Carla e o Jorge me arranjaram, tenho agora mais algum tempo para me pôr em campo e ver o que consigo descobrir que me permita decidir o que fazer com as acções. O que me dava mesmo jeito era que a OPA fosse recusada pela CMVM, pela Concorrência ou pelo Banco de Portugal. O doutor o que acha?

O «doutor» pouco ou nada achava, pois nada entendia de mercados financeiros, excepto algumas coisas que ouvia ocasionalmente Marta discutir com colegas ou que lhe contava em casa. Todavia, nessa altura da conversa, já estava mais interessado, pois percebera que talvez pudesse ganhar dinheiro com aquele cliente de Carla. Resolveu por isso fazer-se de entendido, jogando com o pouco que sabia sobre a operação, omitindo, porém, o facto de a sua mulher ser advogada do BIAP. Deixaria isso para Carla lhe dizer mais tarde.

— É ainda cedo para se perceber para que lado as coisas vão cair. Onde pode encalhar mais facilmente é na Autoridade da Concorrência. Os outros dificilmente se oporão. Se a Concorrência optar por uma investigação aprofundada, eu diria que há motivos para ter algum optimismo. Caso decida fazer apenas uma investigação normal, será sinal de que não se oporá. Também não vejo motivos para que o banco central ou a CMVM não deixem a OPA passar. Sob que pretextos? No entanto, mesmo que passe nas autoridades e seja objecto de registo, haverá que saber se passa no mercado. Não estou convencido que os accionistas do BNCE aceitem a oferta apesar de o preço ser, como disse, aliciante.

Rui não sabia qual era o preço e tudo o que dissera não passava de banalidades que ouvira ou lera nos títulos dos jornais dos últimos dias. Mas, à medida que falava, reparava que Paiva se mostrava cada vez mais interessado. Rui ganhava assim confiança e dissertava agora com a autoridade de um especialista:

— Daquilo que se sabe, ficaria muito espantado se o BIAP conseguisse o que pretende. É ainda cedo para se saber, mas estou convencido que dentro de uma ou duas semanas começarão a aparecer declarações de alguns accionistas que darão uma primeira indicação das suas inclinações.

Carla ouvia em silêncio, espantada com a lábia de Rui, enquanto saboreava a sua entrada de melão com presunto. Ao seu lado, Paiva comia lagostins e parecia cada vez mais interessado nas opiniões de Rui. Do outro lado, Paiva-filho mostrava-se mais interessado nas suas ostras do que nas opiniões de Rui ou nas acções do pai. De vez em quando lançava olhares prolongados a Carla, acompanhados de um sorriso enigmático. Carla sentiu-se avaliada. Mas Nando não tentava meter conversa com ela. Parecia uma pessoa pouco interessante, insegura, cheia de desprezo pelos outros. Carla nunca tinha verdadeiramente reparado nele. Até àquela noite, poucas vezes o tinha visto. Às vezes, aparecia com o pai mas era este que tomava as decisões e com quem Carla tratava dos assuntos. O filho limitava-se a assinar papéis, quando necessário. Agora que Rui a tinha substituído na despesa da conversa, reparava pela primeira vez no jovem Fernando. Este tinha agora terminado as ostras. Carla fazia o possível para não o olhar de frente, fingindo-se interessada na conversa de Paiva com Rui. Continuavam a especular sobre a OPA.

Carla não sabia aonde ia Rui buscar tantas «munições» para a conversa. Chegaram entretanto os pratos principais.

Subitamente, Carla sentiu uma coisa quente e viscosa tocar-lhe no joelho. Viu que Nando a fitava, com ar divertido. Afastou ligeiramente as pernas para o lado de Paiva-pai e viu o filho repor calmamente a mão direita em cima da mesa. O seu sorriso quase imperceptível tinha o tom de um desafio. Carla estava agora agarrada aos talheres fingindo-se interessadíssima na conversa, sem contudo tirar os olhos das mãos de Nando. Alheio a tudo isto estava Rui, que conversava animadamente sobre a Bolsa, contando histórias fantásticas que nunca aconteceram de amigos que não existiam. A mão desapareceu mais uma vez para baixo da mesa, e Carla tentou novamente afastar-se, mas a mesa era pequena. Estava já tão perto de Paiva que, se se chegasse mais, ficaria ao colo dele. A mão sapuda e suada do filho estava agora explorando lentamente o interior da saia curta do vestido novo de Carla. O jantar, que começara como uma simples estopada, transformava-se num pesadelo. Sem poder afastar-se mais, e tendo ele já percebido que ela não ia fazer uma cena ou levantar-se a meio do jantar, sentia-se prisioneira. Compreendia agora o seu sorriso enigmático. Carla estava à beira de um ataque de nervos. Perdeu completamente o apetite. Tentou espalhar a comida no prato para disfarçar, enquanto a mão fazia mais uma incursão pelas suas pernas acima. Cruzou as pernas, mas ela continuou a subir.

Quase a explodir de raiva, Carla desculpou-se e dirigiu-se à casa de banho. Só ele se apercebeu da sua atrapalhação. Os outros continuaram, distraídos, a conversar. Ao contornar a mesa, reparou que ele a olhava agora com uma expressão desabrida, de desafio. No caminho para a casa de banho reparou na bancada de apoio ao serviço de mesa. Era uma bancada larga, encostada à parede. Na parte de cima tinha prateleiras onde estavam expostas garrafas de vinho. Em baixo tinha portas e prateleiras onde estavam guardanapos, copos e pratos. Em cima da bancada viam-se três tabuleiros com divisórias para talheres. Já na casa de banho, Carla tomou a decisão de pôr fim àquela humilhante brincadeira. No regresso à mesa, deteve-se por breves instantes em frente à bancada de serviço, fingindo interessar-se por umas garrafas de vinho, enquanto executava o plano que acabara de delinear. «Nunca mais se esquece das pernas da Carla», disse para si própria.

Reocupou o seu lugar à mesa sentando-se agora mais perto de Nando, a quem dirigiu um sorriso simpático. A sua disposição era agora bem diferente. Já não se sentia humilhada ou atrapalhada. Ia pôr fim àquilo, sem escândalo e sem pôr em causa a relação com o seu melhor cliente. À sua frente, Rui mal deu pelo seu regresso, tão concentrado estava na conversa com Paiva. Tinham entretanto terminado os pratos que os empregados se apressaram a levantar. As listas estavam de novo em cima da mesa para escolherem sobremesas. Carla estava agora bem-disposta e de novo com apetite. Pediu uma sobremesa enorme à base de três tipos de chocolate. Os outros dispensaram a sobremesa, passando para os cafés e *whiskies*. Carla aguardava com as pernas descruzadas a próxima investida para pôr em prática o seu plano. Entrou casualmente na conversa de Victor Paiva com Rui, mantendo sempre as mãos no colo. Quando sentiu a mão iniciar de novo o seu lento percurso ascendente, deixou-a avançar um bocado e depois espetou-lhe o pequeno garfo de ostras que retirara da mesa de serviço. Fê-lo com toda a sua força rodando ligeiramente o garfo para aumentar o sofrimento. O instrumento não teria mais de dez centímetros de comprimento, mas os seus dois bicos ligeiramente retorcidos e bem afiados cumpriram cabalmente a missão.

Nando abafou um grito de dor, agarrando-se à mão por baixo da mesa. Atrapalhado, embrulhou a mão ferida no guardanapo, balbuciou qualquer coisa incompreensível e levantou-se. Carla, falava com os outros, mas observava-o discretamente pelo canto do olho. Olhou-o bem nos olhos quando ele passou à sua frente ao contornar a mesa. Só esperava não lhe ter rasgado algum tendão. De repente, assaltou-a o receio de ter exagerado.

Poucos minutos depois regressou à mesa. Tinha estancado o sangue e entrapado a mão com um pano que o restaurante lhe deu, a fazer de ligadura. Justificou-se dizendo tratar-se de uma ferida antiga que abrira por qualquer pancada que dera. Na verdade ninguém prestou muita atenção. Carla brindou-o mais uma vez com um sorriso vencedor, enquanto se deliciava com a sua sobremesa de chocolate. As mãos dele continuaram em cima da mesa. Parecia ter aprendido a lição.

Meia hora mais tarde, o grupo despedia-se à porta do restaurante, onde um empregado trouxe o *Mercedes CLS* do «Engenheiro» Paiva. Carla despediu-se de Fernando com dois beijos e um grande sorriso, dizendo-lhe em surdina: «Da próxima, corto-te a mão.» Os outros estavam longe de se aperceber deste episódio. Paiva e Rui tinham aparentemente desenvolvido uma certa empatia. Antes assim, nem tudo estava perdido.

No caminho de regresso ao seu carro, Carla percebeu que Rui já estava bastante bebido e decidiu conduzir ela no regresso a Lisboa. Rui contou a conversa que mantivera com Paiva e que este lhe tinha praticamente oferecido emprego. Estava muito preocupado com as acções e dava tudo para que aquela OPA acabasse quanto antes. Não disse, no entanto, a Carla que tinha trocado números de telefone com Paiva e que este lhe fizera uma oferta genérica de colaboração, caso ele, Rui, lhe desse alguma informação que pudesse ajudá-lo a desfazer--se das acções ou a acabar com a OPA. Já à chegada a Lisboa, Rui recebeu um telefonema de Ricardo para lhe dizer que Mário Pinheiro estava a organizar um jogo para a tarde do dia seguinte, domingo. O espanhol estava de novo em Lisboa e queria mais. Ricardo, excitado, não pensava noutra coisa.

Nessa noite, Carla e Rui foram directamente para casa. Pelas cinco da manhã ele acordou e foi acabar de dormir para sua casa. Marta já tinha voltado de Londres e partiria de novo na segunda-feira, desta vez para Nova Iorque.

14

ATRACÇÃO DO ABISMO

Domingo à tarde, pelas quatro e meia, Rui, Ricardo e Manuel — que desta feita não quis perder o programa — apresentaram-se em Birre, na casa onde Mário Pinheiro organizava os jogos. Cá fora, além do *Mercedes* com matrícula de Madrid, que logo reconheceram, havia outros carros. Na sala da televisão, encontraram Adolfo com Maria — o que logo descansou Ricardo —, Mário Pinheiro, o arquitecto de Cascais, os mesmos dois jovens da vez anterior e ainda um advogado, frequentador assíduo da casa, que não estivera presente na mais recente jogatana. Sentada a uma mesa, Maria disputava uma partida de gamão com o arquitecto, enquanto os outros observavam e tomavam café. Pouco depois, Mário convidava todos a passarem à sala de jogo, avisando logo que ele próprio não jogaria nesse dia, pois tinha de se ausentar boa parte da tarde. Anunciou, porém, que haveria jantar para quem quisesse jogar à noite. Começou o jogo como da outra vez, com Maria a observar. Esteves servia as bebidas e o jogo ganhava ritmo. Pouco depois, Mário retirou-se dizendo que voltaria pelas oito. Uma hora depois, já todos perdiam para Adolfo. Este, sempre que lhe faziam reparos sobre a sua sorte nessa tarde, lembrava-os das perdas na semana anterior. Dizia que era a sua merecida desforra. Embora perdesse uma mão de vez em quando, mostrava-se um jogador muito mais articulado do que na semana anterior. Quando tinha algum jogo, apostava forte, mas quando não tinha, fazia apenas uma rodada de apostas, saindo rapidamente de jogo. Maria circulava pela sala, deitando de vez em quando olhares cúmplices a Ricardo.

Às sete horas já Ricardo perdia 2000 euros, mas ainda não estava em pânico. Tencionava retirar-se do jogo depois do jantar, logo que Maria fosse para a sala da televisão. Até ao jantar tentaria recuperar os prejuízos. O seu objectivo para essa noite não era ganhar, mas apenas ver até onde poderia ir com Maria. Pior estavam Rui e Manuel, que a essa hora já estavam a perder 9000 e 3000 euros, respectivamente. Os outros ainda perdiam mais, na ordem dos 5 a 10 mil euros, cada.

Mário reapareceu já perto da hora do jantar. Mostrou-se surpreendido com o estado do jogo e propôs um intervalo para o jantar. No entanto, só cinco jogadas mais tarde se fez a interrupção. Foi então que o arquitecto disse que não ficaria para a noite. Pagou os onze mil e tal euros que perdera e retirou-se. Os outros ficaram todos para jantar. Ricardo perdia já 6000 euros, todo o ganho da semana anterior e ainda 2000 euros, o que era mais do que suficiente para o deixar maldisposto. Pior que isso era não ter ainda tido uma única oportunidade para estar a sós com Maria. Ficaria para jantar mas pouco ou nada jogaria depois disso. Por seu lado, Rui estava fora de si. A perder mais de quinze mil euros à hora do jantar, tinha uma disposição canina. Perdera tudo o que ganhara na outra semana (e já gastara) e ainda 3000 euros (que também não tinha). Precisava de recuperar depois do jantar. Teria de apanhar o espanhol num momento de azar, o que nesta noite parecia acontecer pouco.

Antes de passarem à sala de jantar, e enquanto os outros tomavam as suas bebidas na sala da televisão, Rui chamou Mário à parte. Entraram no escritório onde Mário se refugiava nas noites compridas para ler ou dormitar no sofá, enquanto decorria uma maratona de jogo lá fora. Era também aqui que pagava a Esteves as contas da casa e tratava de «assuntos financeiros» com alguns jogadores que por vezes se achavam «curtos» nestas noites. Era o caso de Rui, que já tinha recorrido a empréstimos de emergência junto de Mário. Agora, mais uma vez pedia uma linha de crédito, pois já se encontrava para além das suas disponibilidades. Tinha no banco menos de dois mil euros e estava naquele momento a perder perto de quinze mil. Precisava de, pelo menos, treze mil. Estava certo de que conseguia virar o jogo se continuasse depois do jantar e provavelmente não necessitaria de qualquer empréstimo no fim da noite, mas para já estava no encarnado. Mário acedeu:

— Quinze mil nas condições habituais. Mas não passes daí. O máximo que posso emprestar-te será quinze mil, por isso vê se tens juízo.

As «condições habituais» eram duras: juros de 5 por cento ao mês e seis pagamentos mensais iguais. Teria de assinar no final da noite os cheques desses pagamentos, sem data. Ao primeiro cheque que falhasse, Mário meteria os restantes no banco nesse mesmo dia e «tomaria outras medidas».

Durante o jantar, Adolfo e Maria tentavam criar um ambiente descontraído, contando histórias e distribuindo *charme* como se estivessem recebendo um grupo de amigos em sua casa. Rui, no entanto, não estava com disposição para fazer conversa e pouco comeu. No entanto, continuou a beber. Sempre *whisky*. Durante o jantar despachou três. Precisava de descontrair para que a sorte virasse o jogo a seu favor. Era incrível o azar que sobre ele se abatera nessa tarde. Sempre que tinha algum jogo na mão, não conseguia levar ninguém a jogo. Mas nas vezes em que tentava fazer «bluff», era desmascarado pelo espanhol. Este parecia adivinhar e tinha margem para arriscar. Também para Ricardo a tarde correra mal. Não só perdia, como não conseguira ainda apanhar Maria a sós. Manuel não estava melhor, mas com menores expectativas, não estava tão nervoso.

Depois do café, todos queriam regressar rapidamente à sala de jogo. Recomeçou o «massacre». Apesar do ar condicionado, Rui, cada vez mais tenso, transpirava abundantemente. Apostava agora mais forte e cometia também mais erros. Perto da meia-noite, os jovens quiseram parar. Ricardo e Manuel juntaram-se a eles e saíram também. Todos perdiam para o espanhol. Passaram os seus cheques e saíram. Manuel aproveitou uma boleia e regressou a Lisboa. Ricardo, deprimido mas esperançado de que a noite viesse ainda a virar a seu favor no outro «jogo», foi para a sala da televisão esperar por Maria. Rui já perdia a essa hora mais de vinte mil euros. Apenas jogavam ele, o espanhol e o advogado de Cascais que, entre o Casino e as sessões de póquer como esta, derretia a fortuna herdada do pai.

Perto das duas horas, Maria apareceu finalmente na sala da televisão. Arranjou uma bebida para si e foi sentar-se num cadeirão em frente de Ricardo.

Pouco depois Ricardo levantou-se para arranjar também uma bebida. No regresso ao sofá passou por Maria e fez-lhe uma festa na cara. Depois, curvando-se, beijou-a na boca. Primeiro suavemente nos lábios, depois com mais fervor. Enquanto a beijava, enfiou-lhe a mão por dentro da blusa e começou a acariciá-la. Maria correspondia, mas algo contida. Um ruído vindo aparentemente da entrada da sala fê-la desviar-se e empurrar Ricardo.

— Pode entrar alguém — disse Maria afastando Ricardo, que se preparava para recomeçar.

— Então vamos para outro sítio — respondeu Ricardo.

— Não conheço a casa. É perigoso. O Adolfo pode aparecer a todo o momento — insistiu Maria agora num tom esquivo.

Contudo, Ricardo não estava disposto a aceitar um «não» e saiu da sala dizendo que ia fazer um reconhecimento. Quando regressou, Maria não estava na sala da televisão. Foi encontrá-la novamente na sala de jogo. As coisas aí continuavam a correr mal para Rui, que suava agora como um cavalo, não se apercebendo sequer de quem estava na sala. Jogava cada vez mais forte e de cabeça perdida contra um Adolfo frio e metódico. Dali para a frente, não teria qualquer hipótese de recuperar, só podia enterrar-se mais. «Se não fosse a Maria, levava-o daqui nem que fosse pelos cabelos», pensou Ricardo ao ver o estado dele. Mas as suas preocupações estavam longe de Rui. Tinha descoberto uma pequena casa de banho no rés-do-chão e queria comunicar a sua descoberta a Maria. Mas ela não olhava para ele, permanecendo de pé ao lado de Adolfo, observando o seu jogo.

O tempo foi passando e Ricardo não conseguia tirá-la da sala. Mário aparecia de vez em quando para ver o que se passava, depois retirava-se de novo para o escritório. Uma hora mais tarde, Ricardo, já impaciente, aproveitou uma mudança de cartas para fazer um sinal a Rui para que dessem a noite por terminada. Rui respondeu com um gesto, pedindo-lhe que esperasse. Ricardo continuava, sem êxito, a procurar cruzar o olhar com Maria. Cansado, ensonado e desiludido, regressou à sala da televisão. Pouco depois, Maria reapareceu. Nasceu-lhe uma nova alma. Ricardo expôs-lhe o seu plano. Porém, Maria resistiu à ideia. Era demasiado perigoso. O jogo podia acabar a qualquer momento. Adolfo era muito ciumento. Se descobrisse, era capaz de os matar. Beijava-o e fazia-lhe festas enquanto dizia:

— Vais a Madrid e encontramo-nos de tarde. Tenho-as livres. O Adolfo está na clínica e não me controla. Podes ir e vir no mesmo dia. Apanhas o avião de manhã, almoçamos, passamos a tarde juntos e regressas a Lisboa no avião da noite. Toma nota do meu número de telemóvel.

Ricardo, pouco convencido, registava na memória do seu telefone o número que Maria lhe ditava. Talvez fosse melhor assim. Não era o que ele tinha planeado e estava a sair-lhe caro. À vinda para Cascais, tinha pensado tirá-la da casa por uma hora ou duas, sob um pretexto qualquer. Ninguém repararia. Mas agora era tarde demais para isso. Quando acabou de gravar o número, marcou-o. Queria ter a certeza de que ela não estava a enganá-lo. Se o telemóvel dela tocasse, então a ideia de ida a Madrid era genuína, caso contrário, era porque queria apenas iludi-lo e ficaria já a saber. Fez a ligação e ficou a olhar para o visor do seu telefone. Não obteve qualquer resposta. O visor indicava o número internacional e a informação: *a chamar*. Ao fim de intermináveis segundos, o telefone de Maria tocou. Ricardo deixou-a atender.

— Para que fizeste isso? — perguntou Maria, embora tivesse percebido perfeitamente o seu intuito.

— Para que também tu ficasses com o meu número — respondeu Ricardo prontamente.

Abriu-se nesse instante a porta da sala. Terminara finalmente a partida. Enquanto Rui se dirigia à casa de banho, Adolfo e Mário despediram-se do advogado e entraram no escritório, saindo pouco depois. Rui reapareceu, branco como a cal. Ricardo não teve dúvidas de como acabara a noite para ele. Fizeram-se as despedidas. Maria sussurrou ao ouvido de Ricardo, quando se despediu dele:

— Fico à tua espera. Telefona-me.

Depois o casal entrou no *Mercedes* e partiu. Desculpando-se perante Ricardo que estava já a entrar no carro, Mário pediu a Rui que o acompanhasse por uns instantes ao escritório. Sentado atrás da secretária começou a sua reprimenda:

— Cinquenta mil, cinquenta mil euros. Tínhamos combinado no máximo quinze. Foi mais do triplo, Rui. E foi preciso ser eu acabar com o jogo, caso contrário continuarias a jogar e a perder o resto da noite. Já conheces as regras. Sabes que tens de me pagar o excesso em quinze dias e os 15 000 euros em seis meses. Passa-me um cheque de dois mil com data de hoje, outro de trinta e três mil com mais cinco por cento sem data, que eu meterei no banco dentro de quinze dias. Os outros quinze mil divides por 6, acresces 5 por cento ao mês e deixas as datas em branco. Tens aqui os valores. Já os calculei.

Rui pegou no pequeno papel que o outro lhe passou, sentou-se e começou a passar os cheques, cada vez mais aterrorizado com o valor da dívida. Sabia que não podia brincar com Mário. Depois de dormir, pensaria num plano para arranjar o dinheiro, agora estava demasiado cansado e deprimido para resolver o problema. Meia hora depois de Adolfo e Maria saírem, Rui e Ricardo abandonavam também a casa. Com o sol a incidir-lhe na cara, Ricardo conduzia o *Opel* pela auto-estrada de Cascais misturando-se com o pouco trânsito que àquela hora matutina de segunda-feira se dirigia para Lisboa. Apesar disso, não se aperceberam de que os ocupantes do táxi que ultrapassaram em Oeiras eram seus conhecidos...

* * *

Depois de saírem de casa de Mário, Adolfo e Maria dirigiram-se ao Hotel Palácio. Não para descansar, como tinham dito, mas para executar a terceira parte do seu arriscado plano. Estacionaram o *Mercedes* em frente ao hotel e retiraram do porta-bagagens os dois pequenos sacos que transportavam. Adolfo, depois de entregar as chaves do carro na recepção, foi juntar-se a Maria, que o esperava já em frente ao jardim do Casino. Na véspera, pagara à agência de *rent-a-car*, o valor do aluguer do carro incluindo a sobretaxa da entrega fora de Madrid, combinando deixar a chave na recepção. No entanto, não fez o *check--out* do hotel, pois caso alguém telefonasse, não queria que informassem que já tinha deixado o hotel, mas apenas que não estava no quarto. De Madrid telefonaria pedindo desculpa por ter trazido a chave que devolvia por correio. O débito era feito no cartão de crédito que entregara à chegada. Agora subiam a pé até à entrada do Casino, onde apanhariam um táxi que os levaria até ao aeroporto a tempo do voo das nove para Madrid. Por precaução, mudaram de casaco, puseram uns bonés e óculos escuros a fim de não correrem o risco de ser reconhecidos na curta caminhada até ao táxi. Já no táxi, substituíram, nos respectivos telemóveis, os cartões pré-comprados pelos seus antigos cartões, colocando os cartões retirados no cinzeiro do automóvel.

Adolfo Tacera, cujo verdadeiro nome era Carlos Aguillar, tomava estas precauções há mais de dez anos, como rotina. Desde que se conhecia que tinha uma especial aptidão para jogos de cartas. Aos quinze anos começou a «trabalhar» com essa sua aptidão, primeiro por brincadeira, depois como profissão. No início da sua «carreira» fazia as coisas com mais descontração. Um dia, teria ele uns vinte e cinco ou seis anos, fora jogar pela terceira vez em dois anos a um clube privado em Barcelona. As coisas tinham-lhe corrido bem e o jogo terminara pelas oito da manhã. Com Alicia, a sua companheira da época, regressou ao hotel no *BMW* Série 6, alugado em Madrid. Dormiram até meio da tarde. Depois foram às compras, comeram umas tapas e, após o jantar, iniciaram a viagem de regresso a Madrid, já perto da meia--noite. A cerca de cem quilómetros de Barcelona pararam para tomar café e meter gasolina. Aí foram abordados por três gorilas que lhes levaram todo o dinheiro, os cheques — mais de dez milhões de pesetas — e o *Rolex*. Não contentes com isso, deram-lhe uma tareia monumental, deixando Carlos com as duas pernas partidas e quase em estado de coma. À vez, tomaram liberdades com Alicia. Antes de se retirar, partiram todos os vidros e faróis do carro e amolgaram-lhe o *capot* e as portas com um taco de basebol.

Carlos, no decorrer de uma anterior visita a Barcelona, jogara e «depenara» um empresário da construção civil. Este, habituado a lidar com mafiosos, pôs os seus informadores em campo. Quando soube que ele estava de novo na cidade, mandou os seus «seguranças» dar--lhe uma lição. E deram. Carlos ficou dois meses em casa com as pernas em gesso e teve de ser operado duas vezes. Pelo arranjo do *BMW* pagou cinco milhões de pesetas e ainda se viu obrigado a dar outros cinco milhões a Alicia para ela não apresentar queixa. Andou mais de um ano a «trabalhar» para pagar o prejuízo dessa incursão.

Por isso, agora toma as suas precauções. A sua operação desenvolve-se em dois fins-de-semana. O segundo é o mais crítico, pois envolve a fase mais vulnerável — a retirada. A primeira fase, a do engodo, no primeiro fim-de-semana, não tem praticamente risco. Basta não cair em contradições e ser simpático. Ninguém se interessa muito por ele enquanto o vê perder. Já a segunda é mais difícil — tem de manter os «patos» anestesiados enquanto são depenados. É nesta fase que o apoio da sua acompanhante é crucial. Mas a terceira — a retirada — é verdadeiramente de alto risco. Por isso planeia tudo rigorosamente e gasta algum dinheiro para garantir certos pormenores, como o do carro. Aluga-o com matrícula de Madrid e utiliza-o nas duas viagens. Fica logo reservado para o segundo fim-de-semana. Não pode aparecer com outra matrícula, pois alguém pode reparar. Menos de meia hora depois de o jogo acabar, já a viatura foi devolvida. Por vezes, regressa a Madrid de carro, mas alugado noutra agência e no seu nome verdadeiro, geralmente um carro pequeno e discreto.

Conheceu Maria, cujo verdadeiro nome é Carmen Hernandez, num *cabaret* de Madrid. Alta, elegante, bonita e com muito bom ar, logo lhe chamou a atenção. Saiu umas vezes com ela para ver como se comportava à mesa, como falava e, de um modo geral, se podia passar por mulher do doutor Adolfo Tacera, cardiologista. Quando achou que ela estava qualificada para o «lugar», fez-lhe a proposta, imediatamente aceite. Trabalha para uma agência de *call-girls* e no *cabaret*, três noites por semana. Mas ganha muito mais nos fins-de-semana com Carlos. É pena que não seja mais do que um por mês. O seu rendimento é completado pelos ganhos do gamão, jogo que Carlos lhe ensinou e que ela agora joga com mestria.

Ao contrário de Alicia, nunca dormiu com Carmen, pois aprendeu a não deixar que o seu envolvimento emocional perturbe o trabalho. Ela é um elemento essencial para distrair os jogadores e os manter encurralados. De início, apetecia-lhe avançar mais e ir para a cama com ela. Mas sabia que acabaria por se arrepender. Agora já a vê apenas como uma parceira num empreendimento lucrativo. Desta vez, depois de descontados os custos — hotel, refeições, viagens — e de pagar a Carmen e a Mário a comissão de vinte por cento dos lucros, sobravam-lhe quase noventa mil euros. Quase três anos do seu salário na agência de publicidade.

15

UM PASSO EM FALSO

Uma vez chegados a Lisboa, Rui despediu-se de Ricardo e seguiu para casa. Para evitar encontrar-se com Marta, que estaria por essa hora de partida para o aeroporto, Rui foi ainda tomar um café e comer um *croissant*, na sua pastelaria preferida na Buenos Aires. Só depois das nove e meia entrou em casa, certo de que não corria o risco de encontrar a mulher. Depois de telefonar para o «serviço» com uma desculpa, deitou-se e adormeceu instantaneamente. Os seus problemas, por muito sérios que fossem, e naquele momento eram, não conseguiam tirar-lhe o sono.

Só acordou perto da hora do jantar. Amélia, há muito habituada àquelas noitadas, não estranhava. Tomou banho e saiu ao encontro dos amigos no pequeno bar, seu poiso costumeiro. Ainda muito ensonado, Ricardo recordava com Manuel os pontos altos da noite da véspera, queixando-se do «rombo» que levara. Começando nova rodada de *whiskies* integraram Rui nas suas lamentações:

— Então que direi eu? A minha mãe não consegue arranjar-me esse dinheiro sem o meu pai descobrir, e a Marta já me fez saber da última vez que não contasse mais com ela para me desentalar. E só tenho quinze dias para arranjar 35 mil euros.

Os amigos olhavam-no, incrédulos. Como podia ter-se deixado enterrar daquela maneira? É certo que todos tinham sido agarrados, mas os outros não se tinham descontrolado àquele ponto. Fitavam o chão sem saber que dizer. A única coisa que lhes apetecia mesmo dizer era: «Não contes connosco, pois estamos também abaixo da linha de água.» Mas contiveram-se. Cada um explicou as suas múltiplas dificuldades financeiras. Na verdade, Rui também não os considerava a chave dos seus problemas financeiros. O ambiente estava pesado e deprimente. Os três amigos despediram-se, partindo cada um em sua direcção.

Rui foi para casa de Carla a quem telefonou no caminho. «Pelo menos teria companhia e um jantar de borla», pensou. Carla foi, como sempre, receptiva, mesmo quando ele lhe disse que não passaria a noite em sua casa. Na verdade, porém, Carla estava também deprimida. Apesar de ter dormido todo o dia, Rui tinha má cara e estava muito tenso. Contou-lhe a noitada de Birre no domingo, omitindo, como sempre fazia, que tinha perdido. Queixando-se do seu dia, Carla dizia--se estafada. Estivera grande parte do dia ao telefone com a sala de mercados e com Victor Paiva. As acções do BIAP tinham mais uma vez caído e as opções de Paiva estavam a originar chamadas de margem. Era previsível. Paiva foi avisado, mas só agora caía em si. Carla, que de início acreditara nesta operação, estava agora muito céptica. Temia, com tudo isto, perder o cliente.

Após o jantar, tomaram café, sentados no sofá, enquanto viam televisão em silêncio. A cumplicidade que existia entre eles permitia-lhes apoiarem-se um ao outro. Rui regressou a casa relativamente cedo. Apesar disso, a empregada e os filhos estavam já deitados. Marta estava em Nova Iorque. Antes de se deitar, entrou no pequeno escritório ao lado do quarto para procurar um livro. Uma estante, uma secretária com o computador, um sofá e a televisão compunham o mobiliário deste pequeno compartimento, onde Marta passava os serões quando estava só ou trazia trabalho do escritório.

Em cima da secretária, uma pasta de cartolina branca com o logotipo do escritório de Albergaria. Rui, não resistindo ao impulso, abriu--a e folheou o seu conteúdo.

Em primeiro lugar, encontrou um extenso documento no qual se explicava a mecânica do Código de Valores Mobiliários. As principais cláusulas do diploma estavam reproduzidas com uma explicação da sua aplicação. Uma espécie de manual do advogado de OPA elaborado pelo escritório. Depois, havia várias cópias de requerimentos do BIAP à CMVM. Para compra de acções do BNCE e para o lançamento de várias campanhas de publicidade institucional. Rui leu tudo atentamente, agora que estava mais interessado nestas matérias. No fim da pasta estava um documento em papel sem timbre, no qual se apresentava um esquema de compras de acções em nome de várias sociedades *offshore*.

Apesar de não possuir formação jurídica nem financeira, algo lhe dizia que essa montagem era, no mínimo, ilegal. Aquele papel podia ser a sua salvação.

No dia seguinte levou a pasta consigo para o emprego e, durante a hora de almoço, fotocopiou o documento.

* * *

Depois de apresentar a sua credencial, Susan entrou na sala do 30.º andar do edifício do World Financial Center. Ali tinha o Shoenberg & Likermann a sua sede, local agendado para o *road show* do BIAP. Faltava um quarto de hora para o início da sessão, mas a sala estava ainda pouco cheia. Em vão, Susan procurou uma cara conhecida, num ambiente onde se movia com pouco à-vontade, cheio de analistas e jornalistas financeiros. A sua revista, a *Town & Country*, não costumava estar presente em sessões daquele tipo. Quando Susan falou com a agência de comunicação que organizava a sessão, teve de inventar uma grande história para justificar o seu interesse: uma suposta reportagem sobre europeus e americanos e o confronto entre formas diferentes de encarar as grandes aquisições dos dois lados do Atlântico.

Sentou-se numa das filas de trás. Viu Peter Garrison umas filas à sua frente. Este retribuiu-lhe o cumprimento com um aceno discreto. Quando Susan lhe telefonara dois dias antes, Peter fora muito receptivo. Combinaram almoçar no dia seguinte num pequeno restaurante na Village. Quando chegou, encontrou Peter já sentado à mesa. Levantou-se com dificuldade para a cumprimentar. Peter só conseguia andar com a ajuda de uma bengala e mesmo assim muito devagar e arrastando uma perna.

Lera no jornal a notícia da prisão de Martha. Ouviu com atenção todos os pormenores que Susan lhe relatou. No fim, fez algumas perguntas tentando relacionar os factos ocorridos em Boston com a reunião do *board* do FATB. Depois de ouvir tudo, falou lenta e pausadamente:

— Nada do que disse é para mim uma surpresa. Conheço muito bem Bob Perry, há muito tempo. Desde o tempo em que era director do banco para a América Latina, sediado em Buenos Aires, e eu era director de Fusões e Aquisições num banco de investimento em Nova Iorque. Estávamos nos anos 70. O meu banco tinha adquirido uma quota de mercado impressionante nas fusões e aquisições nos EUA e na Europa. Para crescer, precisávamos de entrar na América Latina. Nessa época, a generalidade dos países da região dava os primeiros passos nas privatizações. Nós, está claro, candidatávamo-nos sempre com base na enorme experiência que possuíamos. Mas perdíamos sempre. Não percebíamos como tínhamos entrado tão bem no mercado europeu e não conseguíamos nada na América Latina. A certa altura, analisei todas as operações que saíam para o mercado em vários países e percebi que só o banco de Bob Perry conseguia ganhar operações com alguma dimensão. Por vezes, o banco dele não concorria e outros ganhavam. Porém, algum tempo depois essas operações eram vendidas ao banco dele ou a um sindicato de bancos onde ele pontificava. Quer dizer, ninguém conseguia fazer qualquer operação com interesse sem passar por ele. Depois, fui analisar mais em profundidade a estrutura das operações e percebi como ele fazia reverter para si e os seus amigos, uma parte dos lucros. Falei com a minha administração, mas não quiseram agir. Os bancos não gostam de se denunciar uns aos outros. Deram-me, no entanto, liberdade para expor o Perry e os seus métodos se eu quisesse, por minha conta e risco. Foi o que fiz. Primeiro, usando os contactos que tinha nos governos de alguns desses países. Mas, infelizmente, as pessoas com que falei estavam manietadas, por ligações políticas, e nada podiam fazer. Foi então que Bob Perry apareceu um dia no meu escritório em Nova Iorque para me propor parceria. Reconhecia a nossa competência e estava disposto a convidar-nos para as operações que montava. Para isso, bastaria que eu aceitasse receber o meu quinhão dos lucros gerados pelas sociedades *offshore* para as quais desviava parte desses lucros no esquema que a Martha lhe descreveu. É assim que ele actua, comprando o silêncio. Rejeitei liminarmente e pu-lo na rua. Furioso, saiu deixando atrás de si um enorme rasto de ameaças.

«A partir de então não podia ficar calado», continuou Peter. «Fiz ainda algumas visitas à América Latina, durante as quais reuni dados para um extenso *dossier* que entreguei na SEC. Com base nessa informação, Perry e o seu banco foram alvo de uma investigação num momento em que também as actividades da CIA estavam a ser investigadas no Senado. A comissão do Senado, presidida por John Herzog, pediu o *dossier* e integrou as duas investigações. Nesse momento, parecia que a rede seria desmascarada. Foi então que a minha vida conheceu uma viragem de 180 graus. Eu tinha ido a S. Paulo em trabalho e jantara com o presidente do grupo Savodantim. Como sempre fazia nessa época, em que ainda não era hábito andar-se com guarda-costas e carros blindados, alugava um carro com *chauffeur*, numa empresa local em que tínhamos toda a confiança e que usávamos há muitos anos. Saí do jantar, entrei no carro que me esperava à porta. Dei as boas noites ao motorista que conhecia bem e já sabia que eu regressava ao hotel. Estava estoirado. Fechei os olhos por um instante. Quando os reabri, vi que estava numa estrada que conduzia aos arredores de S. Paulo. Perguntei ao motorista que caminho era aquele, mas ele não respondeu. Reparando então melhor, constatei que não era o meu motorista que conduzia o carro. A troca fora bem feita, pois este homem tinha a mesma estatura e um perfil muito parecido com o do meu motorista. Só depois vim a saber que tinham assassinado o José para tomar o seu lugar. Entretanto, o homem conduzia-me cada vez para mais longe. As portas estavam trancadas de forma a que eu não pudesse aproveitar uma paragem ou sair em andamento. Tentei agredir o meu raptor e ele virou-se então pela primeira vez para trás e ameaçou-me com uma pistola. Pouco depois, o carro parou em frente a um pequeno prédio degradado e entrou outro passageiro para o banco da frente. Virou-se para trás e apontou-me uma pistola. Andámos cerca de uma hora por estradas secundárias até chegarmos a uma pequena fazenda com ar meio abandonado. Aí obrigaram-me a sair do carro e a entrar num pequeno casebre. Fecharam-me num quarto minúsculo, onde apenas havia uma cama e um balde. Adormeci. Algumas horas mais tarde vieram acordar-me e levaram-me para outro quarto interior, este mobilado com uma mesa e quatro cadeiras. Interrogaram-me durante horas a fio, batendo-me nos intervalos. Aos homens que me levaram, juntou-se um terceiro, americano. Era este quem dirigia os interrogatórios. Os outros eram brasileiros e só me batiam. Ao fim de alguns dias já tinha perdido toda a noção do tempo. Lembro-me muito mal do que aconteceu. E não sei exactamente quantos dias lá passei. O interrogatório incidia sobre as provas que eu tinha reunido. Queriam saber a quem tinha dado cópias e se tinha mais documentos guardados. Acabei por perder a consciência ao fim de uns dias. Meteram-me no carro e levaram-me até um local ermo onde me atiraram do carro para fora e me deram dois tiros, abandonando-me no local, julgando-me morto. Um dos tiros acertou-me numa vértebra e o outro, dirigido ao coração, foi desviado por uma costela. Fui encontrado no dia seguinte por crianças que brincavam no local. Durante meses estive em coma.»

Peter fez uma breve pausa, para beber água, e continuou:

— Quando recuperei, tinha uma lesão na coluna. Não consigo andar sem a ajuda da bengala e deixei de aguentar semanas de 80 horas de trabalho. Estava incapacitado para o exercício da minha profissão. O banco deu-me uma indemnização e muitos elogios pela perseverança. Estive mais de um ano em fisioterapia, tentando recuperar das múltiplas lesões. Quando finalmente retomei a minha vida, abri a empresa de consultoria CIG, que se baseia na minha experiência de recolha e tratamento da informação. Os nossos clientes são bancos e empresas que estão envolvidos em grandes aquisições. Através de uma rede de informadores bem colocados e discretos, recolhemos as informações que eles não conseguem em *due dilligence*. Percebe agora por que razão a Martha lhe pediu que viesse falar comigo. Conheci bem o John e dei-lhe muitas informações para a comissão de inquérito. Infelizmente, não chegaram para apanhar Bob Perry. Mas o seu lacaio, Paul Mallik, foi implicado e julgado. No entanto, conseguiu sair do país antes de ser preso. Agora vive na América Latina, sob a protecção de amigos dessa época. Foi ele quem organizou o meu rapto. Sei que chegou a ir à fazenda onde me sequestraram, para me interrogar. Essa fazenda, embora estivesse em nome de uma sociedade, era na realidade propriedade do próprio Mallik. Utilizava-a para intimidar aqueles que se atravessavam no seu caminho. O americano que me interrogou era um operacional *freelancer* que ele utilizava para estes trabalhos. Esse foi preso e cumpre actualmente uma pesada pena de prisão. Com a minha experiência e alguns clientes que vêm dessa época, tenho feito crescer o meu negócio. A nossa empresa tem já mais de cinquenta pessoas e é a segunda maior do género em Wall Street. Temos escritórios em Chicago, S. Francisco e Londres. Como sempre, as contrariedades podem transformar-se em oportunidades — concluiu Peter.

Após nova pausa, afirmou em tom decidido:

— Vou pôr-me em campo. Tenho muita estima pela Martha e admirava muito o John, que foi um exemplo de integridade. Amanhã irei à sessão do *road show* do BIAP. Depois, vou colocar a nossa máquina a trabalhar para descobrir a verdadeira motivação do Bob Perry, ao procurar comprar este pequeno banco português. Concordo com a Martha em que o Bob estará por trás da sua prisão em Boston. Peço-lhe que não me contacte. Deixe que seja eu a contactá-la. Quando amanhã, ou noutra ocasião nos encontrarmos, não me fale e não mostre sequer conhecer-me. Eu sei como esta gente funciona. É para sua protecção.

Só quando Peter se levantou e começou a andar, auxiliado pela sua bengala, Susan percebeu toda a extensão dos danos provocados pelos esbirros de Bob Perry.

Agora, na sessão do *road show* da oferta, Susan cumpre aquilo que combinou. Foi sentar-se na ponta oposta da sala e algumas filas atrás. Abriu a pasta que lhe deram à entrada e começou a ler os documentos. A sala foi enchendo gradualmente e, uns minutos antes da hora prevista, já todos os lugares estavam ocupados. Os participantes eram principalmente jornalistas, analistas de corretoras, de agências de *rating*, de bancos de investimento e gestores de fundos. Mas estavam também representantes de agências federais como a SEC, o Fed e mais discretamente o FBI... Mas deste último ninguém se apercebeu, excepto Peter.

Sentados numas das filas da frente, António Figueiredo e Carlos Martins. Susan reconheceu-os de imediato. Fora-lhes apresentada por Duarte e encontrara-os já em várias ocasiões, sempre os dois. Quando falava com Duarte sobre eles referia-se a Carlos como o *vallet de chambre* de Figueiredo.

Bernardo entrou na sala um minuto depois da hora marcada. Atrás de si vinham José Maria Ribeiro, Andrew White e outros quadros do Shoenberg & Likermann, bem como Marta La Salle e os representantes das agências de comunicação. Só Bernardo e Andrew White subiram ao palanque. Os restantes ocuparam as cadeiras reservadas na primeira fila. Andrew apresentou a operação e o CEO do BIAP que definiu como uma estrela da banca europeia.

A apresentação de Bernardo fora muito bem preparada pelos consultores e conhecera ainda na véspera pequenas alterações introduzidas pelo próprio. Num inglês fluente, com algumas graças pelo meio, descreveu o seu banco, o BNCE e a lógica da sua oferta. Fez uma comparação das duas instituições, que ilustrou com alguns números e gráficos. Tudo para demonstrar que a sua gestão seria capaz de criar valor para os accionistas. No fim, os analistas fizeram-lhe as perguntas da praxe. Como iria financiar a aquisição de um banco muito maior que o seu? Como evitaria a perda de clientes e que despedimentos faria? Tenso e muito controlado, respondeu a todas com as «respostas oficiais». A partir daqui a sessão começou a derrapar. Os analistas não se ficaram com a mesma facilidade que os jornalistas da conferência de imprensa em Lisboa e desmontaram facilmente as suas respostas oficiais. Os despedimentos eram inevitáveis a menos que impusesse aos seus accionistas o sobrecusto da ineficiência. O inevitável aumento de capital iria diluir as posições e prejudicar os actuais accionistas do BIAP. Apesar disso, o montante da dívida que teria de contrair provocaria a erosão dos resultados. A queda acentuada dos preços das acções queria dizer que o mercado não aprovava a oferta. O rácio de custos do seu banco era claramente pior que o do BNCE, pelo que não se percebia como podia ele gerir melhor os activos do BNCE do que a actual administração deste. Houve mesmo um analista que chegou a sugerir que talvez a operação inversa fizesse mais sentido, o que provocou uma gargalhada na sala.

Bernardo, incapaz de controlar a reunião e temendo começar a engasgar-se, iniciou um discurso de circunstância, polvilhado de lugares comuns e banalidades, destinado a adormecer a assistência. Deu resultado, porque as pessoas começaram a sair da sala. Quando esta estava meio vazia, Andrew, tentando salvar o que restava daquela patética apresentação, tomou a palavra para agradecer aos presentes e convidá-los para a recepção na sala ao lado. Quando se levantou, Susan reparou que Peter saíra discretamente para o *hall* dos elevadores.

A recepção decorria na sala adjacente à sala da sessão. Era grande e rectangular com as paredes forradas de estantes cheias de livros. No meio, havia umas quantas poltronas de pele verde-escura e mesas de apoio baixas. Era aqui que se fazia a festa de Natal e a reunião anual dos *partners* do Shoenberg & Likermann, em que eram decididos os bónus. Estas últimas são para muitos um segundo Natal, mas com uma grande carga de hostilidade, pois está muito dinheiro em jogo. Naquele dia, porém, o ambiente era mais descontraído. Criados circulavam com tabuleiros de *hors d'oeuvre* e bebidas. As pessoas conversavam em pequenos grupos. Andrew e Bernardo começaram a «trabalhar a sala» — a percorrê-la, detendo-se em cada grupo demoradamente, fazendo aquilo que se chama controlo dos estragos.

Tornava-se evidente que a apresentação se saldara por um razoável fiasco. Ao fim de cerca de um mês do lançamento da oferta, o BIAP perdera a sua vantagem inicial. A queda dos preços das acções, os comunicados das agências de *rating* e agora o *road show*. Tudo estava a correr mal a Bernardo Noronha. Na conferência de imprensa em Lisboa tinha-se saído bem. Depois, as sessões do *road show* no Porto e em Londres tinham também corrido relativamente bem. Algumas perguntas mais incómodas, mas não houvera confrontação e os jornais financeiros não lhes prestaram muita atenção. Contudo, o verdadeiro teste era Nova Iorque. Ali o mercado não brinca e, ao contrário dos brandos costumes europeus, estão habituados a perguntar tudo e a confrontar os CEO. Bernardo não vinha claramente preparado para este tipo de encontro e não soube reagir. A mensagem que queria ali passar não estava devidamente fundamentada em números e factos e isso Wall Street não perdoa. Não admite que venham contar-lhe «histórias». Na Europa é diferente. Os mercados também sabem diferenciar o trigo do joio, mas são subtis e pouco frontais. Agora, resta-lhe fazer charme e simpatia aos convidados para evitar que eles escrevam artigos e relatórios muito demolidores. Foi isso que Andrew White lhe disse no final da reunião.

A um canto, António Figueiredo e o seu *vallet* conversavam com três pessoas. Não conhecendo mais ninguém, Susan dirigiu-se a esse grupo e apresentou-se, recordando-lhes que já se tinham encontrado numa recepção na ONU. Figueiredo não se lembrava. No entanto, disfarçou, tanto mais que Susan era a mulher mais bonita que estava na sala. Susan apresentou-se também aos outros elementos do grupo, mas não conseguiu perceber os seus nomes ou que faziam ali. Um deles, John qualquer coisa, retomou a conversa no ponto em que estava quando Susan chegou:

— Acho que houve algum exagero, e nem sequer o deixaram explicar bem a lógica da aquisição. Aqui não interessa nada se ele tem melhores ou piores rácios que o outro ou como vai financiar-se. Para os accionista e os fundos, e eram esses que aqui estavam, o que interessava era avaliar a capacidade do homem para liderar um banco duas ou três vezes maior que o seu. Tem estratégia para esse banco ou quer crescer por crescer? Essa é a única pergunta que os fundos querem ver respondida. O resto não passa de retórica.

Figueiredo, pouco habituado a estes ambientes, mas detestando estar muito tempo calado, respondeu:

— Concordo inteiramente. A maior parte das perguntas não teve sentido. O que interessava era também saber se a oferta tem condições para vingar ou não. E, em minha opinião, não tem a menor hipótese. É uma operação de relações públicas do banco e do seu presidente, que nunca passará disso mesmo.

John e os outros bebiam agora as palavras do português, enquanto Carlos fitava o chão. Susan não estranhou, pois já sabia que Figueiredo era um «desbocado». Enquanto ele se enterrava cada vez mais, dissertando sem saber quem eram os seus interlocutores, Susan afastou-se do grupo e dirigiu-se para os elevadores. Era hora de regressar a Washington, visto que tinha ainda nessa noite um compromisso da revista a que não poderia faltar.

Do táxi, a caminho do aeroporto, telefonou a Duarte a quem relatou, divertida, o seu encontro com Figueiredo e a incontinência verbal deste. Lamentavelmente não poderia ficar em Nova Iorque, para juntos se rirem da cena.

* * *

Como era seu costume, o secretário-geral do ministério fazia a pé o percurso entre a sua casa na Estrela e o Largo do Rilvas. Chegava cedo ao ministério e era sempre o primeiro, numa casa em que havia poucos madrugadores. Era uma figura inconfundível: alto, ligeiramente curvado, o nariz adunco e o cabelo branco liso e comprido penteado para trás. Com bom ar e sempre bem vestido, desde o cuidado nó da gravata até aos sapatos impecavelmente engraxados, José Guilherme de Sá Novaes não era, no entanto, pretensioso como muitos dos seus colegas. Em final de carreira, era o diplomata mais respeitado da sua geração. Ninguém estranhara por isso que o novo ministro dos Negócios Estrangeiros o tivesse escolhido, sem hesitação, para secretário-geral. José Guilherme sabe bem o que vale e tem orgulho na sua carreira, sem ser presunçoso. Age com grande independência e coerência. Diz o que pensa e faz o que diz. Descendente do Conde de Talaminde, pertence a uma família que já deu ao país vários embaixadores e generais muito prestigiados. É acessível e simples no trato mas, no fundo, um *snob* convicto.

Todos o conhecem e apreciam nas redondezas do ministério, onde sempre morou. Gosta de cumprimentar as pessoas que encontra no caminho, àquela hora matutina. Na sua pasta de pele castanha, gasta e puída pelo muito uso, transporta uns quantos papéis que a semana lhe não permitiu ler na íntegra: telegramas, informações de serviço, projectos de despacho para o ministro assinar e o último número da sua inseparável *Foreign Affairs*. Evita levar trabalho para casa aos fins-de-semana, que gosta de passar no doce remanso e paz do seu solar de Touvedo. Aí tem por hábito entregar-se à leitura, à música clássica e aos petiscos de Laura, sua cozinheira desde que José Guilherme se conhece. Depois de oito postos no estrangeiro, entre os quais as mais importantes capitais, sabe que nada se aproxima da vista que desfruta da varanda da sua sala, donde vê ao longe o cume da Peneda e em baixo o leito do Rio Lima. Também há muito descobriu que nada chega aos calcanhares das pataniscas de bacalhau, da perdiz, da lampreia ou das favas de Laura. Por vezes levava consigo um ou dois casais amigos, mas a maior parte das vezes, ia só ou com Teresa, a sua mulher de mais de quarenta anos.

A sua rotina naquela segunda-feira não foi diferente do habitual. Sentou-se à secretária, abriu o correio electrónico e leu em diagonal as mensagens que tinham entrado durante o fim-de-semana. Depois, pegou na resenha de imprensa que os serviços do ministério preparavam, juntando num caderno os recortes dos principais jornais de todo o mundo. Só pelas nove horas, quando a sua secretária chegava, tinha o café e os jornais portugueses para ler. Até lá, entretinha-se com a resenha.

Logo na segunda página do caderno, deu com a notícia. O título da segunda página do *Wall Street Journal* dizia tudo: **Chefe do Escritório da Poderosa Multinacional não acredita no sucesso da tentativa de «takeover».** E em subtítulo: Road Show *do CEO de banco português pode indicar que a OPA acaba em fracasso.* O articulista estivera na conferência de imprensa em Lisboa e, em meados da semana anterior, na sessão do *road show* do BIAP em Nova Iorque. Afirmava que o embaraço do CEO do banco oferente, incapaz de responder de forma convincente às perguntas mais óbvias, era confrangedor. Relatava as críticas de que Bernardo tinha sido alvo no encontro com jornalistas e analistas em Nova Iorque. Dizia não se compreender que um experiente CEO como Bernardo Hallbrook não tivesse ensaiado respostas mais convincentes. Concluía que assim seria difícil convencer os accionistas do BNCE a vender as suas acções. *Assim pensa também o seu compatriota, António Figueiredo, chefe do escritório da multinacional Parker & Schmitt, que esteve presente na apresentação, acompanhado por um alto funcionário da diplomacia portuguesa,* prosseguia o articulista, que transcrevia algumas das afirmações de Figueiredo.

José Guilherme de Sá Novaes lia a notícia, ao mesmo tempo divertido e perplexo. *Como era possível que o homem não tivesse ainda aprendido a «vedar-se».* A verdade, porém, era que António Figueiredo, corrido da carreira por causa do seu desleixo e da sua incontinência verbal, não aprendera ainda a lição.

O artigo continuava, voltando à carga para lembrar que muitos eram os que não acreditavam no sucesso da OPA. Era um artigo bastante negativo para Bernardo e o BIAP.

Embora o jornal não dissesse o nome do funcionário diplomático português que acompanhava Figueiredo, Novaes tinha quase a certeza de se tratar de Carlos Martins. Preocupava-o o ascendente que Figueiredo continuava a ter sobre Carlos Martins, que por aquele caminho ia acabar por meter-se em sarilhos.

* * *

O telefonema de Paiva não se fez esperar. Victor Paiva tinha gostado do artigo, mas não pelas declarações de Figueiredo. Agradara-lhe saber que a sessão do *road show* do BIAP com investidores tinha sido um fiasco, e que Bernardo metera os pés pelas mãos. Talvez assim desistisse daquela aventura. No entanto, as acções do BIAP continuavam a cair e Paiva já estava a entrar em força para as chamadas de margem. Quando desligou, Figueiredo continuava céptico relativamente à possibilidade de vir a ganhar dinheiro com a informação que fornecera a Paiva.

16

EM BUSCA DE RESPOSTA

O *BMW* Série 3 descapotável, com Joana ao volante, apresentou--se ao portão da Quinta Patiño. Miguel deu o seu nome ao segurança e esperou que este levantasse a cancela e lhe fizesse sinal para seguir. Joana conduz em silêncio desde que saíram de casa. Os seus silêncios são cada vez mais frequentes e profundos. Durante esses períodos, fica mergulhada nos seus pensamentos, com olhar distante. Gosta de guiar, e Miguel gosta de ir ao lado. Este jantar em casa de Nicas e Zé Maria Azeredo fora marcado poucos dias antes. Azeredo tinha já falado com alguns accionistas e queria relatar-lhe os resultados. Tal como José Maria anunciara, foi Nicas quem telefonou a Joana fazendo o convite. Disse tratar-se de um jantar informal. No caminho, Miguel olhava para a expressão concentrada e ausente da mulher enquanto guiava, com os cabelos compridos ao vento. Vestia uma camisa branca e uma saia curta e travada que lhe subia pelas pernas acima com os movimentos da condução. Bronzeada e com o cabelo comprido aloirado pelo sol, Joana continua tão apetecível como quando a conheceu. Miguel tinha saudades do tempo em que a sua relação com a mulher era mais física. Agora tinham perdido espontaneidade e faziam alguma cerimónia um com o outro.

Azeredo abriu-lhes a porta de casa e levou-os para o jardim, onde se juntaram aos restantes convidados. Azeredo mudara-se para a Quinta Patiño pouco antes de se reformar. Todos os pormenores da construção da casa foram planeados por si com extremo cuidado. Não era sumptuosa nem ostensiva, mas tudo era bom e respirava bom gosto e simplicidade. No jardim da piscina tinha construído um recanto coberto onde colocara algumas mesas e cadeiras para almoçar ou jantar no Verão. Já aí estavam os outros convidados que tomavam os aperitivos: Júlio Andrade, Tomás Azeredo e Silva, irmão de José Maria, e Rodrigo Pascoais com as respectivas mulheres. Todos eram conheci-dos de longa data de Miguel e Joana e íntimos dos Azeredo. No cami-nho, entre a porta e o jardim, Azeredo dirigindo-se a Miguel disse:

— Já falei com quase todos os accionistas da lista e tenho notícias para ti. Falaremos disso no fim do jantar.

Júlio Andrade é também um velho conhecido de Miguel e de Joana. Era ele o ministro das Finanças quando os dois se encontraram numa assinatura de contratos no ministério. A assinatura arrastou-se por todo o fim-de-semana e eles arrastaram-se também na cama do quarto do Tivoli. Foi nesse fim-de-semana que começou o romance entre Joana e Miguel. Mas essa parte nunca eles contaram ao velho professor. Os outros dois são médicos e companheiros de longa data de viagens e de golfe dos Azeredo. Apesar de pertencerem a outra ge-ração, são pessoas divertidas que formam um grupo animado. Miguel e Joana já os convidaram para sua casa vezes sem conta.

O jantar é servido na varanda da sala de jantar que fica num plano superior ao jardim e da qual pode ver-se, ao longe, o mar. José Maria dedicou grande atenção a este pormenor, desde a escolha do lote até ao desenho da casa, pois queria ter a certeza de avistar o mar. A con-versa durante o jantar decorreu num ambiente divertido, com o relato de episódios passados no cruzeiro ao Mediterrâneo que o grupo fizera recentemente. Joana permaneceu quase todo o tempo em silêncio e alheada da conversa. Nem as graçolas do irmão de José Maria, que todos faziam rir, lhe arrancavam mais do que um breve sorriso.

No fim do jantar, desceram de novo para o jardim. Miguel, deixan-do-se ficar ligeiramente para trás, colocou a mão no ombro de Joana e perguntou-lhe o que tinha. Parecia maldisposta. Sacudindo a mão com um ligeiro movimento de ombros, quase imperceptível, respon-deu secamente:

— Nada. Deixa-me.

E logo se afastou para se juntar às outras mulheres, que agora esco-lhiam uma mesa num local mais abrigado, enquanto os homens come-çavam a caminhar pelo jardim como sempre faziam depois do jantar.

Pouco depois da meia-noite, os dois médicos saíram e José Maria aproveitou para conversar sobre a OPA com os dois amigos. Júlio, foi sempre o melhor conselheiro de Azeredo. Estava por dentro de todas as diligências que Azeredo fizera e de todos os problemas do BNCE. Azeredo sentia-se completamente à vontade para falar sobre o banco diante de Júlio.

— Como te disse — começou José Maria dirigindo-se a Mi-guel —, já conversei com quase todos os accionistas da lista. Não falei directamente com todos, pois o Júlio fez o favor de contactar alguns com os quais tem alguma intimidade. Primeiro as boas notícias. Já garantimos 35 por cento do capital que votará incondicionalmente connosco. Com os nossos 30 por cento, temos uma larga maioria. Isto é bom, mas não chega para inviabilizar a OPA. Os que estão connosco dão-nos o seu voto em qualquer assembleia geral e não vendem. Mas falta-nos ainda conseguir mais 6 por cento para inviabilizar a OPA. O problema reside nesses. Não sei se vamos conseguir convencê-los. Foram esquivos e não se comprometeram. Tanto podem ir para um lado como para o outro. Mas sobre esses deixo o Júlio explicar-te, uma vez que foi ele que fez os contactos.

— É como diz o Zé Maria, Miguel, julgo que terá de se preparar para todas as contingências. Os accionistas com quem falei não mostraram grande disponibilidade para se juntar a nós. Pela minha experiência, ou já estão comprometidos com o outro lado, ou estão mais interessados em vender. É claro que há ainda qualquer coisa como 27 por cento de accionistas cuja reacção desconhecemos. Nada impede que aconteça uma surpresa agradável. Ou até destes que contactei. No entanto, também é possível que entre os «nossos» venha a haver uma ou outra baixa... Acho sinceramente que não vale a pena insistir com estes 8 por cento, na medida em que pode até ser contraproducente.

Em seguida forneceu pormenores das conversas e das posições individuais. Para Miguel não era surpresa. Já esperava aquilo.

— Acho que tem razão. Não devemos insistir. A verdade é que também nós temos algumas fragilidades visto que ainda não conseguimos introduzir a reorganização do banco que é mais que necessária. Por isso, a nossa estratégia de ataque tem sido bastante contida. Não queremos entrar a discutir os pormenores da vida do banco. Mas julgo que a estratégia mais inteligente será tentar atrair o oferente para uma revisão da oferta. Na próxima semana faremos a divulgação do comentário da administração da sociedade visada. Eu darei também uma entrevista ao *Expresso*. Vamos aproveitar o bom momento para nós. Eles tiveram, nas últimas duas semanas, vários insucessos que tentarei explorar. Agora queria que eles anunciassem a revisão da oferta. Acho absolutamente inevitável que o façam. É só uma questão de tempo. Precisam de alguma coisa que faça subir as cotações e que dê ao mercado a sensação de que retomam a iniciativa. Só dispõem de uma: a revisão da oferta. Esta pode ser feita em dois sentidos. Ou aumentam o preço, ou aumentam o número de acções objecto da oferta. Neste caso, terão de converter numa oferta total. E era isso que eu gostava que acontecesse. Se o vão fazer, agora é sem dúvida o momento. Se assim for, abre-se um novo caminho para a nossa defesa. Poderemos explorar a fragilidade da insuficiência de capitais próprios de várias maneiras. Vão ficar, ou porventura já estarão, numa situação muito incómoda: arriscam-se a ganhar a oferta e a ficar em minoria no capital do BNCE, coisa que nunca pensaram que lhes pudesse suceder. Agora é praticamente certo. O melhor que lhes pode acontecer será perder a OPA, não conseguindo reunir os 30 por cento que fixaram como mínimo. Quando o fizeram admitiram que nós não conseguiríamos ir além dos 40 por cento. Este erro de cálculo será a nossa salvação. Quando se aperceberem dele, só terão duas alternativas: ou deixam correr, ou transformam a oferta em geral. Provavelmente tomarão este caminho, pois não podem correr o risco de ficar com 30 ou 32 por cento do capital e nós com 51 por cento. Os seus accionistas não lhes perdoariam. Para nós nem era mau. Corria com as *catatuas* e elegia um conselho de administração em que nós e o BIAP ficávamos com representações proporcionais. Depois o conselho nomeava uma comissão executiva: eles ficavam não-executivos e nós executivos. Seriam o ridículo do mundo financeiro. Mas estas contas também eles sabem fazer, por isso estou convencido de que não têm neste momento já qualquer alternativa se não ir para uma oferta geral.

Os outros concordavam com a análise de Miguel, embora Azeredo não estivesse assim tão certo de que o BIAP fosse para já mexer na oferta. O serão terminou já tarde e Miguel regressou a Lisboa. Desta vez com ele ao volante e Joana sentada a seu lado, silenciosa.

Na semana seguinte, Miguel daria a entrevista ao *Expresso* que seria publicada no sábado. Dois dias antes, o conselho de administração emitiu, nos termos da lei, o seu relatório sobre a oferta. Optou por não fazer uma conferência de imprensa como alguns dentro do banco pretendiam. Preferiu a entrevista que, apesar do menor impacto, lhe permitia afinar melhor o tiro.

Miguel beneficiou assim de quatro dias de exposição mediática. Na entrevista reforçou e desenvolveu os argumentos do relatório. Fê-lo de forma simples, para contrastar com o tom pretensioso de Bernardo Noronha. Miguel sabia que as OPA se ganham também na opinião pública. Falou muito do sistema bancário na Europa e em Portugal e no contributo que poderia dar ao desenvolvimento do nosso país. Socorreu-se de exemplos da nossa história económica para demonstrar que a actividade bancária não se justifica a si própria, não é um fim em si mesmo. Sem nunca atacar directamente o outro banco, salientou a boa *performance* do seu, naqueles domínios em que a do BIAP era menos favorável. Contudo, fugiu à tentação de falar nos rácios de capital, nos custos com pessoal ou nas remunerações das administrações dos dois bancos.

Quando a experiente jornalista que o entrevistava pretendeu introduzir esses temas, afastou-os liminarmente:

— Costuma dizer-se que cada um sabe de si. Eu não me pronuncio sobre a casa dos outros.

No entanto, foi habilmente semeando junto dos leitores algumas dúvidas sobre a lógica da oferta. Qual o nexo de o BIAP deter um terço do capital do BNCE? Que interesse teria para os accionistas dos dois bancos? E para o mercado? E que espécie de banco seria o BNCE com a sua gestão partilhada com um concorrente?

Já o relatório divulgado dias antes trabalhara os mesmos temas, mas a entrevista permitia-lhe ir mais longe e ser mais incisivo. Aparentando confiança, falava da possibilidade de o BIAP participar na gestão do BNCE como se isso não lhe causasse qualquer problema. Era aos accionistas do BIAP que se dirigia embora não o dissesse.

Nos dias imediatamente após a entrevista, mais uma vez as cotações das acções do BIAP caíram. O ambiente no mercado era agora de grande expectativa. Ninguém acreditava que o BIAP não reagisse. Com calma e ponderação, Miguel ganhara o segundo *round* e preparava-se agora para iniciar um mini *road show* em Londres e Nova Iorque.

* * *

Rui estava mais calmo, desde que fizera a descoberta do documento sobre as compras de acções do BNCE. Acompanhava agora diariamente a Bolsa e a evolução da OPA. Lia tudo o que com esta se relacionava, desde os diários generalistas até aos jornais económicos e de negócios. Via atentamente os telejornais, estava completamente ao corrente da situação da oferta e sabia de cor as cotações da bolsa. Apesar de Carla lhe recusar a informação que ele queria sobre a posição de Paiva no BIAP, através de algumas coisas que tinha apanhado no ar, fizera uns cálculos com os quais determinara aproximadamente a dimensão dessa posição. Na posse desses elementos, calculava diariamente o prejuízo de Paiva.

Tinham passado quase duas semanas desde o jantar no Visconde da Luz. Estava a acabar o prazo que Mário lhe concedera para pagar os 35 000 euros. Era o momento de agir. Telefonou a Paiva e combinou almoçar com ele na quinta-feira. Disporia ainda de dois dias, pois só tinha de pagar a Mário no domingo. Com ele, os prazos não se interrompiam nem passavam para o dia útil seguinte. Antes, porém, tinha ainda uma diligência a fazer, pois Paiva não era o único destinatário da lista de compras do BIAP.

No princípio da semana tinha pedido uma entrevista com o segundo potencial interessado naquela informação. Ficara marcada para essa quarta-feira. Sabia pelos jornais que ele estaria fora no início da semana. A entrevista foi prontamente confirmada pela secretária, no mesmo dia. Agora apresentava-se à hora marcada, vestindo um *blazer* e uma camisa azul, mas como sempre sem gravata. Não iria dar ao seu interlocutor o prazer de o ver quebrar um princípio. Não o vê há anos e, das últimas vezes que se encontraram, foi de raspão. Há muito que perderam a intimidade que tiveram na juventude.

* * *

Miguel iniciou o seu *road show* em Nova Iorque. Era para ele uma obrigação penosa. Aquelas sessões com os analistas, os investidores e os jornalistas podiam correr mal ou muito mal, mas nunca bem. Os consultores tinham arranjado as coisas por forma a contar com a presença de alguns accionistas do BIAP. Era também a eles que a sessão se dirigia. Tratava-se de gestores de fundos de pensões e de *hedge funds*, bem como de alguns bancos de custódia internacional. A estratégia era desacreditar o BIAP e a oferta sem a atacar directamente. Miguel evidenciou as diferenças entre os dois bancos sem nunca falar do outro. Limitou-se a chamar a atenção para os pontos fortes do BNCE. Foi franco e directo, como os americanos gostam. Foi-lhe fácil evitar os tiques de arrogância e snobismo de Bernardo, sempre tão habituado a sair aos ombros de si próprio. Sem triunfalismos, mostrou-se seguro do insucesso da oferta, apesar de afirmar repetidamente que era ao mercado que cabia a última palavra. No fim da sessão, os participantes saíram convencidos de que ele sabia bem o que queria e o que fazia. Os seus accionistas mais inclinados a não vender, os do BIAP mais cépticos em relação à lógica desta OPA.

Em Londres foi ainda melhor. Logo pela manhã viu que os jornais financeiros tinham captado a sua mensagem. Sem grandes elogios, relatavam a sessão de Nova Iorque salientando a calma e serenidade do CEO do banco e a visão que demonstrava. Apontavam alguns defeitos à sua gestão, nomeadamente a lentidão com que as reformas avançavam. Parecia que o banco estava adormecido. Apesar disso, elogiavam a estratégia e salientavam os seus pontos fortes, comparando-os com os do BIAP. Deixavam os leitores tirar a conclusão: era evidente a superioridade do BNCE. Mesmo assim, concluíam elogiando o dinamismo e a agilidade do sempre privado banco dos Hallbrook.

Depois de ler o artigo do *WSJ Europe*, Miguel sentia-se mais seguro. A sessão de Londres não lhe correu pior do que a de Nova Iorque. Mais curta e menos concorrida, mas com mais representantes seniores dos investidores institucionais. No fim, conversou demoradamente com alguns participantes, muitos deles velhos conhecidos do tempo em que trabalhara na City.

Regressou a Lisboa ao fim da manhã de quarta-feira, satisfeito com a evolução dos acontecimentos. A reacção do mercado era bom presságio. A sua tática parecia estar a resultar. Agora, era só esperar que o BIAP entrasse pelo canal que estava aberto, depois faria como Nuno Álvares Pereira em Aljubarrota — apertaria a tenaz com quanta força tinha...

O BIAP iria em breve defrontar-se com o problema. Se não revisse a oferta, passando-a a geral, corria sério risco de adquirir uma posição no BNCE que Miguel Machado converteria em irrelevante. Quando a vendesse, o que fatalmente teria de fazer, incorria em sérios prejuízos. Os accionistas do BIAP não lhe perdoariam e certamente não esperariam muito para o destituir. Sairia em desgraça do banco que o seu avô fundara e que o seu tio tanto lutara para manter na família.

Bernardo Hallbrook estava ciente deste problema, uma vez que dispunha da mesma informação que Miguel. Sabia que só tinha uma saída: converter a oferta numa OPA geral. Ou seja, propor-se comprar a totalidade do capital do BNCE e não apenas 33 por cento. Mas para comprar 100 por cento do capital, o BIAP teria de dispor de capitais próprios muito superiores aos que actualmente possuía. Fazer desde já um aumento de capital da dimensão necessária seria o mesmo que vender o banco, pois a posição dos seus actuais accionistas ficaria tão diluída que perderia o controlo. E era preciso que a autoridade monetária aprovasse. Não, essa não seria a solução. Bernardo só encarava agora duas alternativas: ou arranjava um parceiro para entrar na operação, ficando com uma parte, por exemplo, metade do capital do BNCE durante uns anos, até que o novo BIAP tivesse capitais para comprar essa posição, ou convertia a OPA seguindo um outro esquema que andava a arquitectar.

No entanto, qualquer dessas opções era arriscada e fornecia ao BNCE nova artilharia. Desde logo a passagem a oferta geral era uma fuga em frente que o mercado imediatamente reconheceria como sinal de dificuldades do oferente. A entrada de um novo parceiro abria também caminho ao contra-ataque. Logo se diria que, na prática, era um acordo de parqueamento. A parte adquirida pelo parceiro ficava como que «estacionada» no balanço deste até que o BIAP tivesse dinheiro para a pagar. Contudo, as acções pertenciam, de facto, ao BIAP. Não era uma opção que caísse bem junto das autoridades nem do mercado, embora pudesse sempre argumentar-se que havia precedentes. Mas o que aconteceria se as coisas corressem mal e o BIAP não arranjasse dinheiro para pagar as acções ao preço previamente combinado, acrescido do custo dos juros? Se Bernardo seguisse esse caminho, não seria difícil a Miguel expô-lo perante o mercado e as autoridades.

A segunda opção era, como tal, a mais atraente para o BIAP. Se a oferta não resultasse, não se veria obrigado a recorrer ao aumento de capital. O efeito imediato da diluição não seria tão grande. Depois, o BIAP trataria de vender rapidamente alguns activos do BNCE para reduzir o endividamento e melhorar os rácios de capital. Essa seria muito provavelmente a opção menos má para Bernardo.

E também a melhor solução para Miguel. Acontece, porém, que durante a viagem com Francisco Botelho e Rui Soares, o director encarregue da operação de defesa, Miguel não partilhava com eles aqueles pensamentos. Preferia disfarçar o seu optimismo quanto ao desfecho provável da operação.

Todavia, ao regressar a Lisboa, Miguel não estava apenas optimista, vinha sobretudo intrigado. Dois dias antes, ainda em Nova Iorque, recebera, através da sua secretária, um estranho pedido de entrevista de Rui Borges. A acontecer, teria de se realizar na tarde de quarta-feira. Pensou em recusar, até porque não gosta que lhe imponham condições, mas a curiosidade venceu-o.

Há muito tempo que Rui deixou praticamente de lhe dirigir a palavra. Quando se encontram, limita-se a um cumprimento cordial mas seco ou simplesmente faz «vista grossa». Naturalmente Miguel faz o mesmo. Aquele pedido de entrevista era por isso muito estranho e intrigante, a ponto de desviar a atenção de Miguel da OPA.

Rui apresentou-se no banco dez minutos depois da hora marcada e foi encaminhado para a pequena sala de reuniões utilizada para receber clientes. As paredes forradas de seda bege, ostentam óleos de pintores portugueses e holandeses. O mobiliário é sóbrio: dois sofás e uma pequena mesa de apoio com cinzeiros e livros, uma mesa inglesa de meia-lua com um candeeiro, encostada à parede, e outra de pé-de-galo com seis cadeiras, no canto da sala. Bonito, se bem que muito impessoal. Miguel não quer dar-lhe confiança recebendo-o no seu gabinete de trabalho.

Depois de o fazer esperar durante um quarto de hora, Miguel entrou na sala descontraído e em mangas de camisa, como sempre fazia nas reuniões internas. Transportava consigo os documentos para a reunião seguinte. Só vestia o casaco para receber clientes ou outras pessoas de fora. Calculando que Rui não estaria ali para abrir conta, resolveu tratá-lo sem cerimónia:

— Desculpa a espera, mas a minha agenda de hoje é um caos. Estive fora e só regressei há pouco. Como querias vir hoje, tive de arranjar este espaço um bocado à má fila. Tomas um café?

— Já me ofereceram e já tomei. Obrigado — respondeu Rui apontando para a chávena vazia colocada a um canto da mesa de apoio entre os dois sofás.

Com um gesto amplo, Miguel convidou Rui a sentar-se. Depois, sentou-se no sofá em frente dele, colocando os papéis sobre os livros de pintura que descansavam em cima da mesa de apoio.

— Em que posso ser-te útil? — perguntou indo direito ao assunto.

Reclinado no sofá, Rui exibia o seu sorriso que transmitia sinceridade. Utilizava-o sempre que queria impressionar, tanto mulheres como homens. Geralmente resultava. Era um dos seus maiores trunfos. Transbordava descontracção quando respondeu, sorrindo sempre:

— Não será tanto em que podes tu ser-me útil mas em que posso eu ser-te útil a ti, meu caro.

— Ah!? — reagiu Miguel, aguardando uma explicação.

— Tenho seguido com muito interesse, através dos jornais, a batalha que estás a travar para defender o teu banco da oferta do BIAP e acho que te tens saído bem até agora. Mas concordarás comigo que ainda está tudo muito no início. Tanto mais que a Concorrência já deu vários sinais de que irá pedir uma investigação aprofundada.

Fez uma breve pausa para aumentar o impacto da sua afirmação. Queria que Miguel percebesse que ele estava realmente a par da evolução da OPA. Depois continuou:

— Admitindo que algumas informações que possuo, podem ajudar-te neste combate, queria saber se estás interessado. A questão é que o BIAP terá violado o Código dos Valores Mobiliários. Com as provas que tenho, é muito provável, para não dizer certo, que a CMVM venha a chumbar a OPA de imediato, já para não falar de eventuais sanções que serão aplicadas ao oferente.

Miguel percebia agora o objectivo da entrevista e o tom simpático de Rui e sabia bem como responder ao seu oportunismo:

— Agradeço a tua preocupação. O que me dizes é que tens conhecimento de ilegalidades praticadas pelo oferente. Bom, nesse caso, o teu dever é denunciá-las, entregando as provas que tens à CMVM. A mim, não. Se não o fizeres, arriscas-te a ser considerado cúmplice dessas eventuais ou alegadas ilegalidades. Esta conversa nem devia ter lugar. Eu vou ganhar este combate, mas com jogo limpo. Se outros o não fizerem, o problema é deles.

Rui percebeu logo que o seu esquema estava comprometido. No entanto, não se desmanchou, mantendo o seu sorriso e o ar de dono da situação:

— Tu é que sabes, Miguel. Longe de mim, pretender dar-te conselhos. Não tenho dúvidas sobre as irregularidades do oferente. Os elementos que possuo têm interesse para outras partes desta operação, pelo que se tu não estás interessado... Não te preocupes. Haverá quem esteja.

Com esta insinuação levantou-se, para que fosse ele a dar a entrevista por terminada. Habituado a estes tiques de Rui, Miguel não reagiu, levantou-se também e acompanhou-o até ao elevador. Rui, sempre muito cordial, quando o elevador chegou, despediu-se:

— Boa sorte para a tua batalha e dá saudades à Joana. Ela está melhor da tendinite? A fisioterapeuta que lhe recomendei faz verdadeiros milagres.

Muito ao seu estilo, Rui recuperava o controle da situação, atirando no último minuto uma bomba para ver como o outro reagia. Miguel, abananado, disfarçou a sua surpresa o melhor que conseguiu:

— Sim, sim, já lhe passou e está óptima. Tanto assim que já voltou ao ténis em grande força.

Rui premiu o botão do Piso 0 e as portas do elevador fecharam-se. Estava satisfeito. Saía de mãos a abanar, mas o outro não ficava a rir-se. Os estragos que o seu veneno causaria eram difíceis de avaliar, para já.

No ano anterior, Joana tivera uma crise de *ténis-elbow* que a obrigara a deixar de jogar durante todo o Verão e parte do Outono. Mal conseguia mexer o braço. Tentou vários tratamentos e nenhum fazia efeito, até que experimentou um centro de fisioterapia novo. Ao fim de algumas semanas estava óptima e voltava aos *courts*. Disse então a Miguel que esse centro de fisioterapia lhe fora recomendado por Teresa, sua amiga. Miguel ficara agora a saber que afinal fora Rui quem lho indicara. Mas não sabia como, nem em que circunstâncias. Rui lançara o veneno da dúvida. Miguel, para saber o resto da história, teria de perguntar a Joana, o que não queria fazer.

Em princípios de Setembro do ano anterior, Miguel e Joana acabavam de regressar de férias quando Teresa ofereceu o habitual jantar de aniversário ao seu círculo de amigos mais restrito. Miguel seguira para uma reunião no estrangeiro, por isso Joana foi sozinha ao jantar. Como o cotovelo ainda lhe doía e limitava os movimentos, pediu boleia a um casal amigo. Depois do jantar, foram para uma discoteca no Estoril. Apesar do incómodo causado pela tendinite, Joana estava bem-disposta. Descansada das férias e bronzeada, estava num dos seus dias. Na discoteca, encontrou vários amigos que não via há muito tempo, dançou muito e divertiu-se.

Da pista viu Rui, que entrava acompanhado de Marta. Ele, que de imediato a viu, fez no entanto vista grossa e foi colocar-se no extremo oposto. Joana continuou a dançar. Meia hora mais tarde, viu-o encaminhar-se com Marta para a saída. «Não quer encontros», pensou Joana. E não se preocupou mais com isso. Passado um bocado, já Joana estava de novo na sua mesa, Rui voltou a entrar na discoteca, agora já sem Marta. Fora deixá-la a casa e voltava só. Joana riu-se para dentro, lembrando-se de outros tempos em que o vira, vezes sem conta, fazer este número. Muitas vezes fora ele pô-la a casa precipitadamente! Isso deixava-a fora de si.

Passado pouco tempo, já Rui estava de copo na mão à conversa com um amigo, estrategicamente colocado entre a mesa de Joana e a pista de dança. Em posição de dar de caras com ela. Tudo estudado ao milímetro. Muitos anos de experiência em estratégia e táctica de engate.

Fingindo vê-la pela primeira vez, afastou-se do amigo e aproximou-se da mesa para lhe falar. Simpático, com o seu sorriso emblemático, disse umas graças sobre a discoteca e algumas pessoas. Depois, perguntou-lhe pelos filhos e, por fim, por Miguel. Não por estar muito interessado na sua pessoa, mas para averiguar se ele ainda era esperado nessa noite. Quando percebeu que não, descontraiu um pouco mais. Como Joana o não convidasse para se sentar, aproveitou um lugar que vagou ao lado dela quando várias pessoas foram dançar e perguntou-lhe se podia sentar-se. Ela naturalmente acenou afirmativamente. Joana estava divertida. Estava muito bem nessa noite e sabia-o, pela maneira como os homens a olhavam. Sentia-se inspirada. Bebera sangria ao jantar e, como não ia guiar, pedira um *whisky* na discoteca. Não chegava para a pôr a cantar, mas animava-a.

Sentindo-a descontraída, Rui distribuía o seu *charme* em doses maciças. Contava histórias mais ou menos imaginadas, falava de livros, de filmes e de música. Os seus temas favoritos. Embora já tivesse bebido um bocado, como aguentava muito, encontrava-se ainda longe de estar entornado. No seu ponto alto, queria impressionar. Quanto a Joana, sentiu-se lisonjeada. Depois de quase uma hora de conversa, Rui, aproveitando uma música de que sabia que ela gostava particularmente, convidou-a para dançar e Joana aceitou. Entretanto, os amigos de Teresa começaram a sair da discoteca, até que ficaram apenas Teresa e o marido. Aproveitando um momento em que Rui estava de costas, Teresa fez sinal a Joana apontando para o relógio. Joana respondeu-lhe com um discreto aceno com a mão do qual ninguém, excepto Teresa, se apercebeu.

Regressaram à mesa, já vazia. Joana, justificando-se com a partida dos amigos, pediu-lhe boleia.

No caminho para Lisboa, quando parou nos semáforos do Estoril, Rui beijou-a na boca. Ao mesmo tempo, com a mão esquerda acariciava-lhe a face. Os insistentes sinais de luzes do carro atrás de si fizeram-no regressar à realidade. Sem dizer uma palavra arrancou e seguiram em silêncio. Rui guiava devagar.

Já quase no fim da auto-estrada, Rui colocou a mão no joelho de Joana e deixou-a ficar. Depois fê-la deslizar lentamente pela coxa, acariciando a sua pele macia. Esperava que ela o travasse, o que não aconteceu...

Já em Lisboa, sem dizer uma palavra, contornou a Praça de Espanha e seguiu pela Av. Columbano Bordalo Pinheiro, virando à direita na Madame Curie. Aí estacionou o *Honda* e saiu do carro. Joana imitou-o, sem saber para onde ia. Enquanto se encaminhavam para a porta do velho prédio, Rui explicou:

— Este andar está alugado pelo Ricardo há anos. Não é nada de especial, mas está mobilado. Ele morou aqui antes de ir viver com a Rita. Agora não o usa, mas como a renda é baixa, não o devolveu. Nunca se sabe o dia de amanhã...

O que Rui disse era rigorosamente verdade. Omitiu porém que o andar é utilizado agora pelos três amigos que suportam os respectivos encargos — Rui, Ricardo e Manuel — para os seus engates. Depois de entrar em casa, enquanto Joana foi à casa de banho, Rui enviou aos outros a mensagem convencionada: *cheguei!* Depois de a receberem, não podiam ir lá enquanto ele não «devolvesse» o apartamento com uma nova mensagem. Era o que eles chamavam o sistema *first to come, first served.*

Quando, duas horas mais tarde, saíram do apartamento, Joana sentia-se liberta. Ao mesmo tempo, porém, sentia também remorsos pela sua infidelidade. Era a primeira. Nunca antes tinha traído ninguém. Mas naquele momento o seu sentimento dominante era o de alívio. Tinha finalmente exorcizado um demónio que vivia em si atormentando-a, desde aquele dia em que encontrara Rui com Marta no seu sofá. Não suportava imposições, e a ruptura com Rui fora-lhe imposta, de uma forma que ela nunca aceitara verdadeiramente.

Embora já estivesse muito entusiasmada, só tomara realmente consciência do que ia passar-se quando Rui lhe pusera a mão no joelho. A partir dessa altura não teve qualquer hesitação, sabia exactamente o que queria. Agora que tinha feito a sua catarse, sentia-se finalmente livre daquele fantasma.

Joana revivera com agrado o instinto maternal que Rui sempre lhe inspirara. Essa foi sem dúvida a melhor parte. A insaciável carência de afecto de Rui e a sua dependência dela sempre tinha sido um dos pilares da sua relação. O sexo propriamente dito fora, como sempre com Rui, um pouco atrapalhado. Depois tinham dormido aninhados durante uma hora.

Quando se despediram, Joana beijou-o e disse-lhe simplesmente:
— Não me fales, deixa que seja eu a telefonar-te.

Depois, entrou em casa, tomou um duche e meteu-se na cama. Passava das cinco da manhã. Estava cansada, mas invadida por uma tranquilidade como há muito tempo não sentia. Apesar do arrependimento, sabia que tinha feito uma coisa indispensável. Apaziguava a sua consciência, racionalizando o seu comportamento. Encararia aquela noite com Rui como uma consulta indispensável de psicanálise. Só que mais divertida e mais barata...

17
ENCONTROS E DESENCONTROS

Naquela quinta-feira, Rui chegou pontualmente à uma hora da tarde ao almoço com Victor Paiva. Dessa vez, Paiva marcara o encontro num restaurante muito perto do outro, ainda que bastante diferente — um grande restaurante conhecido pelo seu frango na grelha, um dos petiscos preferidos de Victor Paiva. Por sinal, coisa que Rui abomina. No entanto, aceitou pacificamente a escolha do outro. Percebeu também a mensagem implícita na escolha do local. Para a reforçar, Paiva chegou dez minutos atrasado. Rui esperou em pé, à porta. O restaurante estava quase cheio, mas Victor Paiva era conhecido. O criado encaminhou-os para uma mesa reservada, num recanto da sala menos ruidoso. Paiva explicou que tinha sempre a sua mesa reservada, pois vinha aqui quase diariamente.

Paiva escolheu frango de fricassé e Rui pediu *strogonoff* de frango. Fê-lo com displicência para mostrar ao outro que pouco lhe importava o almoço e o restaurante. Victor Paiva também não se cansou muito com conversa de circunstância. No primeiro encontro tinha feito a sua avaliação de Rui. Depois fizera algumas perguntas. Confirmara as suas suspeitas: *Jogador viciado e incorrigível, capaz de vender o pai, a mãe e a mulher por meia hora de jogo,* foi assim que a sua fonte resumiu o perfil de Rui.

Feitos os pedidos, Paiva não perdeu tempo e, enquanto se servia de vinho, perguntou-lhe:

— Então doutor, o que tem para mim?

— Julgo que algo de muito interessante. Tenho informações que podem deitar esta OPA abaixo.

Paiva não pareceu impressionado. Continuou sempre a fitá-lo à espera que continuasse.

— Sei que o BIAP tem feito avultadas compras de acções do BNCE, sem ter ainda autorização da CMVM. Se reparou nos volumes tran-

184

saccionados nas últimas semanas, viu que a partir de um certo dia, os volumes dispararam. Sei quem tem comprado essas acções em nome do BIAP.

— Mas isso não constitui novidade. Toda a gente o sabe. Certamente a CMVM está já a investigar. O que pode você dar-me para «ajudar» as autoridades, essa é que é a questão? — respondeu-lhe um Paiva deixando cair o «doutor» e já sem paciência para este teatro que Rui fazia para valorizar o seu «produto».

Sentindo a impaciência na voz de Paiva, Rui apressou-se a responder-lhe:

— Posso entregar-lhe o programa das compras, com a lista das empresas em centros *offshore* que estão a fazer as compras e os montantes do programa, por empresa. Com este documento, bastará averiguar quem são os representantes e os verdadeiros donos dessas empresas. Pode entregar isto directamente à CMVM, o que pode ser incómodo se tiver de explicar como lhe foi parar às mãos. Pode também passar a lista a um jornalista amigo para que escreva um artigo com as dúvidas e as conclusões que se podem retirar. O seu nome não tem de aparecer pois o jornalista não é obrigado a revelar as suas fontes se invocar o sigilo profissional.

— E que contrapartida quer por este documento? — inquiriu Paiva, que estava já visivelmente interessado.

Rui sentia que estava agora senhor da situação.

— Já lá vamos. Primeiro, devo esclarecê-lo de que se trata de um documento cuja autenticidade não pode ser confirmada, pois está apenas datado, sem assinatura e impresso em papel branco. Portanto, qualquer um o poderia ter escrito. O valor probatório é-lhe conferido pela confrontação com a realidade. Acha que pode ter interesse para si?

Paiva estava agora a perceber completamente o jogo de Rui e tentava ganhar espaço de manobra:

— Pode. Eventualmente pode. A questão é saber o que pode sair da sua informação. Se me resolver o problema será uma coisa. Caso contrário, nada vale. Terei de confirmar a informação primeiro. E também depende de quanto me vai custar...

Rui sabia que agora a bola estava do seu lado, e atirou de chofre:

— A informação de que lhe falo serve seguramente para bloquear a OPA. O que peço — 100 000 euros — é pouco, comparado com o valor da informação.

Paiva coçou o queixo, pensativo, antes de falar. Depois, com ar contrafeito, disse:

— Doutor, estamos a falar de muito dinheiro. Não é que não seja possível, mas acho muito dinheiro, por uma informação sem confirmação e cujos resultados são ainda duvidosos. Fazemos assim: dou-lhe o que pede caso a OPA caia. Só nesse caso. Aqui tem a minha contraproposta: dar-lhe-ei esse dinheiro se, em consequência da sua informação, esta oferta cair. Pelos documentos de que falou dou-lhe já 10 000 euros. Depois vou analisar. Como compreende, só depois de ver o que tem, me posso pronunciar. Para já ofereço 10 000 no escuro e 100 000 se for eficaz. Entre uma coisa e outra, só depois de ver.

— Isso para mim não é aceitável. Dou-lhe a informação e não controlo o que faz com ela a partir daí. Dez mil euros por isso é muito pouco. Aceito o princípio que referiu de me pagar em duas fases. Uma primeira pelo documento e uma segunda se a OPA for derrotada, em consequência desta informação. Aceito como boa a sua palavra para este acordo. Mas o valor à cabeça tem de ser pelo menos metade.

— Então doutor, temo que não vamos fazer negócio — começou Paiva, eterno negociante. — Mas se aceitar 15 000 com o documento, 35 000 com a confirmação da informação e o resto com a recusa da OPA, já podemos pensar nisso.

— Depende de que confirmação está a falar — respondeu Rui, agora assustado com a possibilidade de perder a sua última oportunidade de arranjar os 35 000 euros que tinha de levar no dia seguinte a Mário. — Se o que tem em mente é averiguar se se trata de uma invenção ou se o documento tem algum fundamento, posso aceitar essa proposta desde que o pagamento à cabeça seja de 35 000 e os 15 000 com a confirmação.

Nitidamente em perda, Rui procurava salvar o negócio, numa tentativa desesperada de arranjar os 35 000 para o dia seguinte.

Paiva assumia agora uma pose pensativa de quem estava a estudar a alternativa. Tinha chegado onde queria.

— A minha última proposta, doutor: 20 000 com o papel, 30 000 com a sua confirmação, quer dizer com a constatação de que a informação nele contida tem fundamento e mais 50 000 se a OPA for recusada por causa desse documento. Mas para receber os últimos 50 000, é necessário que a recusa seja directamente resultante do seu documento.

— Aceito — respondeu Rui claramente aliviado.

Finalmente conseguia arrancar qualquer coisa substancial para aplacar a ira de Mário.

Agora teria de convencer Mário a aceitar esta alteração e dar-lhe algum tempo adicional para reunir o dinheiro que faltava. Nessa mesma tarde, entregou a cópia do documento a Paiva e recebeu no escritório deste um envelope pardo A4 com 20 000 euros em notas. A imposição do pagamento em *cash* foi de Paiva, mas Rui não levantou qualquer problema, pois sabia que era melhor para convencer Mário a aceitar este pagamento parcial. Assim não teria de se preocupar com a cobertura de um cheque de Rui, sempre duvidosa.

No entanto, o encontro com Mário foi mais difícil do que Rui previra. Começou por recusar, logo que percebeu que não recebia tudo, sem sequer deixar Rui acabar de explicar. Depois acalmou um pouco quando percebeu que eram 20 000, e em numerário. Mesmo assim, não lhe devolveu os cheques sem data, que só no fim lhe entregaria, se tudo corresse bem; fez até ameaças veladas e não veladas. Insultou-o: «Não és um verdadeiro jogador. Não tens o sentido de honra que é necessário para te sentares a uma mesa de jogo.» E, claro, revogou o anterior acordo de pagamentos escalonados. Deu-lhe quinze dias para aparecer com o resto, ao qual teria de acrescentar uma penalidade. Mais quinze dias para pagar os outros 15 000 com mais uma penalidade por ter desrespeitado o limite de crédito e as datas de pagamento. Caso não cumprisse dois pagamentos de 20 000 euros cada, meteria todos os cheques no banco, cortava-lhe a entrada na sua sala de jogo (que é como quem diz, no seu casino clandestino) e talvez lhe mandasse cortar mais qualquer coisa...

Rui saiu do escritório de Mário aliviado, por um lado, mas verdadeiramente preocupado, por outro. O homem era implacável em matéria de dinheiro. Sabia receber em «sua casa» como um grande senhor, mas no minuto seguinte transformava-se num carroceiro se o seu dinheiro estivesse em causa. Agora estava nas mãos de Paiva. Só ele o podia salvar.

* * *

António Figueiredo andava verdadeiramente deprimido por ver que a possibilidade de ganhar algum dinheiro com o negócio de Paiva se apresentava cada vez mais remota. Um negócio que parecia «no papo», estava a transformar-se num verdadeiro pesadelo. A princípio, Paiva não lhe largava a porta, mais propriamente o telefone, com insistências para que pressionasse Ellen para obter qualquer informação adicional, mas agora nem lhe atendia os telefonemas. Ignorava Figueiredo a evolução recente dos acontecimentos e que Paiva adquirira documentos que podiam resolver-lhe o problema sem precisar mais dele.

A pobre Ellen é que estava agora sob enorme pressão. Tinha-se instalado no escritório um ambiente tenso e de grande desconfiança, desde que a proposta de aquisição do FATB fora travada pela oferta lançada pelo BIAP sobre o BNCE. O cliente estava furioso. Os sócios do escritório tinham reuniões com Bob Perry até altas horas, mas nada transparecia do que se passava. Figueiredo pressionava-a para tentar saber, mas ela pouco podia fazer, sobretudo desde que fora transferida para o Departamento Fiscal. Não podia andar pelo escritório a fazer perguntas indiscretas sobre as operações do Departamento de Fusões e Aquisições.

Como os telefonemas de Paiva tinham diminuído, Figueiredo agora insistia menos com Ellen por causa das informações, mas telefonava--lhe frequentemente. Sobretudo desde que Célia partira de férias para a Argentina, onde permaneceria com a família até ao fim de Agosto. Só então se juntaria ao marido em Portugal. Mesmo assim, Ellen andava esquiva. Recusava a maior parte dos convites que António lhe fazia. Sob os mais variados pretextos. Estava cansada, com dores de cabeça, tinha de se levantar cedo no dia seguinte, e outras desculpas do género.

Com as perspectivas agora diminuídas de concretização do negócio da sua vida, Figueiredo bebia mais. Tão difícil de aturar no dia--a-dia que a mulher inventara um pretexto qualquer para antecipar a partida para Buenos Aires. A verdade é que ele estava agora com um feitio impossível. No escritório implicava com tudo e todos. Chegava tarde e com uma disposição canina. Antes do jantar melhorava ligeiramente. Depois recomeçava a beber e retomava o ciclo.

O Verão avançava quente e húmido em Nova Iorque. Liberto da mulher mas cada vez mais deprimido, Figueiredo raramente conseguia que a amante aceitasse sair com ele. A verdade é que o encanto inicial se desvanecera. Ellen, de início, deixara-se impressionar por aquele quarentão culto e charmoso que tinha um cargo importante, se deslocava de limusina e a levava a restaurantes caros e a recepções em que encontrava pessoas conhecidas das artes, da política e dos negócios. Mas agora estava mais preocupada com o seu futuro. Sentia--se sob pressão no escritório. Alguma coisa não estava bem. As pessoas falavam-lhe de maneira diferente. Ellen não conseguia explicar as diferenças, mas percebia que a atitude dos colegas e dos chefes para com ela se tinha alterado desde o momento fatídico em que aceitara dar ao seu amante aquela informação. A partir de então tudo passara a correr-lhe mal.

Nutria por António Figueiredo sentimentos contraditórios. Por um lado, ele adulava-a e dava-lhe presentes caros. Por outro, não conseguia deixar de ver também o homem de meia-idade, que bebia demais, era um desastre na cama, e a tinha levado a cometer uma ilegalidade, para não dizer um crime. Nos últimos tempos, esquivava-se dele o mais que podia.

Aproveitando a ausência da mulher, Figueiredo insistia com Ellen para que viesse passar as noites e os fins-de-semana com ele. Ela arranjava maneira de se escusar. Ocasionalmente jantava com ele em restaurantes de Nova Iorque, mas não ia com ele para casa. Um dia, insistiu tanto que acabou por convencê-la a acompanhá-lo a Washington, onde iria participar num seminário de um dia sobre projectos no Iraque, patrocinado pelo Banco Mundial e pelo governo americano. Dali seguiriam para um fim-de-semana em Williamsburg.

Partiram na quinta-feira a meio da tarde no *Porsche* de António Figueiredo. Chegaram antes da hora do jantar ao Hotel Four Seasons. Figueiredo esmerou-se; arranjou uma suíte magnífica. Pouco depois de chegarem, deixou Ellen a jantar sozinha no hotel enquanto foi ao jantar de abertura do seminário no Hotel Carlton. No dia seguinte, pouco depois do pequeno-almoço, Figueiredo partia para a reunião na sede do Banco Mundial que duraria todo o dia, deixando mais uma vez Ellen no hotel. Sugeriu-lhe que fosse às compras e fez questão de lhe deixar o seu cartão de crédito. Ellen inicialmente recusou, mas perante a insistência dele, acabou por ficar com o cartão, só para que ele a deixasse em paz. Veio ao exterior despedir-se dele e ficou a vê-lo afastar-se no seu *Porsche* descapotável. Era, de facto, uma fraca figura. Ellen não percebia como se tinha deixado enfeitiçar por este homem baixo e barrigudo, obcecado por dinheiro, interesseiro e totalmente desprovido de carácter. Não era o seu primeiro caso com um homem casado, mas era a primeira vez que se deixava arrastar para uma aventura que a fazia violar a lei. Agora, o sentimento de culpa não a largava. De cada vez que via Figueiredo só se lembrava disso. Por isso, evitava cada vez mais encontrá-lo ou mesmo falar-lhe pelo telefone.

Depois de vaguear por Georgetown durante duas horas, apanhou um táxi para o Mall e enfiou-se nos museus. Ao menos tiraria partido daquela visita no plano cultural. Há muito que não visitava museus e aí passou a maior parte do dia, tentando abstrair-se da sua sórdida aventura com Figueiredo e do sentimento de culpa que a assolava. Ao fim da tarde, passeou na Baixa. Cruzava-se com batalhões de jovens da sua idade que àquela hora de sexta-feira são literalmente despejados dos edifícios de escritórios. Vestidos com a tradicional «farda» de advogados, consultores ou *lobbyists*: eles de fato escuro de riscas e camisa branca, elas com os seus *tailleurs* pretos ou cinzentos, igualmente de riscas, e as suas blusas de seda branca. Muitos vinham em grupos. Alguns casais regressavam a casa juntos, no fim de um dia de trabalho. Ellen não podia deixar de pensar que era essa a vida que queria para si. Poder regressar a casa com alguém da sua idade com quem partilhasse valores e objectivos — um projecto de vida. Não um debochado de meia idade, com uma mulher, uma ex-mulher, filhos, amantes e um monte de dívidas.

Cada vez mais absorta nos seus pensamentos, e mais deprimida com eles, entrou numa loja onde comprou calças de ganga e umas quantas *T-shirts*. Tudo em saldo e pago com o seu cartão de crédito. O que faria Figueiredo pensar que ela era capaz de utilizar o cartão dele?

Regressou ao fim da tarde ao hotel, onde encontrou Figueiredo já em traje desportivo e pronto para partir. A sua reunião correra bem e acabara cedo. Tinha ainda tido tempo para ir às compras. A prová-lo estava um monte de sacos de compras em cima do sofá do quarto. Partiram finalmente para Williamsburg.

Passaram o fim-de-semana num hotel no centro histórico de Williamsburg: The Farmer's Inn. O edifício colonial do século XVIII fora construído para armazenar o tabaco que os produtores da Virginia vinham vender à cidade. O edifício, abandonado durante muitos anos, fora totalmente reconstruído, quando há umas décadas se procedera ao restauro de todo o centro da cidade histórica de Williamsburg. Fora então convertido em albergue de viajantes, com os atributos de um hotel de cinco estrelas.

Chegaram já tarde. Comeram bem e beberam melhor. Como de costume, Figueiredo adormeceu. No dia seguinte, de manhã, passearam pelo centro histórico. António mostrou-se um guia fraco, pois pouco sabia da história dos EUA. Foi Ellen que fez de cicerone, com as informações que recolhera na véspera, à noite, numa pequena brochura de divulgação que encontrara em cima da mesa da recepção do hotel. Ellen fazia o que podia para disfarçar a sua ansiedade, mas não conseguia ser uma companhia agradável. Longe ia o tempo em que as graças, as anedotas e imitações de António Figueiredo a divertiam.

Depois do almoço, o calor tórrido e húmido convidava a uma sesta da qual acordaram tarde. Só então fizeram amor pela primeira vez em muito tempo. Quase mecanicamente, sem paixão, nem entrega. Fosse do calor, fosse do estado de espírito dos amantes, o certo é a chama de outros tempos se tinha apagado. Até ao fogoso Figueiredo faltava o desejo de outrora. Ao fim de dez minutos, exaustos e vazios, adormeciam de novo, cada um para seu lado.

No domingo, depois do pequeno-almoço, partiam de regresso a Nova Iorque. Fizeram a maior parte do caminho em silêncio. Pouco tinham para dizer. Almoçaram num pequeno restaurante que Figueiredo conhecia, perto de Washington, e seguiram caminho, mais uma vez absortos nos respectivos pensamentos.

Quando se aproximavam de Nova Iorque, Ellen resolveu iniciar finalmente o discurso que vinha ensaiando durante o seu passeio pelos museus de Washington:

— António, obrigada por este fim-de-semana. Tenho vindo a pensar nesta relação e cada vez mais me convenço de que ela não tem futuro. Tu qualquer dia vais para outra parte do mundo. Eu tenho 33 anos e pretendo dar à minha vida um novo rumo. Não posso continuar a viver como se ainda tivesse 20 anos. Gosto imenso de estar contigo e da tua companhia, mas acho que, para nosso bem, devíamos deixar de nos ver durante algum tempo.

Apanhado de surpresa, Figueiredo não sabia o que dizer. Estava habituado a este tipo de situações. Normalmente era ele a começar esta conversa, mas já lha tinham feito algumas vezes. Neste caso não queria ficar a mal com Ellen, pois ela podia ainda ser-lhe útil, embora cada vez menos, devido à sua transferência dentro do escritório. Mas, nunca se sabe... Protestou, utilizando para o efeito várias fórmulas, previamente testadas com sucesso. Elogiosas declarações de amor, algumas das quais Ellen também já ouvira. Frases que caem sempre bem nestas situações. Uma rapariga gosta sempre de as ouvir.

Quando o *Porsche* se deteve em frente ao prédio da Rua 69 onde Ellen Pratts partilhava um apartamento com a sua amiga Laura, despediram-se com um beijo. Figueiredo prometeu telefonar daí a algumas semanas para combinarem almoçar. Queria que continuassem a ser amigos.

Tão distraídos estavam, que nenhum deles reparou no *Ford* preto e nos seus dois ocupantes — dois homens de fato escuro que os seguiram à distância, durante todo o fim-de-semana.

* * *

Algumas semanas antes, no dia do lançamento da oferta, às nove horas da noite um *Jaguar* verde-escuro transpunha o portão e entrava na comprida alameda guarnecida de choupos que conduzia à entrada principal da mansão de Manuel Cervera, nos arredores de Madrid. Bob Perry de imediato avistou o seu anfitrião. Apesar da hora e das luzes eléctricas estarem já acesas, a luz natural do Sol, que acabara de se pôr, permitia ainda ver bem no exterior. Manuel era uma figura típica. Vestia um casaco de linho branco, camisa azul e uma gravata cor-de-rosa. De estatura média, forte e com uma barriga apreciável, o pouco cabelo branco penteado para trás com gel, lembrava um dançarino de tango argentino reformado. Aproximava-se dos setenta anos. O nariz adunco e os lábios finos davam-lhe uma expressão fechada e agressiva. Possuía um olhar inteligente, era afável, mas não tinha ar de boa pessoa.

Bob conhecera-o alguns anos antes, numa reunião do Banco Mundial. Aí se juntam, todos os anos, banqueiros de todo o mundo para falarem e se conhecerem. Nunca acontece nada verdadeiramente interessante nessas reuniões, mas ninguém falta. A verdade é que os banqueiros nem sequer podem entrar na sala onde decorre a reunião. Aí só entram ministros das finanças, governadores de bancos centrais e altos funcionários dos governos, ligados à área financeira. São verdadeiras feiras de vaidades. Tal como nos Óscares de Hollywood, os *cocktails* e jantares sucedem-se. Os maiores bancos esforçam-se para terem a melhor festa. Os banqueiros esforçam-se por ser convidados para o maior número de festas. À chegada, é normal ouvirem-se conversas entre banqueiros em que estes se gabam do número de convites que receberam. Do género: «Já tenho convites para 10 pequenos-almoços», ou «Na quinta-feira tenho 7 *cocktails* e 4 jantares». Bob conheceu Manuel Cervera no jantar do American Express que é dos mais concorridos. Todos querem lá estar; são capazes de matar por um convite. Manuel Cervera estava visivelmente pouco à vontade. Era a sua primeira vez e pouco ou nada falava para além de castelhano e português. Bob Perry, que já se podia considerar um veterano uma vez que já ia na sua quinta participação, meteu conversa com ele em espanhol. Foi para Manuel Cervera uma verdadeira tábua de salvação. Voltaram ainda a ver-se em mais reuniões sociais nesse ano, e ficaram a tratar-se pelo primeiro nome. Criou-se a partir daí uma empatia entre os dois banqueiros, embora não tivessem muito em comum, excepto o facto de pertencerem à mesma geração.

Bob tinha feito uma longa carreira bancária em Wall Street. Manuel Cervera era um *self-made man* que começara a sua vida como servente da construção civil, em Vigo. Chegou a trabalhar também na construção, no Norte de Portugal. Por isso falava fluentemente português. Depois fundou a sua própria empresa que prosperou e se expandiu. Tinha obras em todo o país. Através do seu advogado, que tinha bons contactos em Barcelona, surgiu-lhe a oportunidade de adquirir um pequeno banco local em dificuldades. Como o seu negócio corria bem e tinha excedentes de liquidez, decidiu aceitar o desafio.

Muito rápido e intuitivo, aprendeu depressa o ofício de banqueiro, sem contudo deixar a construção. Poucos anos depois comprava a parte do advogado e ficava só no negócio. Reequilibrou o banco e veio a entrada de Espanha na então CEE. Os negócios floresceram em Barcelona, Madrid e um pouco por todo o lado. Através do banco financiava a sua lucrativa actividade imobiliária. Ao fim de meia dúzia de anos tinha acumulado, em negócios imobiliários, uma fortuna considerável. Investiu na Bolsa e teve enorme sucesso. Começou então a crescer através da aquisição de outros bancos regionais, até que adquiriu dimensão nacional. Não sendo um dos grandes, era um dos mais falados. Tinha furado o sistema. Conseguira entrar sendo um *outsider*. A aristocracia bancária tradicional olhava-o de soslaio, mas os pequenos empresários tinham por ele grande admiração, e algumas dívidas de gratidão, pois ajudou a lançar muitas empresas. Tem hoje muitos amigos, sobretudo na Catalunha, onde começou a sua actividade bancária com o minúsculo Banco de Barcelona e do Oriente.

As suas relações com Bob Perry foram-se desenvolvendo progressivamente. Na segunda reunião do Banco Mundial em que participou, Manuel foi acompanhado pela mulher, D. Maria Del Pilar. Uma senhora imponente, com o seu metro e setenta e quase noventa quilos. Bob convidou-os a passar um fim-de-semana na sua casa de Vermont. No Verão seguinte foi a vez de Bob e Melinda passarem uns dias em casa de Manuel, em Ibiza. Desde então têm mantido a tradição de passar todos os anos uns dias de férias juntos.

No último ano, veio a abordagem de Manuel a Bob para a oferta sobre o BIAP. Há muito que o castelhano ambicionava entrar no mercado português. Sabia que para crescer e ganhar o respeito dos seus pares teria de conseguir uma coisa que eles ambicionavam — dimensão ibérica. Manuel percebera também que Bob alimentava o sonho de regressar à América Latina. Depois de lhe apanhar o ponto fraco, foi fácil convencê-lo a aceitar aquele acordo. Se há coisa que Cervera sabe bem é manipular as pessoas. Trocaria a sua operação em países da América Latina pelo banco português. Para um banco americano seria muito mais fácil adquirir um banco português do que para um banco espanhol, sobretudo para o de Manuel Cervera.

Encontram-se hoje para um jantar íntimo em casa de Cervera por sugestão deste. Além dos dois banqueiros, apenas D. Maria Del Pilar está presente. Apesar de se vestir nos melhores costureiros, ostenta bem os seus setenta anos, tal como a sua modesta origem social. Envelheceu pior que o marido. O casal é marginalizado pelo chamado *jet set* e pelos meios financeiros. A sua casa, uma mansão do século XIX comprada por Cervera há uns vinte anos e então totalmente renovada, não é visitada pela nobreza nem pelas figuras proeminentes da vida social madrilena. Os milhões de pesetas gastos com decoradores e antiguidades não conseguiram erradicar totalmente as raízes de mau gosto. Este aparece no excesso de dourados e de Companhia das Índias, na escolha dos quadros e tapetes e num sem-número de pequenos pormenores perceptíveis ao observador mais atento. Apesar disso, a grandiosidade e harmonia arquitectónica da mansão abafam um pouco essas notas dissonantes. O rés-do-chão é ocupado com uma enorme sala de jantar, uma biblioteca e dois grandes salões, além do escritório, cozinha e *hall* de entrada. Deste, parte uma grandiosa escadaria de pedra que a meio se divide em duas. No primeiro andar, na ala direita situam-se os aposentos de Manuel e da mulher e, do lado esquerdo, os quartos das visitas. Apesar da insistência do anfitrião, Bob tinha preferido ficar num hotel em Madrid. Jantaram na pequena sala de jantar do primeiro andar onde Manuel e Pilar tomam normalmente as refeições quando não têm visitas. A conversa durante o jantar foi trivial, centrada nas famílias e nos respectivos planos de férias. No fim do jantar, Pilar retirou-se e os homens foram para o gabinete de trabalho de Manuel onde este se deliciou com um enorme *Romeo e Julieta*, enquanto bebiam conhaque. Foi Bob quem introduziu o tema que aos dois preocupava, mas ainda não tinham abordado:

— Manuel, como terá o Bernardo Noronha sabido das nossas intenções?

— Obviamente alguém o avisou — respondeu Manuel enquanto expelia uma longa baforada de fumo. — E estou certo de que foi alguém do seu lado, Bob. Repare que isto é algo que preparam há bastante tempo. Não é coisa que tenha sido improvisada, pois exige preparação. Logo, alguém os alertou há pelo menos... no mínimo... há um mês. Vamos aguardar pelo anúncio preliminar. Veremos quais os contornos da operação, para depois vermos como combatê-la. Porque seja qual for, uma coisa é para mim certa: temos de derrotá-la! Teremos um aliado involuntário que não podemos deixar de aproveitar: o BNCE. Para eles, esta oferta é ainda mais inoportuna do que para nós. Vão seguramente fazer tudo para contrariá-la. E nós vamos ajudá-los. Não que eu não desgostasse de deitar a mão ao BNCE, mas sei e conheço o suficiente de Portugal e dos portugueses, para saber que nunca me deixariam ficar com esses dois bancos.

— Não duvido, mas julgo que deveremos delinear também um plano para o caso de esta oferta ter sucesso. Deveríamos equacionar essa possibilidade e começar a olhar para outros alvos — respondeu Perry.

— É cedo para isso. Não quero dizer que não concorde consigo. Mas o BIAP é uma ideia boa de mais para deixar para trás. Repare que é o único banco de capitalização média que temos hipótese de engolir. Os accionistas de referência e a família Noronha não têm capacidade financeira para sustentar uma investida bem feita. Mesmo com o grupo de amigos, e não está escrito que alguns desses não venham a desertar, não conseguiriam aguentar. Isto é uma oportunidade única. Já vê que eu não estou disposto a abrir mão dela com facilidade. Não! Não é com esta OPA surpresa que o Bernardo Noronha me desvia do meu caminho. Ainda tenho muitos trunfos para jogar e o jogo ainda nem sequer começou. Mas um problema já nós temos: a fuga de informação dentro da sua casa. Temos de descobrir rapidamente quem avisou o BIAP, a fim de tapar a fuga. Chegou a encontrar-se com o nosso amigo de Cascais?

— Almocei com ele — respondeu Bob Perry.

— Espero que tenha sido discreto — retorquiu Cervera.

— Claro. Fui sozinho ao restaurante que ele me indicou e saí sozinho. Nem o motorista ficou a saber com quem almocei. Ficou de se ocupar da nossa fuga de informação. Ele sabe o que tem a fazer. Já trabalhei com ele em muitas operações ao longo de muitos anos e em ambientes muito diversos, e sempre cumpriu. E quando as coisas não correm como se espera, sabe improvisar sempre com a preocupação de minimizar os estragos. Mas voltando à nossa estratégia anterior, o que acha, Manuel, que podemos fazer para que esta OPA do BIAP não tenha sucesso?

— Isso depende naturalmente das condições da oferta. Teremos de as analisar. Mas digo-lhe já que acho que tem dois pontos fracos: a escassez de capitais próprios do BIAP e a sólida estrutura accionista do BNCE. E será por aí que teremos de atacar. Como? Vamos ver. Até lá, Bob, tape-me essa incómoda fuga o mais depressa possível. Tem alguma ideia de quem possa ser?

— Francamente, tenho poucas pistas e apenas uma vaga suspeita: Martha Herzog, a investidora activista de *corporate governance* que se passeia pelas Assembleias Gerais e Conselhos de Administração, ditando sentenças de pretensa moralidade. Os moralistas são os piores. Vive da fortuna herdada do marido sem acrescentar valor a nada. Mas sabe opor-se a tudo e destruir valor. Nos intervalos, parece que dá muita atenção a rapazinhos mais novos. Ninguém a pode aturar, mas não conseguimos pará-la.

— Mas temos de conseguir. Tenho pena de não falar inglês, pois gostava de a conhecer. Talvez ela pudesse ser convencida a interessar--se por este rapazinho de setenta anos... Dizem-me que apesar de já andar nos cinquenta, ainda é um bom pedaço de mulher.

— Sem dúvida. Quem lho disse não lhe mentiu — assentiu Bob.

— Amanhã veremos o que Bernardo tem para dizer. Depois, se o Bob no regresso da sua viagem pela Europa ainda passar por Madrid, falaremos outra vez sobre o assunto. Caso contrário, falaremos pelo telefone — concluiu Manuel Cervera dando assim o serão por terminado.

Depois, o anfitrião acompanhou o seu convidado ao carro para que o seu motorista o levasse de regresso ao hotel. À medida que o carro se afastava descendo lentamente a comprida alameda, Bob via da janela do *Jaguar* a figura de Manuel ficar cada vez mais pequena. Visto de perfil, parecia uma águia branca. Bob levava a sensação de que Manuel não estava totalmente surpreendido nem demasiado preocupado. Teria trunfos na manga que Bob desconhecia?

18

GOLPE DE MESTRE

José Maria Ribeiro, o todo-poderoso director de Relações com os Investidores do BIAP, tinha, há dois meses, a vida suspensa da conclusão desta OPA. Os seus planos de férias foram alterados, os seus fins-de-semana eram uma surpresa até ao último momento. Enfim, todo o seu dia-a-dia estava dependente da OPA e da vontade de Bernardo Hallbrook. Não teria a mesma disponibilidade se tivesse casado e constituído uma família. Acompanhou Bernardo nos seus famosos *road shows*. Infelizmente, correram pior do que se previa, mas Bernardo não ajudava. Recusou todas as sugestões de José Maria. Bernardo era um homem extremamente difícil. Pouco lutador e muito teimoso, não aceitava facilmente sugestões ou recomendações dos seus colaboradores, mesmo daqueles em quem tinha total confiança, como era o caso de José Maria Ribeiro.

Este, porém, já estava habituado à maneira de ser do seu presidente e não se deixava impressionar. Agora, em pleno mês de Agosto, com a maior parte dos seus amigos em férias, interrogava-se sobre o caminho que esta operação tomaria, depois do fiasco dos *road shows* e da inteligente táctica do BNCE ao deixar o oferente encostar-se a si próprio a uma parede. Bernardo teria agora de decidir o que fazer: rever a oferta, ou deixá-la andar, muito provavelmente de encontro a uma parede de betão. Quando regressasse das férias na Grécia logo decidiria. Entretanto, José Maria ficava a tomar conta daquele barco. Duas vezes por dia telefonava-lhe para o outro barco, o *yatch* em que navegava no Mediterrâneo. Bernardo e Mafalda passavam férias rodeados pelos seus amigos, entre os quais conhecidos políticos, membros de famílias reais, artistas de cinema e magnatas europeus.

Dava-lhe as últimas notícias, mas Bernardo não parecia muito preocupado. Dir-se-ia que o presidente do banco era José Maria, uma vez que era ele que estava ao leme, atento e preocupado. Naquela segunda-feira chegou, como era habitual, muito cedo ao banco. Na sexta-feira anterior saíra à hora do almoço e rumara ao Algarve para o fim-de-semana. Agora chegava cedo para verificar os papéis dessa tarde em que não estivera no banco. Rapidamente percorreu os documentos que a sua secretária lhe deixara numa enorme pasta de despacho encarnada. Havia de tudo. A maior parte dos documentos diziam respeito à OPA, mas havia também alguns que tinham que ver com a actividade corrente da sua direcção. No meio do enorme monte de papéis, viu um que lhe despertou mais interesse: uma carta do *Asian Prosperity Equity Fund* dirigida a si e relacionada com uma subscrição de acções que esse fundo havia feito anos antes e cujo acordo citava nas primeiras linhas. Segundo esse acordo, o Fundo estava obrigado a comunicar ao banco qualquer venda de acções ou simples ónus ou encargo que sobre elas impusesse. Ao abrigo dessa disposição, o Fundo notificava o Banco de que comprara ao Sr. Victor Paiva, residente em Portugal, vários contratos de opções que, se exercidas, transmitiriam para o dito senhor todos os direitos inerentes às referidas acções.

A carta terminava com a citação de um conjunto interminável de disposições legais e normas da SEC aplicáveis, e simultaneamente declinava toda a responsabilidade do Fundo relativamente a um enorme conjunto de situações adversas para o Banco.

José Maria releu-a cuidadosamente, depois retirou-a do monte de papéis e colocou-a na sua pasta. Já não se lembrava do teor do acordo que, por sua sugestão, o Banco assinara com o Fundo, mas lembrava-se muito bem da subscrição e dos gestores do Fundo. E lembrava-se sobretudo da dimensão da operação, que era substancial — perto de 14 por cento do capital do banco. Não poderia esquecer-se facilmente. Essa carta, que não mostraria a ninguém, encaixava-se muito bem na sua estratégia.

A vida de José Maria Kuper Ribeiro estava desde sempre ligada ao BIAP e à família Hallbrook. Bernardo e ele foram colegas no colégio e fizeram percursos paralelos dentro do banco. Embora com origens sociais muito diferentes, as mães de ambos eram inglesas radicadas em Portugal.

Mary Anne Kuper era filha de um diplomata inglês que servira na Embaixada do Reino Unido em Portugal durante a Segunda Guerra Mundial, destacado para tratar dos assuntos relacionados com os Açores. Numa das suas frequentes deslocações ao Arquipélago, o *DC 3* em que viajava despenhou-se no Atlântico e morreu. Deixou a viúva e a filha, então com 18 anos, apenas com a sua pensão do governo inglês. Com as dificuldades que o seu país atravessava, ainda sob o fogo dos ataques aéreos alemães, a mãe de Mary Anne preferiu ficar em Portugal, onde, apesar de tudo, com a sua pensão vivia melhor e sem as dificuldades próprias de um país em guerra. O Governo deu-lhe autorização de residência e a senhora, através dos amigos do marido, ia arranjando alguns trabalhos para completar a pensão: dava lições de inglês, fazia traduções e dizia-se que dava também lições de boas maneiras a alguns dos muitos novos ricos que então pretendiam insinuar-se socialmente. Mas esta última actividade nunca foi confirmada, pois nunca apareceu ninguém que reconhecesse ter recebido dela lições de boas maneiras...

Mary Anne e a mãe levavam uma existência razoavelmente confortável em Lisboa, vivendo na Estrela, na casa que o pai alugara quando viera para Portugal. Eram convidadas para as festas da comunidade britânica e conviviam com alguns amigos ingleses. Entretanto, com o passar dos anos, todo o pessoal da embaixada mudou e passaram a ser muito raros os convites que a Senhora Kuper e a sua filha recebiam para as festas na embaixada, excepto as reuniões periódicas da comunidade britânica. Tinham portanto uma vida social muito pacata.

No início dos anos 50, Mary Anne terminara os seus estudos e estava com 24 anos. A Sra. Kuper tinha agora menos alunos e raramente lhe encomendavam traduções. Embora a sua pensão tivesse sido revista pelo governo britânico, a subsistência das duas tornava-se difícil apenas com esse rendimento. Era também necessário encontrar uma actividade para a jovem Mary Anne, até que encontrasse um pretendente aceitável. Através de amigos ingleses, a Sra. Kuper conseguiu um emprego para a sua filha no banco dos Hallbrook. Mary Anne, além de inglês e português, falava razoavelmente francês e sabia dactilografia e estenografia. Uma secretária ideal. O velho Bernard Hallbrook deu-lhe emprego como secretária da direcção no seu pequeno banco. O seu filho Bernard acabava de regressar de Inglaterra, onde se formara, para assumir o cargo de director-geral (nessa época, só havia um em cada banco...). Mary Anne seria a sua secretária.

Bernard filho tinha então trinta anos e era considerado um galã e muito dado ao sexo oposto. Apesar de recém-casado com uma inglesa, logo se deixou cativar pelos encantos de Mary Anne. Alta e loura, era muito bonita, elegante e sensual. Tinha uns lindos olhos azuis e pernas de fazer parar o trânsito. Também Mary Anne se sentiu, de imediato, atraída por Bernard. Até então levara uma vida muito pacata e protegida pela mãe. Era pouco experiente nas coisas do amor e não estava habituada a lidar com pessoas muito mais vividas do que ela. Sentia-se intimidada pela figura tutelar do velho Hallbrook, pelo prestígio social desta família, e pelo dinheiro e poder que detinham.

Depressa o caso entre Mary Anne e Bernard se tornou motivo de conversas e escândalo (surdo) dentro do banco. O velho Hallbrook estava habituado àquele tipo de situações, pois toda a vida tivera amantes, dentro e fora do banco, no seu círculo de amigos e onde quer que uma mulher bonita cedesse aos seus encantos e dinheiro. Não se deixava escandalizar facilmente. Só uma coisa o perturbava: que isso pudesse afectar o bom nome da instituição. Temia que o jovem impetuoso Bernard fizesse um disparate, como, por exemplo, deixar a mulher pela amante. Tratou por isso de arranjar rapidamente um marido para Mary Anne. A escolha recaiu sobre um jovem de 27 anos, acabado de admitir no departamento de contabilidade, Francisco Ribeiro. De uma família de Coimbra, vivera sempre lá até vir para Lisboa uns anos antes. Parecia bom rapaz e um bocado ingénuo. Era o ideal. Hallbrook falou com o filho e ordenou-lhe que convencesse a amante a casar com Ribeiro. Ele trataria de convencer Ribeiro a fazer a proposta de casamento. Esta não foi tarefa difícil, pois Mary Anne era uma mulher muito interessante. Francisco não cabia em si de contente quando levou Mary Anne a Coimbra para a apresentar à família.

Seis meses depois estavam casados. Francisco Ribeiro era agora um homem diferente, mais bem-disposto e confiante. Com o patrocínio do banco, passou seis meses em Londres num curso de contabilidade e depois estagiando no centenário Baring Brothers. Regressou e foi nomeado director da contabilidade do banco. Tinha trinta e poucos anos. Mary Anne deixou de trabalhar e pouco tempo depois nasceu José Maria. A família levava uma existência muito confortável. Francisco ganhava bem, tinha um carro e uma boa casa na Lapa. Passavam férias todos os anos no estrangeiro e Francisco ia duas vezes por ano a Londres, onde ficava duas ou três semanas de cada vez, para participar em seminários, em representação do banco. Pertencia à alta direcção do banco e tinha toda a confiança da administração. Apenas com um filho, a vida do casal era financeiramente desafogada nesses tempos difíceis do pós-guerra.

Entretanto, morreu subitamente o velho Hallbrook e o seu filho Bernard assumiu a presidência do banco com apenas trinta e sete anos. Porém, a situação de Francisco Ribeiro não foi afectada. Continuou à frente da Contabilidade. Não tinha também ambição para mais. Mas fazia bem o seu trabalho e era discreto. Conhecia todos os segredos das contas do banco e era por todos respeitado.

O jovem José Maria, quando atingiu a idade de ir para o colégio, foi para o S. João de Brito, o mesmo que frequentava Bernardo Hallbrook de Noronha. Davam-se pouco fora do colégio. Nas festas de Natal e do aniversário do banco e pouco mais.

Ao fim de poucos anos de casamento, Bernard ficava viúvo. A sua mulher morria de uma doença então quase desconhecida, deixando-o sem descendência. Bernard dedicava-se de alma e coração ao seu banco e não tinha disponibilidade para casar de novo. Era sabido que tinha algumas amigas que recebia em casa e com quem passava férias. No entanto, a sua dedicação ao banco impedia-o de pensar em novo casamento. Tornara-se também um homem muito frio e distante, talvez fruto da morte prematura da mulher e do pai.

No início dos anos 60, Bernard empreendeu um grande esforço para internacionalizar o banco. Através dos contactos da família em Londres e em Lisboa, estabeleceu acordos com bancos ingleses e empresas exportadoras e importadoras portuguesas. Apostou também no Ultramar. Abriu agências em Angola e Moçambique. Foi em Portugal uma década de forte crescimento económico e de internacionalização da economia. Bernard depressa tirou dividendos da sua aposta. Viajava agora bastante. Passava uma ou duas semanas fora de cada vez. Participava em congressos e seminários e visitava bancos em diferentes países para dar a conhecer o seu. Com esse esforço, conseguiu fazer crescer o pequeno banco familiar, que se tornou uma instituição financeira de média dimensão no mercado português e com algum reconhecimento no mercado internacional. Transformou o banco em sociedade anónima e mudou-lhe o nome para Banco Internacional Anglo-Português. Queria evidenciar a vertente internacional e apagar um pouco a imagem do banco familiar.

Francisco Ribeiro continuava a ser o fiel director da contabilidade daquele renovado e próspero banco. Em meados da década de 60, preparando uma auditoria do Banco de Portugal, Francisco passava em revista as despesas de representação da administração, às quais os auditores dedicavam sempre especial atenção. Revia os documentos de despesa para confirmar a sua correcta classificação. Não queria que os auditores encontrassem qualquer irregularidade. Um dos documentos que manuseava era uma conta de hotel. Nessa época em que não havia computadores, todas as despesas feitas pelos clientes durante a estadia (*room service*, bar, restaurante, cabeleireiro, etc...) eram assinadas e os respectivos documentos eram depois apensos à factura, no momento do seu pagamento. A conta que Francisco analisava tinha um monte desses papéis agrafados. Um deles soltou-se e Francisco, ao apanhá-lo do chão, reconheceu de imediato a inconfundível letra da sua mulher na rubrica do papel que testemunhava a sua ida ao cabeleireiro do hotel. Atónito, Francisco pensou tratar-se de um qualquer erro. Um papel solto que teria ido ali parar por engano. Olhou então melhor para a factura do hotel de Roma e confirmou que a despesa do cabeleireiro tinha sido debitada naquele dia. A factura dizia respeito a uma estada de Bernard listada como participação num congresso bancário e era datada do princípio de Setembro do ano anterior.

Nessa semana, Mary Anne encontrava-se em Inglaterra a passar duas semanas de férias, como todos os anos, em casa da sua prima Esther. Francisco estava perplexo. Era tarde; todos os seus funcionários tinham já saído, mas ele não queria voltar para casa sem esclarecer aquela questão. Começou a analisar metodicamente os documentos das despesas de representação de anos anteriores. Não encontrou nenhum outro papel que não tivesse a assinatura de Bernard. Porém, depois de consultar as agendas antigas que guardava metodicamente no seu arquivo pessoal, encontrou uma curiosa coincidência que se verificava para todos os anos: durante as semanas que Mary Anne passava em Inglaterra, Bernard ausentava-se sempre. Normalmente uma semana. Por vezes mais. Os destinos eram variados: Buenos Aires, S. Paulo, Roma, Banguecoque, Paris, Acapulco, Miami, Havai e Nova Iorque. Viu os dez anos relativamente aos quais os documentos estavam acessíveis. Os mais antigos já estavam no arquivo morto e teria de os requisitar mais tarde. Munido de uma fotocópia do papel do cabeleireiro de Roma, regressou a casa a altas horas.

Quase não dormiu, devido ao seu estado de ansiedade. Logo de manhã confrontou a mulher com o seu achado, sem lhe dizer porém que tinha consigo uma cópia do documento. Começou por negar, mostrando-se chocada e ofendida. Chorou e disse-lhe que ele não a merecia. Que era um doente de ciúmes. Que devia certamente haver uma explicação plausível. Uma coincidência. Alguém com uma assinatura parecida com a sua. Por fim, Francisco confrontou-a com a fotocópia. Quando viu o papel com a sua inconfundível assinatura, não teve coragem para continuar a representação. Assumiu uma postura altiva e arrogante, mas confessou tudo. Contou-lhe que era amante de Bernard muito antes de se casar. Todos os anos passavam férias de uma ou duas semanas em Setembro ou Outubro. Saía de Portugal rumo a Londres. Daí ia para casa da prima, em Brighton, onde deveria ficar duas ou três semanas, mas onde se demorava apenas dois ou três dias. A prima fora sempre a sua única cúmplice. Além disso, durante o ano tinha regularmente encontros amorosos com Bernard que sempre havia sido o grande amor da sua vida. Foi cruel na sua narrativa e humilhou o marido.

A partir desse dia, Francisco não voltou a ser o mesmo. Arrasado e deprimido, entregou-se à bebida. Porém, o seu comportamento no banco continuou inalterado, mesmo na sua relação com o presidente. Os meses foram passando e Mary Anne, apesar de preocupada com o crescente alheamento do marido, começou a convencer-se de que, como acontecia com tantos casais, ele acabaria por se habituar à ideia e a vida voltaria ao aconchego de outrora.

Passados cerca de seis meses, Francisco, numa sexta-feira do fim do Verão, apresentou-se com a sua pasta na recepção do Hotel Atlântico, no Monte Estoril, onde era conhecido devido aos frequentes encontros, reuniões e jantares que o banco ali organizava. Pediu um quarto para essa tarde, pois tinha um trabalho para acabar e queria ainda descansar antes de um importante jantar em Cascais. Pediu que o acordassem às oito, pois não podia atrasar-se para esse jantar. Uma vez no quarto, tirou da pasta uma garrafa de *whisky* e um frasco de barbitúricos. Lentamente, bebeu metade da garrafa. Depois tomou os comprimidos todos do frasco, acompanhados com água. No fim bebeu mais uns goles de *whisky* e adormeceu. Para sempre.

Quando os empregados do hotel finalmente entraram no quarto e depararam com aquela cena, telefonaram para o banco. O primeiro a aparecer foi Bernard em pessoa. Rapidamente recolheu na pasta a garrafa e o frasco de comprimidos, entregando-a depois a um funcionário do hotel. Em seguida fez dois telefonemas. Um para um seu amigo, alto funcionário no Ministério do Interior, outro para Mary Anne dando-lhe a triste notícia. Bernard não foi apanhado completamente de surpresa, pois a sua amante, alguns meses antes, tinha-o avisado da descoberta de Francisco. A Polícia compareceu pouco depois e sem fazer muitas perguntas retirou o corpo e tomou nota do depoimento do empregado do hotel que o tinha encontrado. A pasta nunca foi falada.

Aos trinta e oito anos, Francisco Ribeiro morria, oficialmente devido a uma paragem cardíaca. Todos os colegas do banco sentiram a sua falta e manifestaram à viúva as suas condolências. O funeral foi pago pelo banco e a viúva ficou a receber uma pensão de valor igual ao vencimento do marido. Não conheceu, por isso, Mary Anne dificuldades financeiras. No entanto, para si, a história repetia-se. Tal como a mãe, via-se viúva ainda nova e com um filho para educar. Felizmente a época era outra e a sua situação financeira era mais desafogada do que fora a da mãe. Também a sua vida amorosa sofreu menos que a da mãe, pois continuou a ter os seus encontros em casa do amante e as suas férias com Bernard, agora com maior liberdade. No entanto, apesar de ambos estarem viúvos, a possibilidade de casamento nunca foi encarada.

Para o jovem José Maria, a perda foi mais grave. Com apenas dez anos sentiu seriamente a falta do pai, que tinha com ele uma relação muito forte. Nunca o esqueceu. Quando se formou, foi naturalmente trabalhar para o BIAP, pois os laços com a família Hallbrook nunca se tinham desfeito, embora o jovem José Maria desconhecesse então os verdadeiros motivos. A relação de Mary Anne com Bernard durou até quase ao fim da vida dele, embora os encontros se tornassem depois mais espaçados. José Maria fez a sua vida sem casar. Optou por mudar periodicamente de namorada e depois de companheira. Mas nunca suspeitou da relação da mãe com Bernard. Mary Anne morreu com setenta e quatro anos vítima de um tumor maligno. Poucos anos antes morrera Bernard.

Do seu leito de morte, contou toda a verdade ao filho. Era enorme o seu arrependimento, bem como os remorsos, pela morte prematura de Francisco e por ter privado José Maria do convívio com o pai. Necessitava do perdão do filho para morrer em paz consigo própria. Era também grande o ressentimento que ao longo dos anos desenvolvera relativamente aos Hallbrook. Mesmo assim, amara Bernard sincera e apaixonadamente durante a maior parte da vida. A frieza deste, no entanto, confundira-a. Só perto do fim percebera que, para ele, não passara de um passatempo agradável, alguém com quem queimar a sua insaciável voracidade sexual. Nunca a amara, nem sequer a respeitara. Só muito tarde, Mary Anne percebeu que dedicara toda a sua vida a um homem frio e egoísta que desprezava tudo e todos. Buscava apenas o prazer momentâneo. Sentia-se, no fim da vida, enganada e humilhada. Resistiu durante muito tempo a contar ao filho, mas, à medida que o fim se aproximava, acabou por não aguentar o peso da sua consciência.

José Maria ouviu, estupefacto, o relato da mãe. Nunca imaginara que um drama desta intensidade se desenrolasse tão perto de si e ao longo de tantos anos, sem que ele se apercebesse. Naturalmente, confortou a mãe com palavras de afecto, compreensão e perdão. Apesar de ter vivido apenas os primeiros anos da sua vida com o pai e ter com a mãe partilhado toda a vida adulta, tinha com ela uma relação menos afectiva e até um pouco distante. Considerara-a sempre uma mulher um pouco fútil e superficial que vivia demasiado dependente da sua beleza e da admiração dos outros. Nunca imaginara que pudesse ter sofrido tanto. Agora, inspirava-lhe subitamente uma grande ternura e admiração, apesar da enormidade do seu pecado. Morreu descansada e confortada pelo perdão sincero do seu único filho.

A quem José Maria não mais conseguiu perdoar foi aos Hallbrook, que passou a culpar pela morte do pai e pela infelicidade da mãe. Felizmente para todos, o tio Bernard já tinha morrido. Mesmo assim, a partir desse dia, um único pensamento ocupa a mente de José Maria — a vingança. Lentamente, construiu uma teia e agora esta OPA parece trazer-lhe numa bandeja a oportunidade de concluir o seu plano.

Algum tempo antes, um amigo seu que trabalhava em Madrid disse que queria apresentar-lhe um banqueiro espanhol que mostrara muito interesse em conhecê-lo. Na primeira visita à capital espanhola, combinou-se um almoço entre os dois. Muito cordial, o espanhol mostrou interesse pelo mercado português e fez uma quantidade de perguntas sobre várias instituições, regras de supervisão bancária, e pessoas ligadas ao sector bancário. Combinaram novos encontros. Neles abordaram mais uma vez temas da banca em Portugal, em Espanha e na Europa. Foram também aprofundando o seu relacionamento e ganhando alguma confiança mútua. Pouco a pouco, José Maria foi-se apercebendo de que este banqueiro astuto tinha grande interesse no BIAP. Este velho barrigudo seria o seu passaporte para a vingança contra os Hallbrook.

19
TEMPESTADE DE VERÃO

A vida de Marta La Salle Borges conhecera algumas alterações após as primeiras semanas da OPA. Já não tinha de andar sempre a correr de uma reunião para outra e passar as noites a trabalhar em casa ou no escritório, terminando pareceres que durante o dia não tinha tempo para fazer. A chegada do mês de Agosto também ajudava. A debandada de Lisboa levara consigo a maior parte das reuniões e das solicitações. Agora tudo estava mais organizado. Passava a maior parte do dia no escritório. Falava pelo telefone com José Maria Ribeiro uma ou duas vezes por dia. Ele dava-lhe as informações que recolhia junto de Bernardo, ainda no seu cruzeiro, dos accionistas e do mercado em geral. Trocavam impressões sobre diligências a efectuar. Naquela fase cabia-lhe essencialmente controlar as respostas aos requerimentos que submetera à CMVM e dar opinião sobre assuntos avulsos que iam surgindo e que eram poucos, enquanto se aguardava a decisão da Concorrência e do Banco de Portugal. Uma vez por semana, reuniam-se no banco todos os consultores para analisar a situação, discutir propostas, trocar informações. Nessas reuniões, Marta apercebera-se de que também os outros consultores, mesmo o banco de investimento, estavam em modo de *stand-by*, desde que Bernardo se ausentara no final de Julho.

Naquele sábado de meados de Agosto, ainda de camisa de noite, Marta lia os jornais na pequena saleta onde tomava o pequeno almoço. A indispensável Amélia comprara-lhos logo pela manhã. Lia com tranquilidade, pois já calculava o teor das notícias da OPA que encontraria. Na véspera à tarde recebera finalmente a resposta da CMVM ao requerimento para compra de acções do BNCE. O BIAP ficava autorizado a fazer as compras na Bolsa ou fora dela, desde que não ultrapassasse o limite de 9 por cento do capital da sociedade visada, incluindo as acções que já detinha, directa ou indirectamente. Era a resposta que ela esperava. Ao passar os olhos pelos jornais, encontrou nalguns deles chamadas de primeira página para aquela notícia, que depois aparecia «enterrada» nas secções de economia e negócios. Sem surpresas, viu que, com maior ou menor relevo, todos davam a notícia. Alguns, tentando dar-lhe um tom negativo: *CMVM recusa autorização ao BIAP para comprar mais de 9% do capital do BNCE.* Outros pela positiva: *BIAP ganha batalha pela autorização da compra de acções.* Era o jogo normal dos consultores de comunicação.

Mas a surpresa estava-lhe reservada no título da primeira página do semanário com maior circulação: *BIAP não esperou pela autorização da CMVM e comprou acções ilegalmente.* A notícia era devastadora. O jornalista fizera uma investigação sobre as transacções em Bolsa das acções do BNCE nas últimas semanas e chegara à conclusão de que o BIAP iniciara a compra de acções muito antes de chegar a autorização ao seu requerimento. Por isso, ninguém sabia ao certo quantas acções o BIAP já detinha ou mesmo se não teria já ultrapassado o limite de 9 por cento. As compras estavam a ser efectuadas através de um grupo de sociedades em *offshore*, aparentemente independentes do BIAP, mas que estavam *de facto* ligadas ao banco.

O jornalista apresentava uma lista de nomes de empresas com a indicação do número de acções que já teria adquirido, o centro *offshore* em que estavam registadas e o nome do proprietário de cada uma das sociedades. Estes proprietários eram invariavelmente outras sociedades *offshore* ou *trusts* registados nos EUA. O jornal concluía que era indisfarçável que se estava perante uma rede cujo propósito era enganar as autoridades de supervisão. Se estas fizessem vista grossa, seria manifesto o favoritismo e protecção que davam ao banco oferente. Mas se quisessem investigar, o jornal estava pronto a colaborar, fornecendo todos os dados que possuía. Só uma coisa não facultaria: a identificação da sua fonte. Sugeria assim que tinha mais elementos do que aqueles que agora tornava públicos. Uma mensagem subliminar para uns e outros.

Para evitar problemas mais tarde, o semanário nada afirmava peremptoriamente. Dizia que tinha *indícios* de actuação ilícita. Cabia agora às autoridades investigar. Caso concluíssem ter existido de facto violação da lei, as sanções a aplicar poderiam ir desde a simples coima até à recusa do registo definitivo, sem prejuízo da responsabilidade criminal dos agentes que tivessem aprovado, colaborado ou efectuado as compras ilegais. Pelo menos era esta a opinião do jornal e a sua interpretação da legislação.

Era uma notícia desastrosa para o BIAP, e que Marta sabia ser fabricada. Imediatamente reconheceu os nomes das empresas *offshore* que estavam no documento do Shoenberg & Likermann. Mas quem poderia ter montado aquela armadilha, cuidadosamente planeada e lançada no pior momento? Marta sentiu alívio por se ter oposto à sugestão de banco de investimento. Depois de o fazer, ficara na dúvida se não teria ido longe de mais, transmitindo uma posição demasiado rígida. Tinha sido demasiado purista, pensou então. Chegou a temer ter posto em causa a sua permanência na equipa de defesa. Ninguém gosta de consultores que dificultam as coisas. O papel deles é facilitar. Todas essas dúvidas tivera Marta há algumas semanas, logo depois de o tema das compras ser discutido. Agora estavam dissipadas. Ainda bem que tinha tomado aquela atitude. Caso contrário, quem estaria agora em maus lençóis seria ela e a primeira cabeça a rolar, a sua. O Shoenberg diria que se limitara a propor, cabendo a última palavra sobre a legalidade sempre à equipa jurídica.

No entanto, o facto de Marta se ter oposto, ainda que pessoalmente reconfortante, não era por si só suficiente para tirar o BIAP de apuros. E agora estava em apuros. Marta não queria sequer admitir a possibilidade de Bernardo ter autorizado as compras nas suas costas. O jornalista que assinava a peça era um *freelancer*, habilidoso e experiente neste tipo de ataques. Não ia ser fácil apanhá-lo em falso. Marta leu todos os jornais procurando algum eco daquela notícia. Em vão. Ligou então a televisão para ver os noticiários da manhã. O da *SIC Notícias* abordava o tema. Não acrescentava qualquer novo dado, mas fazia celeuma à volta do caso. Tinha em estúdio um comentador de mercados financeiros que ia debitando banalidades. Mas também àquela hora de sábado quem iria prestar-se a ir comentar notícias daquelas?

No quarto, Rui dormia profundamente. Na véspera, saíra com Ricardo e regressara muito tarde. Andava agora menos deprimido mas bastante tenso. Os miúdos tinham ido passar todo o mês de Agosto ao Algarve, com os avós. Marta saboreava agora alguma serenidade na sua vida profissional e pessoal, mas sabia que essa serenidade tinha acabado com a notícia das compras de acções. Tinha planeado ir à praia com duas amigas nesse sábado. Agora sabia que esse plano dificilmente se tornaria realidade. Esperava apenas por horas mais decentes para ligar a José Maria Ribeiro. Só então ficaria a conhecer a sua agenda para o fim-de-semana.

Não esperou muito; pouco depois o seu telemóvel tocava. José Maria vinha convocá-la para uma reunião no domingo à tarde no banco, com todos os consultores. Já tinha falado com Bernardo que só chegaria a Lisboa no domingo à noite. Os consultores ingleses chegariam no domingo de manhã. A reunião destinava-se a preparar a que teriam com o presidente, na segunda-feira. Afinal sempre poderia ir à praia...

O fim-de-semana de José Maria estava mais comprometido. Partira na sexta à tarde, depois de receber a notícia da autorização da compra de acções, pensando que teria dois dias de descanso e sol. Consigo levou Elsa, a sua namorada do momento: uma morena de trinta e dois anos que trabalhava numa agência de publicidade. Conhecera-a alguns meses antes e saíam ocasionalmente. Esta era a primeira vez que passavam um fim-de-semana juntos. Uma vez chegado ao Hotel da Quinta do Lago, desligara o telemóvel. Deram um mergulho na piscina, tomaram duche e jantaram no restaurante do hotel. Não chegou a ligar a televisão do quarto. No sábado acordaram tarde. Depois do pequeno-almoço comprou os jornais, no caminho para a piscina. Foi então que José Maria se apercebeu da tempestade que estava para se abater sobre a OPA do BIAP. Ligou o telemóvel e as indicações de chamadas perdidas começaram a entrar. Tinha mais de 20. De alguns números tinham-lhe ligado três vezes.

Depois de ler rapidamente todos os jornais, telefonou a Bernardo. Ao largo da Grécia, a bordo do iate do armador grego com quem passava férias todos os anos, Bernardo estava sentado no convés ao lado de Mafalda. Foi ela que atendeu o telefonema de José Maria.

A sua relação com José Maria foi durante muitos anos tensa e de desconfiança de parte a parte. Mafalda é uma mulher muito bonita e sabe-o. É distante e altiva, convencida que está, desde a infância, da sua beleza. Desenvolveu, em relação a José Maria, anticorpos que levaram muito tempo a destruir. Foi só há cerca de dois anos que essas barreiras foram ultrapassadas e deixaram de se encarar como inimigos. Agora têm uma relação mais amistosa e até de alguma cumplicidade.

Mafalda apressou-se a estender o telefone ao marido. Sentado a seu lado, Bernardo folheava uma revista. José Maria pô-lo ao corrente com um relato sintético do artigo inserido no semanário. Sem qualquer juízo ou comentário e pesando cuidadosamente as palavras, limitou-se a referir os factos, tal como o jornalista os narrava. Só no fim emitiu uma opinião:

— Tens de regressar a Lisboa de imediato. A CMVM vai certamente convocar-nos para dar uma explicação. Tens de cá estar. Antes disso, deves ter um *briefing* com os consultores. Vê se ainda consegues lugar num voo para amanhã. Estamos perante uma crise de consequências imprevisíveis.

— Não exageres — respondeu Bernardo. Depois de um curto silêncio durante o qual examinou as suas opções, acrescentou: — Posso estar aí no domingo à tarde ou no máximo à noite. Veremos então. Entretanto, telefona-me se houver algum desenvolvimento.

Trocaram ainda impressões sobre questões práticas e combinaram falar por telefone no domingo de manhã para confirmar a reunião com os consultores. Depois desse telefonema, José Maria telefonou aos consultores e a seguir resolveu dedicar-se a Elsa.

* * *

Antes de entrar na sala do Conselho, Bernardo teve uma curta conversa com José Maria no seu gabinete. Tratou-se de uma breve troca de impressões sobre os documentos que este lhe entregou. Os dois juntaram-se depois aos consultores que já tinham tomado os seus lugares na sala. O aspecto de Bernardo denunciava onde passara as últimas semanas. Bronzeado e com o cabelo mais comprido a tapar-lhe o colarinho e as orelhas, transbordava descanso, sol e mar. Mais descontraído do que habitualmente, cumprimentou todos e ocupou o seu lugar. Começou por agradecer o incómodo da reunião na véspera e a rápida resposta ao seu pedido. Apontando para a pilha de papéis que José Maria lhe entregara momentos antes, agradeceu a Marta o documento que lhe preparara sobre o enquadramento legal das iniciativas que a CMVM podia desencadear, com base no artigo e na informação nele contida:

— Vou lê-lo atentamente antes da reunião desta tarde com o presidente da CMVM. Digo-vos muito sinceramente que regresso a Lisboa algo preocupado com o futuro desta oferta. Mas não é por causa do artigo ou de uma eventual investigação da CMVM, que não tememos. Como estarão lembrados, essa possibilidade foi por mim aqui rejeitada. Quem enviou esta informação ao jornal deve ter pensado que nós tínhamos seguido a recomendação do documento. Contudo, enganaram-se redondamente. Por isso sei qual a conclusão da investigação: zero!

Só José Maria e Andrew White, do banco de investimento Shoenberg & Likermann, sabem que Bernardo mente e que tem na sua frente, junto com os outros papéis, o *print* de uma folha de cálculo que mostra todas as compras efectuadas até à véspera, com as cotações, as quantidades, os valores acumulados e os nomes das sociedades que fizeram, por instruções suas, essas compras. Mas os nomes das sociedades *offshore* utilizadas são diferentes dos que constavam do documento original e do artigo do jornal. Logo após a aprovação secreta da operação, Andrew telefonou ao seu colega dos serviços fiduciários do banco em Londres. Acontecia, porém, que a rede de empresas *offshore* que constavam do documento primitivo do Shoenberg & Likermann já tinha sido «vendida» a uma grande multinacional farmacêutica que lançara uma OPA sobre um concorrente. Felizmente havia em *stock* outras sociedades já constituídas e prontas a ser utilizadas. Assim, foi com outro grupo de empresas que Andrew lançou o esquema das compras. Por isso, a investigação sobre as compras apenas encontrará, nas sociedades referidas pelo jornal, acções de uma empresa farmacêutica.

Assim se explica a tranquilidade de Bernardo, que continuou:

— Apesar disso, estou, e tenho estado, preocupado nas últimas semanas. O artigo não constitui para nós qualquer problema, excepto no impacto que possa ter na opinião pública. Todos sabemos que uma oferta se joga em grande parte junto desta. É ela que condiciona as decisões das autoridades e dos accionistas. E tenho de reconhecer que a nossa posição junto da opinião pública não tem parado de se deteriorar. E é nesse aspecto que o artigo pode ter alguma influência: vem juntar-se às vozes que estão contra a oferta.

«Por isso quero aproveitar esta oportunidade para inverter a situação a nosso favor», prosseguiu Bernardo. «Peço-vos que me apresentem, até ao final da semana, algumas opções para retomarmos a iniciativa e desfazer a ideia de que a oferta já morreu. No fim desta semana há dois cenários possíveis. Cenário 1: a CMVM conclui rapidamente que nós não cometemos qualquer irregularidade e devemos aproveitar esse momento para retomar a iniciativa; cenário 2: a CMVM não chega a qualquer conclusão e decide arrastar-nos no limbo e nessa hipótese teremos de reagir com energia e determinação para afastar a ideia de que temos algum complexo de culpa. Eu quero que me apresentem, na próxima sexta-feira, as opções de que dispomos para os dois cenários. O segundo é muito mais jurídico e o primeiro mais financeiro, mas gostaria que trabalhassem em conjunto, articulando os vossos documentos para que as propostas sejam integradas e venham já com as implicações jurídicas, financeiras e em termos de comunicação devidamente analisadas.»

Depois de algumas considerações de pormenor relativas a aspectos processuais, foi acertada a hora da reunião de sexta-feira e Bernardo deu a reunião por terminada.

* * *

Nessa mesma tarde, Bernardo encontrou-se a sós com Lopes Faria, o presidente da CMVM, nas luxuosas instalações da comissão que vigia o mercado de capitais. Quando Bernardo entrou finalmente no gabinete do presidente, este esperava-o de pé com um sorriso de circunstância. Não se pode dizer que nutram um pelo outro especial simpatia. Lopes Faria, do alto do seu doutoramento em mercados financeiros, considera Bernardo um pedante cheio de si próprio e pouco inteligente. Para Bernardo, o outro não passa de um intelectual de meia-tigela, oportunista e ambicioso. Mesmo assim, tratam-se com cordialidade. Lopes Faria exercera funções de gestão em vários bancos públicos e não perdia uma oportunidade para falar nisso, mas Bernardo não o considera um verdadeiro banqueiro.

Apesar do pouco apreço mútuo, o encontro começou com uma troca de palavras amistosas e as habituais perguntas sobre férias. Bernardo omitiu o seu verdadeiro destino nas últimas duas semanas, referindo-se vagamente a «uns dias passados com amigos num barco», para justificar o bronzeado. Quando finalmente a conversa de circunstância se esgotou, o presidente da Comissão foi directamente ao assunto:

— Como calcula, o motivo desta conversa é a notícia do último fim-de-semana. Eu sou obrigado a perguntar-lhe formalmente se a referida notícia tem algum fundamento.

Calou-se e deixou o outro falar. Bernardo, habituado a este tipo de situações, foi parco em palavras, dizendo apenas o indispensável:

— Posso assegurar-lhe que não tem qualquer fundamento no que respeita ao BIAP, aos seus colaboradores e administradores. Não efectuámos as operações de que o artigo nos acusa nem esse tipo de actuação se coaduna com a nossa forma de estar no mercado. O banco que Bernard Hallbrook fundou nunca teve comportamentos ilegais nem dúbios e não serei certamente eu a começar.

— Ainda bem! Mas diga-me, doutor Noronha, o que pensa que poderá estar por detrás deste artigo e de que maneira poderá servir os interesses de quem o colocou?

— A essa pergunta já não estou em condições de responder. Francamente não sei. Todos podemos especular sobre quem beneficia com a notícia. Mas a verdade é que não poderemos passar daí. Só a Comissão pode investigar e, em pouco tempo, pôr tudo em pratos limpos. Desde já manifesto a nossa total disponibilidade para colaborar com a CMVM, para o apuramento da verdade. Teremos muito gosto em abrir os nossos livros e registos de operações para que a Comissão possa averiguar. Pode estar certo de que não encontrará operações com acções da sociedade visada. Contudo, preferimos que sejam os auditores da CMVM a tirar essa conclusão. Pela nossa parte, pode contar com total colaboração. Só não gostaríamos que esta situação se arrastasse sem esclarecimento. Os nossos accionistas e o mercado em geral não compreenderiam que uma acusação desta gravidade não fosse aclarada de imediato. Por isso, devo também dizer-lhe, com toda a franqueza, que ninguém pode contar connosco para assistir passivamente ao arrastar, indefinidamente, de uma situação de suspeita que só beneficia os interesses inconfessáveis de quem fez publicar o artigo. A única coisa que queremos é que haja uma investigação célere.

— Disso pode estar certo — respondeu Lopes Faria, disfarçando a irritação que o tom de exigência doutoral de Bernardo lhe causara. — Mas cabe-me também avisá-lo de que a CMVM só encerrará a investigação quando não restarem quaisquer dúvidas. Até ao seu total esclarecimento, manter-se-á a averiguação. E esta implica, como deve calcular, a suspensão do despacho de autorização de compras de acções da sociedade visada. Logo que a Comissão conclua que não se verificaram as compras que são relatadas na notícia, ou quaisquer outras, então, e só então, essa suspensão será levantada.

O presidente da CMVM terminou num tom simpático, mas interiormente triunfante. Não tinha pensado naquela possibilidade de suspender a eficácia do seu despacho, mas o ar superior e o tom doutoral com que Bernardo tinha exigido celeridade deram-lhe a ideia. «Quem julga este pedante que é para entrar aqui a fazer-me exigências, em tom ameaçador?», pensou Lopes Faria, ao levantar-se, dando por finda a entrevista.

* * *

Susan estacionou o *Mercedes CLK* descapotável em frente da porta do Hotel Mayflower, em Washington. O porteiro, de casaca encarnada debruada a preto, com galões e botões dourados e chapéu de três bicos com plumas, lembra um marechal de Bonaparte. Susan pediu-lhe que chamasse Mr. Garrison, o que ele faz prontamente através do telefone interno, instalado no seu posto ao lado da porta giratória do hotel. Pouco depois, o pontual Peter Garrison apareceu na porta giratória do centenário hotel da baixa da capital dos EUA. Com a capota recolhida, o *Mercedes* dirigiu-se para a ponte da Rua 22, atravessou o rio Potomac e dirigiu-se a Alexandria, no vizinho Estado da Virginia. Peter telefonara a Susan nessa manhã dizendo-lhe que estava em Washington para uma conferência e tinha já «novidades sobre o nosso assunto». Combinaram jantar nessa noite. Peter pediu--lhe que escolhesse um restaurante discreto, visto ser muito conhecido em Washington. Susan lembrou-se de um pequeno restaurante a quarenta minutos da capital, onde ia por vezes com Duarte. Era uma antiga estalagem que foi utilizada pelos comerciantes de escravos antes da Guerra Civil, composta por dois edifícios. O maior, onde fica-vam instalados os comerciantes e fazendeiros, que vinham comprar e vender escravos, e um anexo mais acanhado onde dormiam e comiam os escravos. Foi parcialmente incendiado durante a Guerra Civil e depois abandonado. Nos anos 40 do século passado, foi restaurado e adaptado a museu da Câmara. Mais recentemente, foi vendido e, depois de grandes obras de renovação, foi convertido em estalagem. O edifício, em madeira, situa-se em Potomac Heights, junto a um afluente do Potomac que atravessa naquela zona em pequenos rápidos. A varanda estende-se quase até meio do riacho, suportada por estaca-ria assente nas rochas. O barulho da água a passar por baixo da varanda é uma das atracções do restaurante. A outra é a sua excelente cozinha francesa. É um local sossegado e recatado. Não vêm aqui políticos, nem diplomatas, nem *lobbyists*. Só casais jovens e alguns menos jovens e mais românticos...

Este fim de tarde de Agosto está relativamente ameno, e menos húmido do que habitualmente. Por isso Susan preferiu fazer o trajecto para o restaurante com a capota do seu carro recolhida, o que raramen-te acontece. Com o barulho do vento, Susan e Peter pouco conseguem conversar durante o caminho. Limitam-se a ouvir música enquanto apreciam a paisagem da estrada secundária que os leva ao restaurante. Atravessa primeiro uma densa floresta cuja vegetação em tons varia-dos de verde, encarnado e amarelo, parece a tampa de uma caixa de lápis de cor. Encontra depois um pequeno relevo que não terá mais de umas centenas de metros de altitude. Sobe pela encosta, paralela ao riacho que corre uns vinte metros abaixo. O Griffin's Inn encon-tra-se sensivelmente a meio da colina.

Já sentados na varanda sobre a água, Peter entrou finalmente no assunto que os trouxera ali, enquanto esperavam pelo jantar:

— Consegui obter algumas informações, embora não tenha ainda todos os dados. Mesmo assim descobri coisas interessantes — come-çou Peter. — Por exemplo, apurei que Bob Perry, antes da última reunião do seu *board*, na qual a nossa amiga esteve presente, falou com alguns membros do *board* de uma operação com um terceiro banco para troca dos activos do banco português. Aparentemente, ele queria comprar este banco para, dentro de um ano ou dois, o trocar pela rede de activos na América Latina do tal terceiro banco, cuja identidade e nacionalidade ainda não consegui apurar. Durante esse tempo limitava-se a gerir o BIAP sem grandes alterações. Afirmava querer regressar ao mercado europeu, começando por um país periférico, mas na verdade o que queria era regressar à «sua» América Latina. Afinal, Bob Perry não seria o verdadeiro comprador do BIAP. Esta operação, em si, não é ilegal mas trata-se de uma simulação. Ele não revelou o nome do banco com o qual tem o acordo de *swap* secreto, mas contou a alguns administradores que tinha esta combinação. E eu estou a um passo de conseguir saber com quem foi celebrado esse acordo. Porém, ainda consegui saber uma outra coisa: quem avisou o banco português foi um administrador holandês do FATB. Pelos vistos, Bob Perry terá pensado que foi a Martha mas na realidade foi Karl van der Staag. Ele odeia Bob tanto quanto a Martha, mas é menos ostensivo nas suas intervenções. Bob Perry continua a encontrar-se regularmente com o seu homem de mão, Paul Mallik. Por vezes até aqui nos Estados Unidos. Mallik entra com um disfarce e passaporte falso, fica meia dúzia de dias e desaparece como entrou. A CIA tem sempre um olho nele, mas ainda não conseguiu deitar-lhe a mão numa dessas incursões. Tem chegado sempre tarde demais.

— Mas tem alguma coisa que se possa usar para ilibar a Martha? — perguntou Susan.

— Infelizmente, Susan, nada disto serve para conseguir a liberdade de Martha, nem sequer é susceptível de ser provado. Mesmo a CIA não confirmará oficialmente nada do que me disse *off the record*. Estou no entanto muito perto de obter provas irrefutáveis de que Bob Perry efectuou operações ilegais com bancos latino-americanos. E não estou a falar de uma pequena irregularidade. Trata-se de branqueamento de capitais em grande escala. Dentro de uma semana poderei obter provas disso. São suficientes para o banir da actividade bancária e pô-lo na cadeia muitos anos. Quando as tiver em meu poder, confrontarei Perry com elas e dou-lhe a escolher: ou desfaz a armadilha que montou a Martha ou eu entrego as provas às autoridades e será o seu fim.

— Mas assim ele vai conseguir escapar mais uma vez — interpôs Susan.

— Bem sei, mas é por agora a única maneira de salvar a Martha.

Susan concordou.

Quem não gostou do que ouviu foram os irmãos Hector e Raul Campos, sentados no *Lexus* azul-escuro, estacionado na berma da estrada um pouco acima da estalagem. Tinham seguido o *Mercedes* desde

Washington. Quando este entrou no parque de estacionamento da estalagem, o *Lexus* continuou a subir a encosta até que encontraram o local perfeito para os seus propósitos, num miradouro da estrada a uns cinquenta metros da esplanada. Estavam num ponto ligeiramente mais elevado do que a estalagem e sem obstáculos entre eles e a varanda. Com um microfone direccional, hipersensível, conseguiam ouvir toda a conversa. Com os binóculos de visão nocturna, viam perfeitamente Susan e Peter. Acompanhavam toda a conversa como se estivessem sentados na mesma mesa. Hector estava sentado ao volante. Primeiro montou o microfone encaixado no tripé montado no banco traseiro. Depois, baixou o vidro da janela de trás e orientou o mecanismo com dois manípulos de afinação, até conseguir ouvir distintamente as vozes dos dois. Então ligou o gravador e voltou a sentar-se ao volante enquanto o irmão mais novo se entretinha com os binóculos.

Este trabalho, que de início lhe parecera difícil, estava a revelar-se muito fácil. Em grande parte, devido aos equipamentos de alta tecnologia que o seu empregador lhes facultara. Dez anos na prisão tinham desactualizado Hector. Antigamente, era tudo feito à mão. Agora tudo se fazia com electrónica. Nem sequer sabia que existia tanta engenhoca. Se Raul fosse mais interessado e atento, ter-se-ia actualizado, mas desde pequeno que só com Hector ao lado sabia fazer qualquer coisa. Vivera aqueles dez anos angustiado, esperando o dia da libertação do irmão. Durante esse período, conseguira conservar o seu emprego na empresa de segurança, em grande parte porque Hector lho impunha, nas visitas semanais. A sua dependência em relação ao irmão mais velho era total desde a infância. Hector sempre o protegera. Faziam sempre equipa nos trabalhos que Hector arranjava através do homem. Apesar de Raul ser muito mais alto e forte que o irmão, as suas tarefas eram sempre menores e Hector tinha de o vigiar de perto. No último desses trabalhos, há doze anos, Hector, vendo comprometido o sucesso da operação, deixou-se prender para que o irmão não fosse apanhado. Sabia que Raul não resistiria à prisão.

Assim que foi libertado, em Fevereiro desse ano, Hector foi viver com Raul. Arranjou um emprego como encarregado de limpeza e vigilância numa garagem, enquanto esperava que lhe aparecesse um trabalho. Até que finalmente, há umas semanas, o telefonema por que ansiava chegou.

No dia seguinte partiram os dois para Boston. Instalaram-se no mesmo hotel e no quarto ao lado do quarto do *alvo*. Através de um outro mexicano que trabalhava como criado no hotel, obtiveram, por empréstimo de alguns minutos, a chave das portas de comunicação interior entre o quarto deles e o do *alvo*. Recorrendo a uma massa de silicone e borracha, tiraram moldes das chaves devolvendo-as de seguida ao amigo. Depois fizeram duplicados e esperaram no quarto vendo televisão. Quando o *alvo* regressou ao seu quarto com a mulher, pediu uma garrafa de *champagne*. O amigo tinha trocado de turno para estar de serviço nessa noite. Passou primeiro pelo quarto de Hector onde este introduziu na garrafa uma boa dose de barbitúrico. Duas horas depois do silêncio se instalar no quarto ao lado, abriram as portas de comunicação. O casal dormia profundamente: ela de barriga para cima, com os braços abertos e destapada, deixando à vista uns seios esculturais que Raul teria apalpado, não fosse a intervenção de Hector; ele de bruços. Usando luvas de látex, Hector espetou com força a comprida faca nas costas do *alvo* enquanto lhe tapava a boca com um pano para abafar algum som de dor. Depois, pegando na mão de Martha, colocou-a sobre o cabo da faca, para que nele ficassem as suas impressões digitais. Colocaram depois a corrente de segurança da porta do quarto do *alvo* e correram o fecho. Regressaram ao seu quarto, fechando as portas de comunicação com as chaves falsas.

Depois de retirar as suas coisas do quarto e de limpar todos os vestígios que pudessem incriminá-los, saíram pela porta das traseiras utilizada pelos empregados, onde recolheram o amigo mexicano. Pouco depois deixaram-no à porta da central de camionagem, com um saco contendo os seus parcos haveres e os 10 000 dólares que lhe pagaram. Dali seguiria para o Texas e de lá regressaria ao México. Quando no hotel dessem pela falta dele, já estaria no seu país.

No dia seguinte, receberam do homem a sua nova incumbência. Deveriam seguir Martha, que acabava de ser libertada. Depois, a amiga viera visitá-la e foram incumbidos de a seguir. E não tiveram mais descanso, vigiando as duas. O homem mandou-os também colocar dispositivos de escuta nos telefones de casa e no escritório de Susan. Hector, utilizando um uniforme e munido de uma credencial falsa da companhia dos telefones, não teve qualquer dificuldade em colocar os dispositivos de escuta enquanto se fazia passar por um «inspector da companhia». Depois, dentro de uma carrinha, alternando entre a rua do escritório e a da casa de Susan, escutavam todos os telefonemas que Susan fazia. Mantinham contacto diário com o homem, relatando os encontros e conversas telefónicos mantidos por Susan nesse dia. Sempre que ela saía, seguiam-na de moto ou no *Lexus*. Quando nesse dia telefonaram ao homem dizendo que ela recebera a chamada de Peter e jantaria com ele, receberam ordem para avançar.

Sempre agarrado aos binóculos, Raul conseguiu mesmo ver o valor da conta quando Peter lhe pegou. Agora, com o motor do *Lexus* a trabalhar, os mexicanos esperavam que o casal entrasse no carro e este se pusesse em marcha. Susan arrancou lentamente descendo a estrada da montanha devagar. Hector guiava, enquanto Raul continuava a vigiar o *Mercedes* com os seus binóculos. Ao chegar à única recta existente antes da auto-estrada, o *Lexus* aproximou-se lentamente do *Mercedes*. Já próximo do final da recta, quase em cima da curva, o *Lexus* iniciou a ultrapassagem. Susan desacelerou para o deixar entrar, protestando pela manobra imprudente, mas já não teve tempo para travar. O *Lexus*, logo que ficou ligeiramente avançado em relação ao *Mercedes*, guinou bruscamente para a direita, travando a fundo, atravessando-se na estrada. Atingiu ainda o guarda-lamas dianteiro do lado esquerdo do *Mercedes*, empurrando-o para fora da estrada no único troço que não estava protegido por *rails*.

Susan em vão tentou virar o volante para a esquerda, enquanto carregava no travão a fundo, mas a força do impacto soltou os *air-bags* e ela deixou de ver para o exterior. O carro precipitou-se pela ravina abaixo. Ouvia-se o barulho da vegetação rasteira roçando no fundo do automóvel e, apesar de Susan manter o pedal do travão no fundo, o carro ganhava velocidade numa descida desgovernada. O ruído da vegetação deu lugar ao das pedras que raspavam contra o fundo metálico do carro, cuspindo faíscas em todas as direcções. Com um enorme estrondo, o *Mercedes* embateu de frente numa pedra mais saliente e Susan sentiu os pedais e o chão do carro subirem até aos joelhos que ficaram entalados pelo *tablier*. Com o impacto, o carro fez meio pião, rodopiou para a direita e continuou a descida, agora mais devagar, para trás e ligeiramente sobre a direita. Durante todo o tempo que durou a queda, Peter e Susan permaneceram em silêncio, aterrados. Foram escassos segundos que lhes pareceram uma eternidade. O automóvel imobilizou-se finalmente quando embateu numa árvore. A pancada foi do lado direito junto à porta de Peter, que soltou um grito de dor. Susan tentou chamá-lo, mas as palavras não saíam. A sua voz não lhe obedeceu. Sentia um boi sentado em cima de si. Tentava respirar e não conseguia. Depois vieram o silêncio e a escuridão.

20

A BONANÇA

Enquanto fumava um cigarro, Hector Campos observava as grandes prensas hidráulicas do cemitério de automóveis que em poucos minutos reduziram o *Lexus* a um pequeno pacote com menos de um metro cúbico. Raul aproveitava para usar o urinol nas traseiras. Em menos de meia hora tinham completado a missão. Hector saboreava um cigarro e os 50 000 dólares que o homem lhe dera uma hora antes no hotel de Tyson's Corner, onde se tinham encontrado para devolver o equipamento de vigilância roubado à CIA e as gravações, e receber o segundo pagamento combinado pelo trabalho. Hector nunca compreendera aquela obsessão dos finórios com a aparência do crime. Gastavam mais dinheiro a simular acidentes do que com os trabalhos propriamente ditos. Era um desperdício destruir aquele *Lexus* que devia ainda valer bom dinheiro. Podia perfeitamente arranjar-se, numa oficina de confiança, a amolgadela provocada pela pancada no *Mercedes*. Raul, com a sua limitada inteligência, queria mesmo ficar com ele às escondidas do homem. Hector, apesar de tentado a fazê-lo, sabia que seria suicídio. O homem nunca perdoaria que lhe desobedecesse. Nunca mais trabalhariam para ele, se não lhes acontecesse algo pior...

Seguia à risca as suas instruções. Só depois de terminada a operação que reduziu mais de duas toneladas de automóvel a uns centímetros cúbicos irreconhecíveis, poderia retirar-se. Paul Mallik não queria uma única ponta solta naquela operação. Hector e Raul pagaram generosamente, pelo trabalho fora de horas, e recolheram a casa de Raul, em Manassas, onde deveriam aguardar instruções para outro trabalho, muito em breve.

***

Faltavam poucos minutos para as oito, quando Bernardo foi surpreendido pelo telefonema. Não esperara tanta rapidez. Do outro lado
da linha, o Presidente da CMVM anunciava-lhe que dentro de instantes sairia um comunicado:

— Vai ser lido nos telejornais das oito. A Comissão analisou todos os
indícios, incluindo os que constavam da notícia do passado sábado, e
concluiu que o BIAP não efectuou qualquer aquisição não autorizada ou
ilegal. Por isso vai ser levantada, com efeitos imediatos, a suspensão
da autorização de compras de acções do BNCE que foi emitida há uma
semana.

Bernardo ouvia estas palavras com indisfarçável satisfacção. «Afinal
o tom de ameaça surtiu efeito», pensou. Agradeceu o telefonema e
desligou. De seguida mandou José Maria convocar a reunião com os
consultores para as nove e meia dessa noite e a secretária encomendar
o jantar na Casa da Comida, como por vezes fazia. «Janto mesmo aqui
no gabinete», disse-lhe.

Eram oito em ponto quando ligou a televisão. Ia assistir ao tele-
jornal enquanto jantava e descontraía para a reunião que se seguiria. Era a segunda vez que se reunia com os consultores nesse dia.
A sua manhã começara bem cedo com a reunião que ficara marcada
na segunda-feira anterior. Todos traziam ideias. Nem todas boas. Ao
fim de duas horas desenhava-se o consenso que Bernardo desejava.
Quando todos se inclinavam para a solução que há muito intimamente
preconizava, Bernardo suspendeu a reunião. Voltariam a reunir logo
que a CMVM desse a sua decisão sobre a investigação. Se fosse favorável, como estava certo que seria, sairiam com o contra-ataque nesse
mesmo fim-de-semana. Se fosse desfavorável, as coisas ficariam muito
feias. O BIAP recorreria da decisão e ele, Bernardo, não descansaria
enquanto não encontrasse quem estava por trás da notícia!

Agora, mais calmo, olhava distraído para o ecrã que passava as notícias sobre os fogos e a guerra do Iraque. Finalmente surgiu o comunicado. Seco e objectivo, mas muito favorável ao seu banco. Saía deste
incidente completamente ileso e até com algum capital de queixa.
Afinal, fora injustamente acusado, caluniado, difamado. Era a sua primeira verdadeira vitória na comunicação social. Teria agora de explorar o sucesso através do contra-ataque que planeara. Contente consigo
próprio pela forma como conduzira a reunião com o presidente da
CMVM, Bernardo deliciava-se com uma perdiz estufada que acompanhava com um magnífico tinto António Maria.

A reunião dos consultores terminou já depois das duas da manhã. Bernardo retirara-se perto da meia-noite, depois de deixar todas as orientações que entendeu necessárias. Trabalhariam dia e noite, se necessário, mas teriam tudo pronto para ele rever durante a tarde de domingo. O comunicado seria emitido na segunda-feira, antes da abertura do mercado.

Marta ficou praticamente prisioneira durante o fim-de-semana. Regressou a casa na madrugada de sábado para domingo, quando finalmente ficou concluída toda a documentação necessária à operação que Bernardo tinha encomendado.

À porta encontrou Rui que regressava da «noite». Apesar de cansada, Marta sentia-se descontraída e, com os filhos fora e Amélia agora de férias, resolveu aproveitar para ter com Rui uma conversa há muito adiada. A hora não seria a melhor, mas com o pouco tempo que passavam juntos, restavam poucas oportunidades. Sentados na cozinha, cearam ovos mexidos preparados por Marta. Há muito que ela sentia que aquela conversa era inevitável, mas desde a última segunda-feira sabia que estava iminente. Os últimos dez anos de casamento tinham sido um suplício.

De início, Marta ajudou-o várias vezes a resolver os problemas em que se metia. Contraía dívidas de jogo que não tinha depois maneira de solver. Ela «emprestava-lhe» dinheiro para ele pagar as dívidas e ele comprometia-se a não voltar a jogar. Durante uns meses sossegava. Passava os serões em casa e levava Marta a jantar fora ao sábado. Saíam com casais amigos, recebiam em casa e passavam alguns fins-de-semana fora. Uma vida normal de qualquer casal. Mas não durava mais que um ou dois meses. Depois recomeçava. Primeiro saía só às sextas-feiras, depois também aos sábados, e depressa estava de novo em apuros com elevadas dívidas. Entrava então em depressão, ficando vários dias na cama sem se levantar para ir trabalhar. Logo que Marta lhe dava o dinheiro para pagar as dívidas, passava-lhe a depressão e a boa disposição regressava.

Marta, cansada deste ciclo infernal, há uns anos avisara-o de que seria a última vez que o ajudava. Ela ganhava bem, mas tinha de suportar sozinha a casa e os filhos, pois a solidariedade financeira de Rui era nula. Estafava-se a trabalhar e decidiu que o dinheiro ganho com o seu trabalho não iria continuar a alimentar um vício ignóbil. Rui, está claro, não a levou a sério e pensou que era mais uma forma de o pressionar a deixar de jogar. Cedo percebeu que se enganara e que Marta sabia manter-se fiel às suas decisões. A primeira crise que Marta não lhe resolveu foi para Rui um drama. Teve de recorrer a amigos e demorou um ano a pagar as dívidas, com o seu ordenado. Durante esse ano não saía de casa, excepto para trabalhar.

O ambiente à sua volta tornou-se pesado. Fazia todos os que estavam perto pagar pela sua infelicidade, especialmente Marta, a quem nunca perdoou não lhe ter emprestado o dinheiro. Quando ganhava, Rui era encantador. Só que não levava para casa essa boa disposição, preferindo gastá-la nos *cabarets*, derretendo o seu dinheiro em noitadas com os amigos. Adquiriu o hábito de arranjar namoradas. Geralmente, duravam uns meses até que nova crise financeira o atirasse de novo para a penúria e depressão.

Marta assistia a tudo, mas não cedia. Mantinha-se fiel à decisão de não mais financiar o vício do marido. Sentia que mais tarde ou mais cedo o seu casamento terminaria, mas nada podia fazer — Rui nunca deixaria de jogar.

Depois de dez anos a fazer de conta que não percebia, tinha chegado o momento da verdade; daquela vez ele tinha ido longe de mais. Marta observa-o desde que no sábado anterior saíra a notícia das compras ilegais de acções. Sabia que tinha deixado o papel em casa enquanto fora ao *road show*. Percebia pelo seu comportamento, que Rui devia estar a atravessar uma séria crise financeira, talvez das mais graves de sempre. Conhecia os sintomas bem de mais. Não lhe foi muito difícil juntar dois com dois.

Calmamente, confrontou-o com a publicação da notícia sobre o BIAP. Começou por lhe falar da investigação e das conclusões favoráveis a que a CMVM tinha chegado. Afinal, quem publicara o documento não sabia tanto como pensava. Rui sem perceber onde a conversa conduzia, respondeu candidamente:

— Isso não é absolutamente seguro. Sabes bem que há muitas maneiras de falsear estas coisas. É muito bem possível que eles tenham mesmo comprado acções e nem tu saibas. Não sejas ingénua, Marta!

— Sabes bem que isso não sou. Às vezes até gostava de ser um bocadinho, para não perceber algumas coisas que só servem para me entristecer. Mas infelizmente não consigo perder a minha perspicácia. Como foste capaz, Rui? Como pudeste pôr em perigo o sustento dos teus filhos, para já não falar no meu bom nome? Nunca te julguei capaz de descer tão baixo. Como pensavas tu sustentar esta casa e os teus filhos se eu fosse suspensa da Ordem? Assim como eu consegui ter a certeza que foste tu, alguém poderá investigar a fuga de informação e concluir o mesmo que eu. Não sabes que os documentos classificados são sempre identificados de forma dissimulada?

Rui, como sempre fazia quando era apanhado, representou todos os papéis. Primeiro, fingiu não perceber, depois indignou-se com a acusação. Por último, vieram o arrependimento e os remorsos. Justificou-se. Disse-se desesperado pois a sua dívida era enorme e o credor implacável. Chorou e prometeu que, se Marta o ajudasse dessa vez, nunca mais tocaria numa carta. Como ela se não comovesse, tornou-se de novo arrogante e agressivo. Acusou-a de ser insensível. De ditar a sua sentença de morte.

Marta conhecia as suas acusações de outras discussões, por isso não lhe respondeu. Sabia também que ele regressava a casa já bastante bebido, ao que juntara já três cervejas. Ouviu-o e, quando finalmente se calou, limitou-se a dizer-lhe:

— Rui, tens de te ir embora. Desta vez passaste todas as marcas. E tem de ser hoje. Arranja, por favor, um saco e vai. Depois eu mando-te ou vens buscar o resto durante a semana.

— Eu não acredito no que estou a ouvir! Estás a pôr-me fora. Queres mesmo que eu vá? E para onde queres tu que eu vá a esta hora da noite? Para debaixo da ponte?

— Podes ir para um hotel — começou a Marta já cansada de toda aquela encenação —, mas podes fazer também como fazes nas noites em que dormes fora. Podes ficar em casa da Carla. É assim que ela se chama, não é? Sai-te mais barato e ela de certeza que fica contente.

Rui foi apanhado de surpresa com este soco no estômago. Não supunha que Marta soubesse da existência de Carla. Furioso, apagou o cigarro no prato sujo de ovos, foi ao quarto, atirou umas quantas coisas para um saco grande e, sem dizer uma palavra, saiu batendo com a porta.

Da janela da sala, Marta viu-o atravessar a rua e meter-se no carro que estacionara quase em frente ao prédio. Não podia deixar de sentir pena daquele homem que o jogo destruíra. Era hoje uma sombra do que fora quando se conheceram. E não só intelectualmente. O álcool inchara-lhe a cara e a barriga. O seu olhar era baço e mortiço, os ombros tinham descaído, e o seu ar era descuidado. Mais parecia um sem-abrigo. Do seu proverbial bom ar, que tanto a impressionara, nada restava.

Marta não se enganara quanto ao destino do marido. Rui regressou a casa de Carla, de onde saíra poucas horas antes. Aquele sábado correra-lhe muito mal. Primeiro a notícia de que a CMVM ilibara o banco de qualquer irregularidade. Procurara depois Paiva, em Cascais. Encontrou-o com a ajuda de Carla, que lhe arranjou um encontro ao fim da tarde no bar do Hotel Miragem. Rui levou Carla para pressionar, mas Paiva foi seco e escovou-o dizendo que o documento não tinha qualquer valor. Queria até que lhe devolvesse o dinheiro antes pago, pois era apenas um adiantamento. Rui estava furioso. Recusou devolver um cêntimo sequer, mas não tinha argumentos para rebater a acusação de falsidade da informação que vendera.

O encontro terminou de forma pouco agradável, embora Paiva tivesse a preocupação de ser amável para com Carla.

Aproximando-se rapidamente a data do próximo pagamento a Mário, Rui estava em pânico. Deprimido e ansioso, foi para uma discoteca de Cascais com Carla, Ricardo e a namorada. Agora acabava a noite com um saco na mão, batendo à porta de Carla.

* * *

Victor Paiva deixou o hotel de Cascais furioso com o desplante de Rui. Não só lhe arranjara um documento falso que de nada servira como ainda vinha com exigências. Para Paiva, o problema continuava no mesmo ponto e não iria largar um cêntimo que fosse para este oportunista ou qualquer outro, incluindo Figueiredo com as suas falsas informações.

António Figueiredo telefonava-lhe agora só ocasionalmente para saber novidades. Cada telefonema corria pior que o anterior. Paiva, por vezes, nem atendia a chamada. Com Ellen fora da sua vida, o dia-a-dia de Figueiredo em Nova Iorque era agora uma chatice. O insuportável calor daquele Agosto já avançado, agravado pela elevada humidade, tornava a vida insuportável. Não se conseguia andar na rua. Figueiredo passava o dia junto ao ar condicionado do gabinete e de sua casa. Com Carlos de férias em Portugal, também não tinha com quem sair. Passava os dias a ler, a ver televisão e a beber.

Nas vésperas de partir para férias em Lisboa, depois de muita hesitação, resolveu telefonar a Ellen, com o pretexto de se despedir. Na verdade, queria ver se havia alguma alteração do estado de espírito dela. De casa não atendia e o seu telemóvel respondia com a mensagem de número não-atribuído. Encheu-se de coragem e telefonou para o escritório. Daí informaram-no de que Ellen já não trabalhava na firma. Em vão tentou obter um contacto, morada ou qualquer informação adicional. A recepcionista que o atendia, perante a insistência, disse-lhe simplesmente:

— Lamento não dispor de mais informação sobre Miss Ellen Pratts, mas se desejar, passo a chamada a um *partner* que esteja em posição de lhe dar mais pormenores. Diga-me o seu nome, por favor.

— Não é preciso — respondeu secamente Figueiredo antes de desligar abruptamente.

Mais preocupado que nunca, partia para Portugal poucos dias mais tarde. Ellen, porém, estava já longe de Nova Iorque. No dia seguinte ao regresso do fim-de-semana em Williamsburg com Figueiredo, chegou cedo ao escritório, como todos os dias fazia. Pouco depois de se sentar à sua secretária, já com a caneca de café na mão, foi chamada ao gabinete do *senior partner*, Mr. Clark. Com ele estavam dois homens de fato escuro que se apresentaram como pertencendo à brigada de crime financeiro do FBI. Mr. Clark confirmou, com um gesto, que verificara a sua identificação. O mais velho começou:

— Miss Pratts, temos vindo a vigiar os seus movimentos há algum tempo. Não me pergunte por que razão começámos a fazê-lo, pois não estou habilitado a responder-lhe. Sabemos, e podemos provar, que passou informação sensível sobre uma operação em que trabalhou no Departamento de Fusões e Aquisições deste escritório. Como disse, conhecemos todos os seus passos e temos gravações de conversas e outras provas comprometedoras. Em resumo, temos o suficiente para garantir a sua condenação. Pode estar certa de que passará muitos anos na prisão.

Mr. Clark assistia a esta conversa com os olhos postos no chão. Era uma humilhação para si e para o seu escritório. Mas não podia fazer outra coisa se não colaborar e esperar que este pesadelo, que durava há meses, acabasse rapidamente e sem escândalo. O agente do FBI continuou:

— A oferta que lhe vou fazer não será repetida. A resposta terá de ser dada já. Se recusar, não poderá depois voltar atrás nessa decisão, mas não verá por isso a sua pena agravada. Estou autorizado a oferecer-lhe imunidade relativa, se nos confirmar as informações de que dispomos e nos disser tudo o que sabe sobre as pessoas a quem deu as informações privilegiadas a que tinha acesso, e se se dispuser a testemunhar em tribunal contra essas pessoas. Caso aceite a nossa proposta, será mesmo assim julgada, e certamente condenada, mas terá a pena aligeirada e suspensa. Além disso, pode entrar no programa de protecção de testemunhas. Sairá de imediato de Nova Iorque e terá uma nova identidade, além da protecção do FBI. Deve saber como funciona o programa.

Quando o agente se calou, todos os olhos estavam virados para Ellen. Mas a expectativa durou pouco. Ellen tomara a sua decisão antes ainda de o agente acabar de falar. Com os olhos rasos de lágrimas, respondeu em voz baixa:

— Aceito.

Quinze minutos mais tarde, saía do edifício dizendo aos colegas que ia à farmácia. Discretamente, os dois agentes seguiam atrás dela. Nessa tarde, o sistema interno de informação do escritório, anunciava laconicamente que Miss Ellen Pratts deixara o escritório a fim de prosseguir outros interesses.

* * *

Na segunda-feira, a notícia tomou o mercado de surpresa. Com grande estrondo, ecoou em toda a comunicação social. O mercado, ainda mal refeito do episódio das infundadas suspeitas de compras ilegais de acções, estava neste final de Agosto, em plena *silly season*, com uma enorme falta de notícias. Só as da OPA alimentavam os títulos. Bernardo escolhera com precisão cirúrgica o tempo e a forma de dar a reviravolta necessária para ressuscitar a sua oferta.

Antes ainda da abertura do mercado, divulgava o comunicado no qual revia a oferta. Esta passava a ser geral, incidindo, portanto, sobre a totalidade das acções do BNCE. A contrapartida mantinha-se, mas era dada a possibilidade aos accionistas de trocar as suas acções do BNCE por acções do BIAP. A OPA passava a OPT — Operação Pública de Troca. Os accionistas do BNCE que quisessem vender as suas acções, poderiam assim vendê-las por 4,5 euros ou trocá-las por acções do BIAP. Nesse caso, a razão de troca seria de 1:0,8. Ou seja, por cada acção do BNCE detida, o accionista receberia 0,8 acções do BIAP. Esta relação tinha em conta as respectivas capitalizações bolsistas e diferentes números de acções emitidas. Além disso, era anunciado um aumento de capital do BIAP de 150 milhões de acções, reservado a accionistas, ao preço de 6,5 euros por acção.

Na prática, a contrapartida da oferta era aumentada. Agora os accionistas que aceitassem a troca recebiam por cada acção do BNCE um valor equivalente a mais de 5 euros e não 4,5 euros, como anteriormente. O limiar de sucesso era alterado para 50 por cento mais uma acção. A oferta mudava radicalmente. Bernardo conseguira fugir da terrível armadilha em que se metera com a oferta sobre 33 por cento do capital do BNCE. Foi convocada para essa tarde uma conferência de imprensa destinada a explicar a revisão.

O mercado recebeu bem esta revisão. Quando começou a negociação na bolsa, as acções do BIAP começaram a transaccionar-se a 6 euros. Depois subiram até aos 6,5. Também as do BNCE começaram finalmente a sua trajectória ascendente. Finalmente o mercado dava credibilidade à oferta.

Nessa tarde, a sala da conferência de imprensa estava a abarrotar quando Bernardo entrou triunfante, vestindo um fato de corte impecável do seu alfaiate de Saville Row, camisa branca que realçava o seu bronzeado e uma gravata em tons alegres. Com todos os indicadores preliminares favoráveis, Bernardo, agora mais solto, teve um desempenho diferente do da anterior conferência. As perguntas eram agora fáceis de responder. A sua estratégia era a compra total para fazer a fusão dos dois bancos. As sinergias eram óbvias (para ele, pelo menos) e a lógica de fazer um grande banco sob gestão Hallbrook podia não agradar, mas era menos atacável. Até a questão delicada de como financiaria a oferta era simples. Bernardo, questionado de diferentes maneiras, deu, por palavras diferentes, sempre a mesma resposta:

— Acreditamos que os accionistas do BNCE optarão em grande número pela troca das suas acções pelas nossas. Mas se o não fizerem, colocaremos junto de investidores institucionais do mercado internacional um aumento de capital para financiar a aquisição. Além disso, os accionistas de referência do BIAP (o que queria dizer a família Hallbrook e amigos) assumiram já o compromisso de tomar a totalidade do próximo aumento de capital de 350 para 500 milhões de acções que hoje anunciámos. Ficarão com uma posição superior a dois terços do capital. Mais tarde, subscreverão, se necessário, também uma parte importante de um segundo aumento de capital, por forma a ficar com uma posição de domínio no novo banco, resultante da fusão do BNCE com o BIAP. Chamar-se-á Banco Português de Comércio.

Bernardo sabia que os jornais gostavam sempre desta coisa dos nomes. No entanto, não explicava exactamente que percentagem do futuro aumento de capital a família e os seus aliados subscreveriam, dizendo apenas que manteriam o controlo do banco. A verdade é que os Hallbrook, com este primeiro aumento de capital, ficavam financeiramente exauridos e sobreendividados. Por isso, Bernardo negociou com um grande fundo de *private equity* um acordo de financiamento e parqueamento de acções para o segundo aumento de capital. O fundo avançaria o dinheiro para os Hallbrook subscreverem até 140 milhões de acções. Estas ficariam em nome da família mas de facto pertenciam ao fundo de *private equity*, ao abrigo de um contrato secreto que conferia também ao fundo um importante conjunto de direitos e opções.

Apesar de dizer que esperava um recurso em massa à troca de acções, Bernardo baseava-se na opinião dos consultores que calculavam que apenas 30 por cento dos accionistas do BNCE trocariam as suas acções pelas do BIAP. Assim, poderia limitar o futuro aumento de capital financiando o resto com a dívida contraída pelo BIAP. Desta forma, poderia reter uma maioria relativa de pelo menos 40 ou 45 por cento que lhe daria o controlo do novo banco. Logo após a OPA, Bernardo começaria a vender activos do BNCE para reduzir a dívida e gradualmente resgatar as acções do controlo do fundo. Começaria por pagar parte da dívida logo nos primeiros três meses para recompor o rácio de solvabilidade do banco. Depois, dispunha de um ano para pagar ao fundo. Era, sem dúvida, uma operação arriscada, mas possível de executar. Tudo se baseava na premissa de que apenas 30 por cento dos accionistas aceitavam a troca. Os restantes preferiam receber dinheiro.

Bernardo saiu da conferência de imprensa radiante consigo próprio. Tinha conseguido fazer reviver a oferta, apesar da difícil situação em que se encontrava.

A generalidade dos comentadores recebeu a revisão da oferta positivamente. Mais uma vez enalteciam o espírito de iniciativa e a imaginação demonstrada pelo BIAP e o seu presidente. Só os mais cépticos chamavam a atenção para o esforço financeiro que os Hallbrook teriam de fazer para controlar o novo banco, caso a OPA tivesse sucesso. As acções, após um breve período de suspensão, retomaram a negociação em forte alta. A semana começava, assim, em clima de euforia, numa época geralmente marcada pela monotonia nos mercados.

Vários investidores receberam as notícias daquela segunda-feira com agrado. Um deles, Victor Paiva, via finalmente as suas opções sair da zona encarnada, e, pela primeira vez, a possibilidade de ganhar algum dinheiro com aquele investimento. Dependia agora da forma como as acções se comportassem.

Mais bem-disposto, aceitou receber Rui uma última vez, depois de várias insistências de Carla. Ela via a angústia de Rui, agora todos os dias e a todas as horas. Se antes Paiva tinha já estima por ela, estava-lhe agora ainda mais grato, pois sem a sua intervenção ele teria certamente vendido as opções a perder dinheiro. Como Rui não lhe largava a porta, Paiva lá se decidiu recebê-lo, mas primeiro explicou bem a Carla que seria a última vez. Ela compreendeu, mas fez questão de sublinhar que a situação de Rui era desesperada. Só isso a fazia pedir-lhe que o ajudasse.

Desta vez não houve convite para almoçar. Rui entrou no escritório de Victor Paiva pelo meio-dia. O seu aspecto era tenebroso. Olheiras fundas, má cor, curvado, mal barbeado, calças amarrotadas, quase andrajoso, não parecia o mesmo homem com quem Paiva jantara poucas semanas antes no Visconde da Luz.

Victor Paiva tinha-se disposto mentalmente a ter alguma paciência com aquele homem, que considerava um «chupista», unicamente por causa de Carla. Mas não lhe daria o dinheiro que ele queria. Admitia agora dar-lhe uns cinco ou no máximo dez mil euros, só para o calar e mandar embora. Queria ter um gesto de simpatia para com Carla, mas para isso era necessário que a conversa acabasse em bem e ele não se pusesse com exigências, como da última vez.

Rui estava agora desesperado e sem saber para onde se virar. O pânico em que vivia, obrigara-o a adoptar uma atitude de humildade bem diferente daquela com que se apresentara no restaurante dos frangos e no Hotel Miragem. Victor Paiva correspondeu com maior afabilidade. Ouviu com atenção o relato sincero que Rui lhe fez da sua dramática situação. Aqui e ali ia fazendo algumas perguntas para compreender bem a situação financeira do seu interlocutor. Quando Rui acabou de lhe expor completamente o seu problema, foi um Paiva compreensivo e paciente, quase paternal, que lhe respondeu:

— Em resumo, o doutor deve 40 000 euros que terá de pagar dentro de dias ou semanas. Eu mantenho o meu acordo consigo, mas é evidente que o documento que me arranjou não resolve o problema, nem sequer teve qualquer impacto, pois aparentemente não tinha o fundamento que nós pensávamos. (Paiva evitou usar a palavra *falso*, a primeira que lhe ocorreu.) Não posso por isso resolver-lhe o problema. O único conselho que posso dar-lhe é que tente renegociar a dívida com o seu credor. Ganhando algum tempo, poderá arranjar mais facilmente o dinheiro de que precisa. Pela minha parte, o que poderei fazer será um empréstimo de uns 5000 euros, que o doutor me pagará sem juros quando se libertar desta crise. Mas se entretanto me arranjar alguma informação que valorize a minha posição, eu mantenho naturalmente a minha proposta. Não lhe escondo, porém, que neste momento, com a revisão da oferta, a minha posição saiu valorizada.

Rui saiu do escritório com os 5000 euros no bolso, depois de assinar uma simples promissória. Muito amável, Paiva não deixou, no entanto, de sublinhar que aquele gesto só podia justificar-se pela grande estima pessoal que tinha por Carla. À saída, encontrou Fernando, com a mão entrapada. A ferida infectara e alastrara, uma recordação para toda a vida do jantar do Visconde da Luz.

Rui dirigiu-se de imediato ao seu banco em Cascais, onde depositou o cheque na sua conta. Depois pediu um envelope e papel branco no qual escreveu uma missiva a Mário. Sabia que àquela hora estaria a sair do escritório. Na carta, à qual juntou um cheque seu de 6000 euros, explicava que aquele era o máximo que conseguira arranjar. Apresentava mil desculpas e prometia arranjar o resto nas próximas semanas, sem contudo se comprometer com datas específicas. Sabia que Mário ficaria furioso, por isso não queria encontrá-lo, nem telefonar-lhe. Foi ao escritório dele, deixou o envelope com a carta e o cheque na recepção. Depois, voltou para Lisboa. Passava das duas horas e o calor naquele fim de Agosto era insuportável, para mais com o ar condicionado do *Honda* avariado e sem dinheiro para o mandar arranjar. Depois do cheque passado a Mário ficara com 200 euros no banco, com os quais teria de viver até ao fim de Setembro.

Como de manhã telefonara para o emprego invocando uma forte indisposição, resolveu tirar também a tarde e enfiou-se no cinema das Amoreiras. Aí pelo menos o ar condicionado funcionava. Depois iria ter com Ricardo.

21

REVIRAVOLTA

Como diariamente acontecia, o homem saiu de casa pelas seis da manhã, nessa quinta-feira de Agosto. Regressara a Amesterdão no fim--de-semana anterior. A sua mulher ficaria ainda mais duas semanas na casa de férias no Sul de França. Karl juntar-se-lhe-ia aos fins-de--semana, mas para já tivera de regressar ao trabalho para uma série de reuniões e assinaturas de contratos da sua empresa de navegação. Há mais de quarenta anos que geria aquele grupo. Herdara o negócio do pai. De início era apenas *shipping* e uma participação numa corretora de seguros. Fizera crescer o negócio, diversificara-o e transformara-o num grande conglomerado, com filiais em vários países europeus e interesses espalhados por todo o mundo. Trabalho, muito trabalho, honestidade e modéstia, fora a sua receita para o sucesso. Hoje, com quase 70 anos, sente que podia gerir o grupo de olhos fechados. No entanto, a sua vida pouco se modificou. É um homem de hábitos frugais e de gostos simples. Muito alto e magro, mantém excelente forma física. Dedica-se ainda ao mergulho, a sua paixão desde a juventude e talvez a sua única extravagância. Todos os dias faz 45 minutos de *jogging* às seis da manhã. Verão e Inverno. Entra no escritório no centro da cidade às sete e meia, para só regressar a casa às sete da tarde. Hoje, porém, só trabalhará até meio da tarde, pois às sete horas apanhará o voo para Nice.

No sábado bem cedo, saiu de sua casa em *Saint Raphael* com o equipamento de mergulho. Estava uma manhã quente e soalheira. O dia adivinhava-se tórrido. Verificou cuidadosamente, como sempre fazia, os níveis e funcionamento das garrafas e mergulhou perto das oito da manhã.

Karl sentia-se noutro mundo logo que mergulhava. Todas as suas preocupações e o *stress* desapareciam instantaneamente. O mundo das algas, das plantas subaquáticas e dos peixes passava a ser também o seu, esquecendo-se de tudo o resto até que o temporizador viesse lembrar-lhe que era tempo de regressar ao mundo dos humanos. Tão distraído estava que nem reparou nos dois mergulhadores que nadavam atrás de si. Só quando um deles lhe bateu no ombro, Karl se virou e os viu.

Com gestos incompreensíveis, pareciam querer fazer-lhe uma pergunta que Karl não percebeu. Os homens não pareciam ser mergulhadores experimentados e Karl começava a ficar enfastiado com aquela conversa de surdos. Até porque o seu tempo de mergulho estava a passar. Com um sinal convencional, despediu-se e afastou-se deles. Mas não foi longe pois foi logo agarrado primeiro por um e depois pelo outro. Karl, indignado, tentou libertar-se das mãos destes selvagens com um safanão que ainda atingiu na cara um dos homens. Mas depressa percebeu que não se tratava de um encontro fortuito. Os homens agarraram-no com força. Um pelos pés, o outro prendendo-lhe as mãos atrás das costas. Puxavam-no agora para baixo. Karl não sabia o que quereriam, mas fingiu-se dominado para tentar apanhar os seus captores de surpresa. Ainda reagiu duas vezes, mas a superioridade numérica e de força não lhe permitiu libertar-se.

Relativamente tranquilo porque as suas garrafas estavam quase cheias, Karl tentava perceber a motivação dos captores e delinear um plano para se libertar. Subitamente sentiu diminuir o débito de ar das suas garrafas. Com as mãos agarradas atrás das costas, não conseguia verificar a posição das válvulas. Calculou que os homens as tivessem fechado. Respirando já com dificuldade fez ainda uma tentativa para atingir com a cabeça o tubo de respiração de um dos homens, mas o esforço foi em vão, pois ele desviou-se. Karl, já sem forças e com uma forte dor no peito, deixou de se debater. Tentava inspirar, mas o fraco débito de ar que provinha do tubo não era suficiente. Um dos homens segurava agora o tubo na boca de Karl para que ele não o retirasse. A dor era agora insuportável. Quando Karl perdeu os sentidos, já a sensação de falta de ar parara.

Desde o aparecimento dos homens, tinham passado pouco mais de cinco minutos. Estes largaram a sua vítima inanimada, permanecendo ainda algum tempo junto dele. Depois nadaram lentamente em direcção ao iate que estava ancorado a uma centena de metros da costa e no qual regressaram a Nice. Tinham vindo de lá dois dias antes. O «trabalho» que lhes fora encomendado era muito simples. A velhota holandesa estava só no grande casarão. O marido só vinha aos fins-de-semana. Todos na vila a conheciam e sabiam dos seus hábitos. Levantava-se pelas seis da manhã, passava o dia na jardinagem e deitava-se muito cedo. A casa estava mal guardada. Não havia alarme nem cães de guarda. Apenas um muro alto que saltaram a meio da noite sem dificuldade. A porta da garagem foi aberta em menos de um minuto e de lá passaram para a pequena arrecadação onde estava guardado o equipamento de mergulho. A sabotagem das garrafas de mergulho não demorou mais de quarenta e cinco minutos. Ao todo estiveram dentro da propriedade menos de uma hora.

A notícia da morte de Karl van der Staag foi recebida nos meios financeiros sem grande alarido. Não se tratava de uma figura muito mundana. Pelo contrário, era recatado e até um pouco provinciano. No entanto, o *Wall Street Journal* da segunda-feira seguinte dedicava--lhe um pequeno obituário. A morte era atribuída a um acidente de mergulho, motivado pelo mau funcionamento do equipamento. Apesar de cheias, as garrafas deixaram de funcionar devido a uma obstrução no mecanismo da válvula. Uma avaria pouco frequente, mas infelizmente impossível de detectar ou remediar debaixo de água.

Bob Perry leu-a com satisfacção. Com os seus dois opositores fora de combate — um morto o outro acusado de homicídio — podia agora fazer a reunião do *board* por teleconferência, para que lhe fosse dada carta branca para passar ao seu Plano B. Estivera praticamente toda a semana anterior em reuniões para analisar as implicações da revisão da oferta do BIAP. Agora, com todos os dados na mão, já sabia como iria responder àquela alteração. Se com a oferta parcial, se justificava a estratégia de «esperar para ver», agora tudo mudava. O êxito era agora praticamente certo. Bob não podia continuar na expectativa. O seu plano seria agora colocado ao *board* e depois apresentado a Manuel Cervera. Todavia, Bob tomara já a decisão de avançar com ele, qualquer que fosse a posição do castelhano.

Miguel Machado passou também a semana anterior estudando a nova oferta e preparando a sua resposta. Para Miguel, ela não constituiu surpresa. Já calculava que qualquer coisa o BIAP faria para sair da difícil posição em que se colocara. Tinha passado a semana a construir cenários alternativos e a fazer contas.

A meio da semana almoçou com Azeredo, que se mostrava dividido. A ideia agradava-lhe até certo ponto, mas temia que viesse alterar o comportamento dos accionistas com quem já tinha falado, pois a nova oferta era claramente mais favorável para os accionistas do BNCE. Miguel fez-lhe a seguinte sugestão:

— Muitos accionistas vão querer trocar. Alguns dos que nos deram apoio podem agora mudar de campo. Esta oferta é mais generosa. Que acha de incumbirmos o Júlio Andrade de sondar novamente os accionistas? Acho que estarão mais à vontade com ele do que consigo. E se eles querem vender, o melhor será percebermos quanto antes. Para fazer falhar a oferta, precisamos agora de ter 50,1 por cento do nosso lado. No anterior cenário tínhamos 65 por cento. Será que continuam connosco neste novo cenário? Sinceramente, não sei. Mas precisamos de saber quanto antes. Se concluirmos que não conseguimos bloquear a oferta, teremos de arranjar uma alternativa. Se uma parte importante dos accionistas quiser vender, será preferível que aceitem a troca. Poderemos ainda assim promover a constituição de um grupo para concertar posições. Juntos podemos ter uma palavra a dizer na orientação do novo banco. E este é o momento para fazer essa diligência. Ou conseguimos agora controlar o processo ou perdemos a mão. Acho que o Júlio Andrade seria a pessoa ideal para essa missão. É respeitado no mercado e a sua opinião é ouvida. Que lhe parece?

— Acho bem. E francamente prefiro que seja outra pessoa a falar, nesta fase, com os accionistas. Com ele estarão mais à vontade para dizer o que realmente pensam fazer do que comigo. Se for eu, corremos o risco de nos dizerem que sim e depois acabarem por vender. Eu falo com o Júlio. Dá-me uma lista de accionistas com maiores participações e os seus contactos. Não nos interessa, nesta fase, falar com mais de uma dúzia. Se a conversa com estes correr bem, falamos depois com os mais pequenos, numa segunda ronda, e nessa altura já teremos algo mais para lhes dizer.

Em seguida, discutiram em pormenor o texto do comunicado do BNCE em resposta à revisão da oferta. O conselho de administração do BNCE reuniria nessa tarde para aprová-lo. O texto que Miguel preparara pelo seu próprio punho era prudente e quase conciliador. José Maria Azeredo deu-lhe alguns retoques, conferindo-lhe uma linguagem ligeiramente mais agressiva. Ficava com mais espaço de manobra para a posição definitiva que tomariam perante o pedido de registo definitivo da nova oferta. Não deviam ficar amarrados nesta fase.

Mesmo assim, o texto que o conselho aprovou nessa tarde era bastante mais brando que o primeiro. Registava a melhoria da oferta do ponto de vista dos accionistas por ser total. Referia-se à opção de troca como potencialmente interessante, mas sem dizer que era positiva. Reafirmava a anterior posição de ser uma oferta não solicitada e hostil que não vinha beneficiar o sistema bancário. Porém, reservava uma tomada de posição definitiva para quando fossem conhecidos todos os pormenores da oferta revista.

Em simultâneo, Júlio Andrade desenvolvia já actividade frenética, desdobrando-se em contactos com os accionistas do BNCE.

* * *

A videoconferência do *board* do FATB decorreu exactamente como Bob Perry previra. Afastados os seus dois inimigos, o conselho foi unânime na aprovação da sua proposta. Esta tinha sido estudada ao longo de várias semanas, mas mais intensamente nos últimos dias. Bob fez uma exposição bem preparada e estruturada dos objectivos da operação. No fim, poucas foram as perguntas, como Bob gostava. No momento de votar, todos estavam consigo.

Agora anunciava-se a parte mais difícil: convencer o espanhol do mérito desta solução. Em conversas anteriores, Bob várias vezes tentara introduzir o tema e aflorar a possibilidade, mas o outro fingia que não percebia ou mudava de assunto. Bob tinha dificuldade em compreender esta relutância de quem tinha tido a ideia e sido tão entusiasta da operação original. Mas Bob estava agora decidido a avançar, quer o outro quisesse, quer não. Uma vez a operação no mercado, o espanhol não teria outra solução se não aderir, dissesse ele o que dissesse antes.

Quando conseguiu ter Cervera do outro lado da linha, Bob explicou-lhe pormenorizadamente a operação que tinha arquitectado, tal como fizera com os membros do *board*. Deu-lhe mesmo bastante mais informação do que dera aos seus administradores não-executivos. Só não lhe disse que a operação já tinha sido aprovada pelo *board*. Falou lenta e pausadamente para ter a certeza de que o outro percebia e apreendia tudo. Não poupou dados mais técnicos. À sua frente tinha as projecções financeiras que os consultores lhe tinham preparado. Justificou o elevado prémio que oferecia, falou do rácio de solvabilidade após a OPA, dos outros pontos fortes para convencer as autoridades e os accionistas da bondade da oferta. De vez em quando, citava números que, sabia, impressionariam favoravelmente o seu teimoso interlocutor. Falou durante meia hora quase ininterruptamente. Quando finalmente se calou, aguardou com expectativa pela reacção de Cervera. Este, com a sua habitual bonomia, começou aquilo que parecia também um discurso preparado:

— Bob, não duvido que esta operação tenha sido estudada à exaustão. E concordo com a generalidade dos seus argumentos e pontos de vista. Porém, como já tive ocasião de lhe dizer, há uma coisa que vocês, americanos, têm dificuldade em compreender: a maneira de fazer estas coisas nos países europeus e sobretudo nos do Sul. Tudo tem o seu tempo e, na minha opinião, o tempo para a sua segunda alternativa não chegou ainda. A primeira está dentro dos nossos planos e é exequível, do meu ponto de vista. A segunda, ainda não. Deixe passar algum tempo e no próximo ano, depois de a oferta actual correr os seus trâmites, veremos o que fazer. Julgo que agir já seria uma precipitação que podia ser fatal para os nossos objectivos. Vamos esperar mais uns meses.

— Lamento, Manuel, mas a nossa decisão está tomada — respondeu Bob, agora num tom hirto e algo agressivo. — Avançamos com ou sem vocês. O meu *board* já me deu luz verde nesse sentido e estou apenas a telefonar-lhe para o informar. Acho que, se esperarmos mais tempo, corremos sérios riscos. Se esta oferta for aceite, teremos em breve um banco demasiado grande para que as autoridades deixem um estrangeiro adquiri-lo.

Respondeu Cervera, agora num tom algo conciliador, mas firme:
— Sendo assim, tenho de lembrá-lo que o nosso acordo era válido apenas para a primeira operação e não o será para essa. Mas, sinceramente lhe digo que acho um erro que pode ter consequências muito pesadas para os nossos projectos de cooperação. Bob, porque não dá um salto a Madrid por um dia para conversarmos melhor sobre o assunto? Depois, se mantivermos posições diferentes, cada um segue o seu caminho, mas pelo menos tentámos concertar as nossas posições. Os prazos não são tão apertados que não lho permitam.

Bob só poderia deslocar-se de novo à Europa dentro de uma semana. Apesar de contrariado, não tinha como recusar o pedido de Cervera. Era um contratempo que não tinha maneira de evitar. Até porque queria ainda tentar convencer o espanhol.

Enquanto Manuel Cervera esperava que Bob Perry lhe viesse explicar a oferta concorrente sobre o BNCE que tencionava lançar em breve, os maiores accionistas deste banco eram individualmente contactados pelo Prof. Júlio Andrade. Talvez fruto de toda aquela actividade, as acções do banco não paravam de subir estando já acima do valor de 4,5 euros oferecido pelo BIAP. Também as do próprio BIAP subiam igualmente, estando agora, pela segunda vez nos últimos cinquenta dias, acima de 6,5 euros.

Esta subida das cotações resultava também de dois rumores que corriam insistentemente no mercado: o sucesso da oferta estava assegurado; e estaria em preparação uma oferta concorrente sobre o BNCE.

Os accionistas com quem Júlio Andrade começou por falar mantiveram, quase todos, as posições anteriores e reafirmaram a sua disposição de reforçar as posições detidas. Alguns, no entanto, mostraram-se mais cépticos, começando a distanciar-se da administração do BNCE. Invocaram problemas de liquidez nas suas empresas para justificar a mudança de posição. Todos os outros receberam bem a ideia de resistir. Miguel Machado recebeu com alguma preocupação o primeiro relatório verbal dos contactos mantidos por Júlio Andrade. Anteriormente tinham conseguido 65 por cento. Com estas deserções, ficariam ainda com 50,5 por cento, o que era suficiente para derrotar a oferta. Mas se entre os accionistas mais pequenos houvesse deserções e perdessem mais 0,5 por cento, deixariam de poder opor-se ao BIAP. Então, passariam a jogar um outro jogo, num outro tabuleiro. Só perante o resultado da segunda e mais demorada ronda de contactos de Júlio Andrade, Miguel saberia.

22
A QUEDA

Passaram dez dias desde que Rui entregou o cheque com a nota manuscrita no escritório de Mário. Desde então quase não sai de casa. Desnorteado, sem dinheiro sequer para gasolina, limita as suas deslocações diárias ao indispensável. De manhã sai de casa com Carla, que o deixa perto do emprego, e à tarde regressa de metropolitano. Espera por Carla em casa e só muito raramente saem para ir ao cinema ou jantar fora. Já não sai à noite com os amigos. Tentou falar com Mário, depois de lhe enviar o dinheiro, mas ele não o atendeu. «Tanto melhor, assim não tenho de o aturar a fazer-me ameaças», pensou.

Só explicou a sua situação a Carla, Ricardo e Manuel. Mas sobre a sua separação não deu explicações a ninguém. Não ia admitir que roubara documentos à mulher para os vender. Carla, como já antes fizera, ofereceu-se para o ajudar. Os amigos também. Mas a sua dívida actual a Mário excede em muito todo o dinheiro que com sacrifício eles conseguiam reunir. Ricardo, por iniciativa sua, decidiu então telefonar a Mário numa tentativa de renegociar a dívida do amigo.

A reacção, porém, não foi a que esperava. O outro continuava furioso com Rui:

— Esse filho-da-p... não cumpriu uma única vez o que combinou comigo. Ele não sabe o que é um compromisso. Pior. Está a gozar com a minha cara. Diz a esse vigarista que pague o que me deve antes que eu perca a cabeça... Senão, vai arrepender-se... E tu não te metas nisto pois acabas por te sair mal.

Desanimado com esta reacção de Mário, Ricardo só contou a Manuel, recomendando-lhe que nada dissesse a Rui. Já estava suficientemente em baixo. Toda esta história da dívida a Mário tinha-o deprimido muito. Depois, a separação viera ainda agravar o seu estado de espírito. Tinha emagrecido uns cinco quilos. Pouco falava e quase não comia. Magro, olheirento, o cabelo comprido em desalinho, tinha envelhecido dez anos. Não falava do «problema», preferindo a sua habitual atitude de avestruz. Carla e os amigos estavam preocupados com ele. Nunca o tinham visto tão deprimido. Chegaram a temer que praticasse algum acto desesperado.

Para o animar, Manuel e Ricardo vinham visitá-lo frequentemente a casa de Carla, ao fim da tarde ou à noite. Encontravam-no em frente ao televisor com um copo na mão. Carla também andava preocupada com ele. Não queria que o início da sua vida em comum ficasse marcado por uma neura tão grande. Por isso, tudo fazia para o distrair. Estava contente por tê-lo só para si, mas não queria vê-lo naquele estado de depressão e abandono.

Mas todas as tentativas para o animar tinham falhado. Sugerira-lhe fazerem uma viagem. Demonstrara-lhe que Mário nada poderia fazer. Não poderia pô-lo em tribunal. Não teria outra solução senão esperar que ele reunisse o dinheiro para lhe pagar. Mas nada parecia animá-lo.

Numa das suas habituais visitas, Ricardo e Manuel convenceram--no a sair com eles numa noite em que Carla tinha um jantar do banco. Ela também o encorajou a ir, pois não queria que ficasse em casa sozinho. Prometeu que, se o seu jantar acabasse cedo, juntar-se-ia a eles. Fê-lo sem a menor intenção de cumprir a promessa, pois sabia que estaria demasiado cansada para ir a algum lado. Mas queria que ele retomasse algumas rotinas da sua vida «normal».

Pouco convencido, Rui acabou por aceder. Depois do trabalho, encontrou-se com os amigos no seu «poiso» habitual: o bar da Avenida da República. Juntou-se ao grupo um outro amigo, José Pedro Mateus. Os quatro seguiram para um restaurante na Pontinha onde frequentemente começavam as noitadas. De lá para a Avenida 24 de Julho, onde primeiro correram vários bares, e depois as discotecas do costume. José Pedro telefonou do restaurante a duas amigas que mais tarde se juntaram a eles. Uma delas, Margarida, engraçou com Rui. Noutros tempos não lhe teria escapado, mas, nessa noite, pouca atenção lhe prestou. Tinham ido para a 24 de Julho em dois carros. No fim da noite, Rui foi com Ricardo no carro deste, enquanto José Pedro e Manuel iam com as raparigas. Rui bebera bastante, dera uns passitos de dança com Margarida, mas não se divertira. Acabava a noite às seis da manhã com a mesma má disposição com que começara, apenas com mais álcool no sangue.

Ricardo, também já um bocado bebido e cansado, guiava devagar pelas ruas de Lisboa, a caminho da Expo. Quando o semáforo na esquina da Avenida Gomes da Costa com a Infante D. Henrique fechou, o carro da frente, um jipe *Mitsubishi* preto, parou bruscamente. Ricardo meteu travões a fundo evitando por pouco a colisão com o *Mitsubishi*. Mas o carro de trás não conseguiu parar e embateu na traseira do carro de Ricardo, projectando-o sobre o jipe. Irritado, Ricardo saiu do carro para ver os estragos. Os três carros, encaixados uns nos outros, formavam um comboio. Do carro de trás, também um jipe, saíram dois homens enormes de cabelo rapado, vestindo *T-shirts* pretas, verdadeiros gorilas que rapidamente se dirigiram ao *Opel*. Ao mesmo tempo, saíram outros dois do jipe da frente. Enquanto dois pelo lado esquerdo dominavam Ricardo, os do outro lado dirigiram-se à porta do lado direito, abriram--na e arrancaram Rui do seu lugar. Violentamente, puxaram-no para fora do carro, enquanto os outros imobilizavam Ricardo com as mãos atrás das costas, deitando-o de barriga para baixo em cima do *capot*.

— Quietinho que não te acontece nada — gritou-lhe um deles.

Com o peito e a cara contra o *capot*, a pressão da mão do brutamontes contra a cabeça não deixava Ricardo mexer-se. Ouvia Rui a debater-se com os outros dois gorilas que lhe diziam:

— Vamos ensinar-te a pagar o que deves, grande ladrão.

Enquanto um deles o segurava pelos braços, o outro dava-lhe socos. O primeiro acertou-lhe em cheio no nariz e logo o sangue jorrou em abundância. De seguida, levou dois murros nos queixos que lhe fizeram saltar vários dentes. Depois, o homem começou a socá-lo na barriga. Rui dobrou-se sobre o estômago e levou ainda um valente murro nos queixos. Caiu inanimado. Já no chão, começaram a dar-lhe pontapés. Um deles foi ao jipe buscar um tubo de ferro com o qual lhe aplicou duas valentes pancadas nas costas. Acertou-lhe também por duas vezes na cabeça. Deram-lhe depois vários pontapés ao acaso nas costas, na cara e na cabeça. Considerando terminada a sua tarefa, largaram Ricardo, meteram-se nos jipes e partiram a alta velocidade. Só quando os jipes abandonaram o local, Ricardo reparou que tinham as matrículas tapadas com panos.

Rui jazia inanimado, ao lado do *Opel*, sobre uma poça de sangue. A cara e cabeça ensanguentadas. Espalhados a seu lado, vários dentes partidos. Ricardo, sem perder tempo, chamou o 112 pelo telemóvel. Depois, tomando o pulso de Rui, verificou que, apesar de fraco, o seu coração ainda batia.

* * *

A enfermeira dirigiu-se à mulher elegante e bem vestida que se encaminhava para o quarto 212 e apontou para a pequena placa afixada na porta, informando que, por ordem do médico, aquele doente não podia receber visitas. Podia também ler-se o nome do médico responsável e o número de telefone através do qual poderiam ser obtidas mais informações sobre o seu estado. O doente, que estava ligado a um respirador artificial e a vários instrumentos e monitores, fora para aquele quarto poucos dias antes. Primeiro, estivera nos cuidados intensivos e fora sujeito a uma intervenção cirúrgica de urgência. É política do hospital não permitir quaisquer visitas aos doentes naquelas condições. No entanto, abriu naquele caso uma excepção para um único visitante. É esse visitante que a mulher bem vestida procura. A enfermeira manda-a para a pequena sala de espera à entrada do piso e diz-lhe que mandará avisá-la logo que Duarte Vasconcellos chegue.

Duarte fora autorizado a visitar Susan, apenas durante uns minutos de cada vez, quando vinha a Washington. Duarte não podia ausentar-se de Nova Iorque por muito tempo de cada vez. Vinha a Washington dia sim dia não, num voo à hora do almoço e regressava a tempo de ainda passar pela Missão antes do fim da tarde. Depois passava os fins-de-semana em Washington, onde o Embaixador Tomás Couceiro o convidara para se instalar na residência, sempre que quisesse.

Na fatídica sexta-feira do acidente, Duarte fez várias tentativas infrutíferas para localizar Susan, pelo telemóvel e para o telefone de casa. Durante todo o dia de sábado, continuou a tentar falar com ela. Foi quando lia o *New York Times* no domingo de manhã que viu o título da notícia na secção local: *Acidente fatal vitima banqueiro e jornalista nova-iorquinos.* Por curiosidade, leu o corpo da pequena notícia no canto superior direito da primeira página da secção. Ficou horrorizado: «O conhecido banqueiro Peter Garrison, de 54 anos, faleceu ontem, em Washington, vítima de um aparatoso acidente de viação. A viatura conduzida pela jornalista Susan Scott, chefe do escritório da revista *Town and Country* na capital, caiu numa ravina de 130 pés, nos arredores de Washington, ao princípio da noite da passada sexta-feira. Só na madrugada de sábado a viatura foi descoberta por ciclistas que passavam na estrada pouco frequentada perto de Potomac Heights. As autoridades calculam que o acidente tenha ocorrido perto das dez da noite de sexta-feira. Peter Garrison foi encontrado já sem vida. As mesmas autoridades estimam que terá morrido com o embate. Ms. Scott estava inconsciente mas ainda com vida quando foi transportada para o George Washington Memorial Hospital. Ontem à noite o seu estado era ainda considerado muito crítico.»

Seguia-se uma breve biografia de Garrison.

A partir desse dia, Duarte não tem parado de correr para Washington. Infelizmente não pode dedicar a Susan o tempo que queria. Valeu-lhe a amizade do embaixador Couceiro que foi incansável. Duarte não podia deixar de pensar que talvez tivesse errado ao recusar o convite de Couceiro para o lugar de número dois em Washington.

Duarte ia nesse dia à visita com redobrado interesse. De manhã, falara com o médico, que se mantinha optimista. Apesar de Susan continuar num coma profundo, considerava que o pior tinha já passado. Depois dos cinco minutos autorizados no quarto de Susan, dirigiu-se à pequena sala de espera onde, nervosa e abatida, encontrou Martha Herzog.

Duarte contou-lhe o que sabia do estado de Susan e do acidente:

— Trouxeram-na para aqui na madrugada de sábado. Logo que conseguiram estabilizá-la, operaram-na para estancar as hemorragias internas e retirar o baço. Agora esperam que saia do coma profundo para averiguar se houve lesões cerebrais provocadas pelo traumatismo craniano. As múltiplas fracturas das pernas e bacia serão corrigidas em cirurgias futuras. A prioridade agora é tirá-la do estado de coma.

— Sabe-se alguma coisa sobre as condições em que ocorreu o acidente? — quis Martha saber.

— Infelizmente, muito pouco. Aparentemente ela terá jantado com Peter Garrison num restaurante em Potomac Heights, na Virginia. No regresso a Washington, o carro caiu na ravina. Há marcas de travagem no pavimento que podem sugerir que alguma coisa obrigou Susan a guinar para fora da estrada. Pode ter sido um esquilo, um cão, um veado ou mesmo uma pessoa, que a apanhasse de surpresa. Deve ter-se atrapalhado ao tentar desviar-se. Mas a Polícia está ainda a averiguar. Esta tese do animal é apenas uma hipótese que não tem ainda fundamento. A Polícia procurou mas não encontrou qualquer vestígio de o carro ter embatido num animal antes de se precipitar pela ravina abaixo.

— E eles consideram a possibilidade de ter chocado com outro carro antes de cair?

— Essa é a outra possibilidade. Há uma marca no guarda-lamas da frente, do lado esquerdo, que pode ter sido feita por outro carro. Mas também pode ter sido feita noutro dia. Uma hipótese é que um outro carro que estivesse a ultrapassá-la tivesse embatido contra o dela. Pouco provável, pois ela estava a chegar ao fim de uma recta comprida que teria dado para uma ultrapassagem segura. Mesmo com um carro rápido, naquele sítio já teria dificuldade em terminá-la antes da curva. Mas não é impossível que um condutor mais descuidado ou inexperiente tentasse fazê-la e depois, vendo a curva a aproximar-se, se atrapalhasse acabando por abalroar Susan. É uma hipótese que a Polícia está também a investigar, embora as marcas do guarda-lamas sejam pouco esclarecedoras. Nesse caso estaríamos perante um crime, pois o eventual responsável não parou para dar assistência às vítimas.

— Susan revelou-lhe o motivo do seu jantar com o Peter? — interrompeu Martha

— Não falámos nesse dia. Nem sabia que iria jantar com ele. Susan falou-me em encontros anteriores com o Peter por sugestão sua, mas desta vez nada me disse.

— Mas julgo que está a par do assunto que ela andava a tratar com Peter.

— Sim, sim, disso falámos — atalhou Duarte.

— Julgo que o tema dessa conversa e o acidente estão ligados. Já lhe explicarei porquê. Mas primeiro deixe-me contar-lhe o que se passou com o meu processo. Fiquei estas semanas em Boston com residência fixa, enquanto as autoridades investigavam um crime hediondo do qual eu era a principal suspeita. Ontem fui libertada e ilibada de qualquer suspeita relacionada com esse caso. Pediram-me desculpa, devolveram-me a caução e deixaram-me partir em liberdade. Aparentemente, uns dias antes tinham, por puro acaso, apanhado um mexicano, criado de quarto do hotel, que desaparecera no dia seguinte ao crime. O detective que investigava o caso procurou-o em casa, mas o homem tinha partido sem deixar rasto. Foi emitido um pedido às autoridades mexicanas e o nome dele foi colocado nas listas das pessoas procuradas para serem questionadas, mas nada. Apareceu agora, felizmente, devido a um golpe de sorte. Na noite do crime, já alta madrugada, envolveu-se numa briga num bar de rufias em frente à estação de camionagem. Foi detido por conduta desordeira. Normalmente seria libertado no dia seguinte. No entanto, a polícia desconfiou dele por ter na sua posse dez mil dólares em dinheiro. Alegava tratar-se de poupanças suas que levava por regressar definitivamente ao México. Mostrava mesmo um bilhete para o autocarro da Greyhound, das oito horas dessa manhã, para Dallas. Os polícias da esquadra consultaram as listas de pessoas procuradas, mas o nome dele não constava. É natural, pois tinham passado poucas horas do crime. Mesmo assim, mantiveram-no de molho durante uns dias. Quando se preparavam para o libertar, uma agente mais lúcida lembrou-se de consultar novamente as listas de pessoas procuradas. Então encontraram o alerta introduzido pelo detective do departamento de homicídios. Foi finalmente inter-rogado. Manteve-se firme na sua história. Regressava ao México, can-sado da vida nas cidades americanas. O dinheiro fora poupado durante os anos em que trabalhara nos EUA. Contudo, imediatamente o detective percebeu que ele escondia qualquer coisa. Insistiu e con-frontou-o com todos os indícios que havia contra ele. Ameaçou-o de que se ele não colaborasse, haveria maneira de incriminá-lo por roubo. O detective mostrou-se desinteressado e deixou-o a meditar na vida. Voltou uns dias depois e encontrou-o já disposto a contar o que sabia: fora procurado por dois compatriotas seus que lhe propuseram um trabalho fácil pelo qual receberia dez mil dólares. Só teria de empres-tar-lhes as chaves das portas de comunicação entre dois quartos con-tíguos durante dez minutos. Além disso, tinha de arranjar maneira de estar de turno ao *room service* nessa noite. Concluído o trabalho, deram-lhe o dinheiro prometido e deixaram-no na estação de cami-onagem onde deveria apanhar o primeiro autocarro para fora de Bos-ton, em direcção ao sul. Para matar o tempo, depois de comprar o bilhete, entrou num bar de bilhar do outro lado da rua. Aí envol-veu-se numa briga por causa de uma aposta e acabou na prisão. Com este depoimento, deixei de ser a principal suspeita. Ficou evidente que o crime fora praticado a partir do quarto contíguo ao nosso, pro-vavelmente por assassinos profissionais. O mexicano deu uns nomes que são falsos e a Polícia acredita que ele não conhece os verdadei-ros nomes dos assassinos. Fizeram um esboço das caras deles com base nas suas descrições. A polícia continua procurando mas estou convencida de que já terão saído dos EUA e muito provavelmente para outro país que não o México.

— Acha que o seu caso poderá estar relacionado com o acidente da Susan? — inquiriu Duarte perplexo.

— Tenho fortes suspeitas, Duarte, mas não tenho como prová-las — respondeu Martha sem hesitação.

* * *

Pela expressão da cara dos dois homens, Miguel percebeu logo que não traziam boas notícias. Era a segunda reunião que tinham desde que Júlio Andrade fora encarregado de contactar accionistas do BNCE. Na primeira ronda, com os accionistas maiores, as coisas ti-nham corrido razoavelmente bem. Agora, era crucial conhecer a posi-ção dos accionistas mais pequenos. Foi Azeredo quem fez a despesa inicial da conversa.

— Miguel, trago boas e más notícias! O Júlio tem prosseguido os contactos com os accionistas mais pequenos, ao mesmo tempo que reúne e fala ocasionalmente com os dez maiores, o G-10, como decidimos chamar-lhe. Mas o Júlio explica-te tudo.

— Primeiro as boas? Ou as más? — começou Júlio Andrade

— Começamos sempre pelas más — respondeu Miguel.

— Falei já com a maioria dos pequenos accionistas, antes contactados pelo Zé Maria. São muitos, por isso não falei ainda com todos, mas entre aqueles que já contactei, há algumas deserções. Alegam que o preço que para a venda parcial era acanhado, é bom para a venda total. Com estas baixas, ficamos com cerca de 48,5 por cento. Mas como ainda falta chegar à fala com alguns, calculo que no fim desta ronda de conversas nos fique a faltar cerca de 3 por cento do capital do banco. Isto será o pior cenário; é possível que não desça tanto. Agora as boas notícias: os accionistas do G-10 querem comprar mais acções. Eu estou a tratar dessas compras. O objectivo seria conseguir que o G-10 comprasse 3 por cento, de preferência aos accionistas que querem vender. Não é absolutamente certo que consigam, pois trata-se de um esforço financeiro considerável, mas é pelo menos uma solução. A outra boa notícia: o G-10 e os pequenos accionistas que não vendem estão todos disponíveis para, no caso de se perceber que a oferta vai passar, aceitar a opção de troca por acções do oferente e para subscrever acções do BIAP no aumento de capital que terão de fazer. Para isso temos de os avisar com pelo menos uma semana de antecedência.

«Como vê não está tão mal como isso. Ainda é possível bloquear a oferta embora não seja tão fácil como na oferta parcial», concluiu Azeredo.

Miguel já esperava aquele resultado. Há muito que se vinha preparando para ele, enquanto trabalhava para o evitar. Primeiro, tentara segurar os accionistas com o argumento do preço. Se o oferente só comprava algumas acções, as outras ficavam seriamente desvalorizadas, pois ficariam «presas» numa posição minoritária num banco controlado pelos Hallbrook. Agora, com a possibilidade de vender a totalidade das suas posições ao mesmo preço, era natural que os accionistas mais apertados financeiramente reconsiderassem. Aquela oferta era substantivamente mais generosa do que a anterior.

23

O TRIGO E O JOIO

Nessa sexta-feira, Victor Paiva acedeu finalmente a encontrar-se com Figueiredo, antes de este partir para Nova Iorque, na segunda--feira seguinte. Depois de muitos recados deixados junto da sua secretária, desfazendo-se esta em desculpas variadas, acabou por ceder. Almoçaria com Figueiredo na sexta-feira anterior à partida deste. Sem grande consideração pelo homem, nem tão-pouco interesse, marcou o encontro «pois nunca se sabe o dia de amanhã».

Sabendo da paixão de Figueiredo por automóveis, resolveu provocá--lo, aparecendo no restaurante ao volante do seu *Ferrarri 430 Spyder*. «P'ra achincalhar», pensou.

Prazenteiro, Paiva entrou no Porto de Santa Maria, naquela sexta--feira quente de Setembro, poucos minutos depois da hora combinada. Encontrou Figueiredo no bar. O seu aspecto era macilento e abatido. A sua expressão tensa. Paiva, pelo contrário, bronzeado e descontraído, andava muito satisfeito, desde que recebera o telefonema que viera resolver-lhe definitivamente o problema do seu contrato de opções com o fundo asiático.

Os dois homens não se viam há mais de um ano. Conversaram das férias no Algarve, do vento no Guincho e do tempo instável nestas vésperas de equinócio. Depois a situação económica, a política e o futebol. Quando o criado acabava de lhes servir os camarões tigre, como Paiva não fizesse qualquer menção de tocar no assunto que lhe interessava, Figueiredo viu-se obrigado a introduzi-lo:

— Como acha que vai acabar esta história toda da OPA? — perguntou algo desajeitado.

— Se soubesse, dizia-lhe — respondeu Paiva rindo-se. — Ninguém sabe. Se estas coisas tivessem um mínimo de lógica, não seria autorizada. Quer o Banco de Portugal, quer a CMVM têm mais do

246

que suficientes motivos para recusar, se quiserem. A questão, porém, é saber se querem. Pessoalmente acho que não querem. Vão autorizar. Depois, se passa ou não no mercado, já é mais difícil. Tudo pode acontecer. Estou convencido de que nem sequer os presidentes dos dois bancos saberão neste momento. Vai ser como naquelas eleições em que as sondagens dão empate técnico. Até ao último momento, tudo pode acontecer.

— Para si isso é péssimo, não? — perguntou Figueiredo.

— Felizmente, não. Como deve ter visto, os preços das acções já subiram, embora ainda estejam longe dos valores que esperava fossem alcançados quando comprei a posição. Nessa altura falava-se em 10 euros, lembra-se?

— Sim, sim — respondeu o outro, sem vontade de se deter sobre o assunto.

Era mais do que evidente que Figueiredo se lembrava. Mas Paiva quis recordar esse episódio, antes de introduzir o tema seguinte.

— No entanto, como encontrei uma maneira de limitar o risco de prejuízos, já deixou de me preocupar. Posso não ganhar o que esperava, mas já não perco o que temia.

— Então isso quer dizer que o nosso acordo ainda pode trazer-nos lucros? — indagou Figueiredo.

— Lamento, mas isso não vai acontecer.

— Ah! Não? Porquê? — inquiriu Figueiredo agora num tom de pedido de explicações.

— Porque, meu caro amigo, o nosso acordo dava-lhe uma parte dos lucros de uma operação que não aconteceu. Lembra-se? Depois, se eu acabar por ganhar dinheiro com este negócio, isso acontecerá porque geri bem a minha posição. Alterei o contrato, renegociei os preços das opções e, sobretudo, assumi eu o risco da posição. Não me lembro de ouvir o meu caro amigo oferecer-se para dividir comigo os prejuízos, quando as coisas ficaram feias...

Figueiredo embatucou. Era um argumento para o qual não tinha resposta. Apesar disso, não era pessoa para deixar-se ficar:

— Isso nunca foi um pressuposto do nosso acordo. Eu dava-lhe a informação. Você tomava a posição que quisesse — grande, pequena, média — e os lucros, se os houvesse, eram partilhados. Sabe tão bem como eu que nunca esteve em causa, nem podia estar, a partilha de risco. Se estivesse, a partilha dos lucros também não seria aquela... O facto é que você comprou as opções que quis. Mas se há lucros, é porque as comprou. E se as comprou, foi porque eu lhe dei a informação. Por isso não compreendo o seu raciocínio.

— Não compreende? Qual é parte que não compreende? Que a informação que me deu era falsa? Falsa como Judas! É isso que não compreende? Aquilo que me disse, nunca se confirmou. Tanto quanto sei, pode ter sido tudo inventado por si. Agora já compreende? Como quer que lhe pague por uma informação falsa? Que ainda por cima, só me trouxe dores de cabeça. Nunca apareceu um único facto que a corroborasse. A operação que fiz, e com a qual vou ganhar dinheiro, nada tem que ver com a sua suposta informação. Se eu consegui sair do buraco em que você me meteu, não foi com a sua ajuda. Então por que haveria eu de partilhar consigo o que quer que fosse? — Disse aquilo com ostensivo mau humor e num tom meio exaltado.

Enquanto Paiva falava, António Figueiredo chegara a admitir a hipótese de se levantar da mesa. Mas resolveu ficar. Era evidente que não levaria a melhor. Dali para a frente, a única coisa que podia conseguir era uma altercação e o inevitável corte de relações. Pouco depois, Paiva pedia a conta, dando por findo o encontro.

Despediram-se no parque de estacionamento, em tom frio e formal. Com o seu inconfundível ronco, o *Ferrari* desapareceu na estrada do Guincho deixando Figueiredo desiludido e amachucado, a entrar para o velho *Alfa Romeo* que mantinha em Portugal, ainda com matrícula argentina.

Paiva sentiu por breves momentos pena daquele homem ambicioso e sem escrúpulos, mas não se arrependeu de o ter escovado, como antes escovara Rui. Dois oportunistas. Se ia ganhar com aquela operação, não era por causa da lista que um lhe vendera nem da informação «privilegiada» que o outro lhe passara. Se alguém merecia partilhar os lucros, era Carla. Foi ela que o ajudou na aquisição da posição, a renegociá-la para limitar o risco e, por último, a montar a complexa operação triangulada que lhe permitia agora recolher o lucro de 2 euros por acção. Por razão nenhuma deste mundo, Victor Paiva ia partilhar esse lucro com um qualquer oportunista.

Figueiredo abandonou o restaurante mais tenso e ansioso do que chegara. Pedira este encontro ainda na esperança de que poderia contar com o negócio de Paiva, caso viesse a dar lucros. Agora ficava a saber que daria mas não seriam partilhados consigo. O homem era inflexível. Agora que já não precisava dele, deixava-o cair.

António Figueiredo viveu os últimos meses numa enorme tensão, assoberbado como está com o peso dos seus problemas. Mesmo em férias, não consegue descansar. Tem o sono muito perturbado. Começa a beber cedo e continua até se deitar. Acorda a meio da noite e não consegue voltar a adormecer antes do amanhecer. Anda irritadiço e desconcentrado. Célia não percebe o que tem o marido. Nunca o viu assim.

Agora vai regressar a Nova Iorque, sem ver uma solução para os seus problemas financeiros. Do restaurante dirigiu-se pela Marginal até ao Monte Estoril. Aí tomou a direcção do Jardim dos Passarinhos, parando a meio da Avenida Sabóia, em frente a uma casa cor-de-rosa de traça típica dos anos 40. Tocou à porta e esperou. A visita que ia fazer transportá-lo-ia à sua juventude.

Cerca de vinte anos antes, Figueiredo encontrara, no concurso de ingresso na Carreira Diplomática, João Aguiar, seu antigo colega de colégio que não via há anos. Logo se tornaram companheiros inseparáveis. Durante as provas do concurso, e depois, no início da carreira, ambos como Adidos de Embaixada, não se encontrava um sem o outro. Figueiredo estava já casado com a sua primeira mulher, mas João era ainda solteiro. Arranjou então uma namorada, Cristina, estudante do último de Arquitectura. Teria nessa época 21 anos. Era inteligente, segura de si e descontraída. Sem ser bonita, era muito sensual e insinuante. Seis meses depois terminava o curso e casava com João. Figueiredo foi o padrinho. Moravam num pequeno apartamento, num segundo andar sem elevador num velho prédio da Calçada das Necessidades.

João e António foram pouco depois promovidos e estavam a um passo de ser colocados no estrangeiro. João Aguiar acompanhava frequentemente a mala diplomática a um grupo de países da Europa. Uma vez, regressando um dia mais cedo de uma dessas viagens, foi direito ao ministério para concluir o expediente da missão efectuada. Encontrou então um colega que o avisou de que o secretário-geral queria falar-lhe. Apesar de estar na hora de almoço, dirigiu-se ao gabinete do secretário-geral. Este recebeu-o de imediato, para o informar de que acabava de ser colocado em Paris. Aguiar, o segundo do seu concurso, bastante à frente de Figueiredo, fora colocado no posto que era a sua primeira escolha.

Radiante, João apressou-se a concluir o seu expediente. Depois correu a casa para contar à mulher a boa nova da sua colocação no posto que ela tanto queria, para poder frequentar um curso de pós--graduação. Aproximando-se as 14h30, hora a que Cristina habitualmente saía de casa para o seu *atelier* na Avenida Infante Santo, João subiu a escada a correr. Ao abrir a porta do pequeno apartamento, deparou com Cristina que, de casaco vestido e carteira na mão, se preparava para sair.

Recebeu a boa nova da colocação em Paris e a chegada antecipada do marido com surpresa e uma alegria contida. Justificou-se com a pressa e uma maldita enxaqueca que desde manhã a não largava. Viera a casa dormir uma hora para ver se melhorava.

— À noite festejaremos, mas agora preciso mesmo de ir. Tenho um trabalho para acabar — disse num tom algo tenso.

Beijou o marido e saiu.

João, deixou a mala no *hall* e entrou na cozinha, disposto a arranjar qualquer coisa para comer. Mas o toque do telefone não o deixou chegar ao frigorífico. Voltou à entrada e levantou o auscultador. Não teve tempo de falar pois, do outro lado do fio, uma voz bem sua conhecida atirou-lhe de um só fôlego:

— Deixei o meu relógio na tua mesa-de-cabeceira. Traz-mo que eu passo pelo *atelier* ao fim da tarde.

Como não ouvisse resposta, insistiu:

— Está? Cristina, estás aí? O que se passa?

— A Cristina acabou de sair, António — respondeu secamente João, antes de desligar.

João seguiu então para Paris, sem Cristina. Figueiredo ficou ainda um ano em Lisboa antes de ser colocado em Pretória. Durante esse tempo continuou a tórrida relação entre Cristina e Figueiredo, iniciada antes ainda de ela casar com João Aguiar. Depois, a separação física impôs-se. Mas sempre que Figueiredo vinha a Lisboa passavam uns dias juntos. Cristina casou e divorciou-se várias vezes. Tornou-se uma arquitecta de renome, mas nunca deixou de se encontrar com Figueiredo sempre que ele vinha a Lisboa.

Entretanto, João foi para Paris, destroçado e cada vez mais deprimido. Seis meses depois saltou da janela do seu apartamento, no 9.º andar de um prédio em Neuilly.

A mulher que lhe abriu a porta tem pouco mais de quarenta anos, o cabelo preto, comprido e liso; é morena, de estatura média e está bem vestida. Cristina Aguiar ganhou uns quilos, mas não perdeu o ar sensual dos seus 22 anos. É nos seus braços que Figueiredo afoga as mágoas e encontra o consolo e a paz de espírito que o fazem esquecer as dificuldades da vida. É certamente a pessoa que melhor o conhece. Partilha com ela todos os seus segredos. A sua relação é agora diferente, menos sexual mas mais madura. Ganhou uma dimensão de amizade. A cumplicidade na partilha da culpa permitiu-lhes ultrapassar os remorsos pela traição a João Aguiar. É uma relação indestrutível que atravessou ilesa dois casamentos dele e três dela. Para não falar dos dois companheiros com quem nunca chegou a casar e os variadíssimos namorados. Nada foi capaz de separar os dois amantes.

* * *

O médico pousou os óculos em cima do *dossier* clínico do doente e, encolhendo os ombros, respondeu à pergunta:

— O seu estado é ainda crítico. Está longe de se encontrar livre de perigo. Tudo é possível. Tanto pode permanecer neste coma profundo, meses ou mesmo anos, como pode sair dele daqui a cinco minutos, como pode, de um momento para o outro, ficar-se com uma embolia ou uma paragem cardíaca. As lesões internas foram muito sérias e é já um milagre ter-lhes sobrevivido. Mas por agora nada podemos fazer. Se sair do coma haverá ainda um longo caminho a percorrer até à sua recuperação. Não lhe escondo também que esta pode não ser total. Há lesões cerebrais cuja extensão desconhecemos. Só as poderemos avaliar quando estiver consciente. Lamento não poder ser mais preciso, nem mais optimista, mas, neste momento, é necessário ter sobretudo paciência e confiança. Apesar dos danos provocados pela sua vida desregrada, o álcool e o tabaco, o Rui tem ainda uma constituição saudável. Vamos ter esperança de que consiga vencer esta batalha.

A mulher fita-o com olhar vago e triste. Faz todos os dias a mesma pergunta na esperança de ouvir uma resposta optimista e todos os dias recebe a mesma resposta por palavras diferentes. «O prognóstico é ainda reservado. O seu estado é crítico. Não vemos melhorias. Há que aguardar.» Já conhece todas as fórmulas de cor.

Mais uma vez, acena afirmativamente, agradece e despede-se. O médico voltará no dia seguinte e encontrá-la-á sentada na mesma cadeira com a mesma expressão perdida e olhar distante. Envelheceu dez anos desde que largou tudo para estar ali. Excepto quando assiste à missa na capela do hospital, passa o dia dentro daquelas quatro paredes, sentada no pequeno sofá, folheando uma revista ou as páginas de um jornal que não lê, rezando ou simplesmente olhando para os monitores que registam os sinais vitais de Rui. Ocasionalmente fala com ele como se estivesse consciente, na esperança de que subitamente acorde e lhe responda. Fala-lhe de pessoas, situações ou acontecimentos. Isto dura desde que Rui foi transferido para o Hospital da CUF, proveniente de Santa Maria, para onde Ricardo o levou na noite do ataque selvático.

Nessa noite, sentado ao lado de Rui na ambulância que percorria a alta velocidade as ruas desertas da madrugada de Lisboa, Ricardo pensou que ele não sobreviveria. E esteve por um fio. Teve duas paragens cardíacas no meio de uma persistente hemorragia interna. Ricardo sentia grande complexo de culpa por ter sido ele a tirá-lo de casa. «Se não

251

tivesse saído de casa nada disto teria acontecido», pensou várias vezes durante essas longas horas. Agora, consciente de que o ataque «encomendado» seria executado mais tarde ou mais cedo, está mais sereno e em paz consigo próprio. Quase todos os dias visita Rui. Manuel vem também, mas com menos assiduidade, tal como a mãe de Rui. O pai fala frequentemente com o médico que o acompanha, mas só uma vez veio vê-lo. Apenas Joana fica com ele as 24 horas do dia.

Teve conhecimento do ataque duas semanas depois, quando, por acaso, encontrou Ricardo. Nessa mesma tarde foi ver Rui ao Hospital de Santa Maria. Tinha acabado de sair dos Cuidados Intensivos. Ficou duas horas sentada a seu lado, vendo o homem que fora tudo para si, até a sua maior desilusão, lutando pela vida. Rezou parte do tempo. Na outra reflectiu sobre a sua vida. Muitas coisas passaram pela sua cabeça. Quando se levantou, Ricardo esperava-a cá fora. Joana passou-lhe um cheque pelo valor da dívida de Rui e pediu-lhe que o fizesse chegar a Mário nessa mesma tarde. Depois foi falar com o médico responsável por Rui, que a pôs a par da situação clínica. Disse-lhe também que o que estavam a fazer-lhe ali podia fazer em qualquer outro hospital. Logo Joana tratou de o transferir para a CUF.

A partir de então não mais o largou.

* * *

John Lelland, o embaixador americano em Lisboa, está no posto há apenas seis meses. É um «embaixador político», amigo do Presidente. Fez avultadas contribuições para a campanha eleitoral, recebendo como recompensa uma embaixada. O normal. Queria Roma, pois adora Itália, mas deram-lhe a escolher entre a Irlanda e Portugal. Golfista fanático, pensou escolher a primeira. Mas depois de uma análise mais pormenorizada, comparando o número de campos de golfe do nosso país com a pluviosidade média anual de Dublin, decidiu-se por Lisboa, onde nunca sequer tinha estado. Advogado em Nova Iorque, além de abastado, é um homem culto e evoluído. Exerceu funções em conselhos de administração e curadoria de vários museus e fundações filantrópicas, para os quais recolhe regularmente fundos. Colecciona pintura e antiguidades. Recebe muito na residência em Lisboa e é presença habitual na ópera, nos concertos e nos campos de golfe. Magro, de estatura média, tem apenas uma pequena faixa de cabelo completamente branco a emoldurar-lhe a careca. Tem olhos azuis, nariz abatatado e pele muito branca. É uma figura simpática que conquistou rapidamente os meios políticos e diplomáticos portugueses.

Estabeleceu de imediato uma excelente relação com o secretário-geral do MNE. Além de pertencerem à mesma geração, tem muitos interesses em comum com José Guilherme — as antiguidades, o golfe, a música clássica. O embaixador Lelland convida habitualmente o secretário-geral para as festas na residência e já passou um fim-de-semana na quinta daquele em Touvedo, no Minho.

John Lelland regressava de Washington, no final das suas férias, com um delicado problema para resolver. Decidiu, sem hesitação, colocá-lo em primeira mão a José Guilherme. Logo que aterrou em Lisboa, nessa manhã, pediu aquela entrevista de urgência. Apesar de ter tudo preparado para partir para o Minho ao fim da tarde, o secretário-geral aceitou recebê-lo às seis horas.

John, como é seu hábito, apresentou o problema sem grandes rodeios:

— José, temos um problema delicado entre mãos e não há tempo a perder. Antes de partir, estive no Departamento de Estado que me instruiu para colocar a questão às autoridades portuguesas. O FBI tem na sua posse dados muito comprometedores sobre as actividades de um português que vive em Nova Iorque. A investigação demorou vários meses e permitiu-lhes recolher elementos altamente comprometedores. Têm gravações de conversas, fotografias e, pior de tudo, um testemunho absolutamente demolidor. Estou a falar de António Figueiredo, director-geral em Nova Iorque de uma conhecida multinacional. Aparentemente é mulherengo e conseguiu, através de uma rapariga com quem se envolveu, obter informação privilegiada. Passou as informações a um associado em Portugal, com o intuito de fazerem lucros na Bolsa com essa informação. Como tem gostos caros, precisa de dinheiro para os sustentar. Como sabe, o abuso de informação privilegiada é crime nos EUA!

— Nos EUA e em Portugal — interrompeu Sá Novaes.

— Sendo crime federal está, portanto, sob a alçada do FBI — continuou o embaixador John Lelland. — Até aqui não há nada que justifique esta conversa, pois trata-se de um cidadão expatriado ao serviço de uma companhia estrangeira. Acontece, porém, que o FBI suspeita que Carlos Martins, um diplomata português, que acompanha Figueiredo para toda a parte, esteja também envolvido. Como o José sabe, o FBI está numa verdadeira cruzada contra o crime de colarinho branco. A opinião pública é muito sensível a esse tipo de crime e pressiona regularmente as autoridades para lhes pôr cobro. O FBI não está a investigar o diplomata, mas, se no decurso das investigações e depoimentos viesse a concluir-se que ele esteve também envolvido em qualquer actividade ilegal, teríamos um problema muito sério entre mãos. O FBI quer fazer deste um caso exemplar, mas não pretende de qualquer forma implicar um funcionário com imunidade diplomática. Preparam-se para prender Figueiredo no aeroporto, à sua chegada a Nova Iorque. A investigação será depois acelerada e, caso viesse a concluir-se que o diplomata estava também envolvido, seria imediatamente expulso. Apelamos, por isso, às autoridades portuguesas para que retenham o diplomata em Lisboa até que se perceba a extensão do seu envolvimento e se consiga arranjar outra solução. Queremos, a todo o custo, evitar um incidente que seria embaraçoso para todos.

José Guilherme ouviu com atenção enquanto o americano falava. À medida que ouvia, ia ponderando a sua resposta. Já nada o espantava. Só estranhava que Figueiredo não se tivesse metido há mais tempo num sarilho daqueles. Mas o assunto já nada tinha que ver com Figueiredo. Agora, o que estava em causa era evitar um incidente.

— Eu devo dizer que me espantaria muito que um diplomata português estivesse envolvido em actividades ilegais. No entanto, estou disposto a colaborar na procura de uma solução que permita evitar embaraço aos dois governos. Vou tentar evitar que Carlos Martins, embarque para Nova Iorque. Depois voltaremos a conversar.

Despediu-se do americano a pensar que John Lelland tinha mais jeito para a diplomacia do que pensara. Sob a aparência de evitar um embaraço ao governo português estava na realidade a arranjar uma forma subtil de avisar Figueiredo, evitando a sua detenção e julgamento, que seria certamente incómodo para as autoridades americanas...

Pediu uma chamada para Carlos Martins. Mandá-lo-ia simplesmente adiar o regresso a Nova Iorque, sem grandes explicações. Ele ficaria radiante por poder ficar mais uns dias em Lisboa e, na semana seguinte, José Guilherme veria como resolver o assunto. Porém a secretária não conseguiu obter resposta de qualquer dos números que tinha.

Preocupado, José Guilherme chamou o seu secretário para mandar procurar o jovem diplomata. Mas ele acabara de encontrar Carlos Martins nos corredores do ministério. Chamado à presença do secretário-geral, Carlos negou tudo, excepto a amizade e o convívio com Figueiredo.

— Mas isso ainda não é crime, pois não?

— Oiça! Não o chamei para averiguar coisa alguma. Não quero saber. Queria apenas avisá-lo. Se mesmo assim pretender seguir viagem, faça o favor. Agora, se expuser o Estado português a uma humilhação, posso garantir-lhe que não encontrará do lado do ministério qualquer tolerância. Será tratado como um delinquente comum. Será, na melhor das hipóteses, julgado em Portugal. Isto se não lhe levantarmos a imunidade diplomática, para ser julgado lá. Mas se tem a sua consciência tranquila, então nada há a temer. Nesse caso, nada mais temos a conversar.

Dizendo isto, José Guilherme indicou, com um gesto largo, a porta ao seu interlocutor. Porém, não se levantou, esperando que o outro tomasse uma iniciativa. Carlos Martins, lívido e coberto de suor, não sabia o que fazer. Não queria assumir as suas culpas, mas se se levantasse, como lhe apetecia, estava entregue aos lobos. O outro olhava-o com expectativa. E esperava que ele se explicasse. Depois de uns breves segundos que lhe pareceram uma eternidade, optou por ficar:

— Claro que não pretendo expor o Estado português a qualquer problema. Pela minha parte, sempre pus os interesses do Estado à frente dos meus. No entanto, devo sublinhar com veemência a minha inocência em qualquer irregularidade ou crime. Não sei que história lhe contaram nem quem lha contou, mas é falsa e não passa de uma calúnia. E como pensa o senhor embaixador tratar deste assunto daqui para a frente?

— Isso depende de si. Se colaborar, não falando deste assunto com ninguém, ficará em Lisboa durante uns tempos. O movimento diplomático já está fechado, por isso só no próximo ano será possível equacionar o seu caso. Entretanto, arranjo-lhe uma colocação aqui no ministério. O Carlos Martins deverá também comprometer-se a não fazer qualquer contacto com o secretariado das Nações Unidas. Nem sequer uma carta de despedida. O ministério tratará de controlar os estragos. Este assunto ficará só entre nós.

Com o dedo colocado em cima do botão dissimulado no braço do sofá, que accionava a campainha no gabinete da sua secretária, o secretário-geral aguardava a resposta de Carlos. Este, levantando-se lentamente, perguntou ainda:

— E que tipo de posto posso esperar no próximo movimento?

José Guilherme manteve-se em silêncio por instantes, como se estivesse a pensar no que dizer. Contudo, tinha antecipado a pergunta e preparado a resposta. Levantando-se lentamente, respondeu:

— No futuro tudo é possível. Mas para já quero arranjar-lhe uma colocação aqui em Lisboa. Logo que a tenha, chamo-o. Até lá, aproveite estas férias imprevistas.

Agora José Guilherme já podia partir descansado para Touvedo.

* * *

A AdC, apanhando todos de surpresa, e apesar de dispor ainda de quase dois meses para se pronunciar, divulgou nessa segunda-feira que decidia não se opor à oferta do BIAP e não propor quaisquer remédios. É que não considerava que houvesse qualquer impacto significativo no nível de concorrência bancária em resultado da fusão ou da gestão conjunta dos dois bancos. Também o Instituto Português de Seguros, chamado a pronunciar-se sobre a actividade seguradora dos dois bancos, veio a público no mesmo dia dizer que não se opunha à operação de compra. Como o Banco de Portugal já tomara idêntica resolução algumas semanas antes, nada obstava agora a que a CMVM desse o OK final à oferta de Bernardo Hallbrook sobre o banco de Miguel Machado.

Para Bernardo, aquilo era realmente uma péssima notícia. Nada podia ser pior do que o antecipar dos prazos da operação. Começara por contar com uma OPA que o levaria até ao fim do ano e não tinha a menor hipótese de sucesso, deixando-o durante muitos meses protegido contra a ofensiva do banco americano. Agora, não só fora praticamente obrigado a transformá-la numa OPT, com muito maior probabilidade de sucesso, como inexplicavelmente a AdC dava-lhe luz verde muito antes do fim do prazo.

Artur Maia, presidente da AdC, tal como o presidente da CMVM, há muito que detesta Bernardo Hallbrook. E o sentimento é mútuo. O presidente do BIAP despreza-o. Acha-o provinciano e limitado. Apesar de raramente o BIAP depender de decisões da AdC, os poucos contactos profissionais entre os dois correram mal. Sempre com Maia a fazer-se valer do seu poder para humilhar Bernardo. Maia é um *self made man*, desconfiado, que fez uma carreira de funcionário público sem lugares de grande destaque. Sente que o outro o trata com arrogância e sobranceria, e é verdade. Pode não ter mundo mas de estúpido nada tem. Agora que controla a situação, decidiu afirmar-se mostrando o seu poder. Há muito que Artur Maia percebeu o «jogo» de Bernardo. Apesar disso, conduziu o processo em *low profile*, de acordo com a rotina. Bernardo até se esqueceu dele. Todavia, sabendo que Bernardo tentava ganhar tempo e evitar uma oferta externa, fingiu-se desentendido, foi percorrendo as várias etapas do processo. Agora julgou chegada a hora de dar o golpe de misericórdia. Quando tudo indicava que a AdC iria continuar a sua investigação às consequências da oferta, esta precipita tudo com a decisão final, sabendo bem não ser aquele o cenário pretendido pelo oferente. Um golpe de mestre de fria vingança.

Em vão procurou Bernardo, com os consultores, um pretexto que lhe permitisse questionar a decisão, sem denunciar os seus verdadeiros motivos. No entanto, seria caricato contestar uma deliberação que lhe era favorável. Quem compreenderia um oferente que põe em causa a decisão favorável da AdC, ainda por cima dada a conhecer muito antes do fim do prazo? Seria surreal. Vendo-se sem ponta por onde pegar na decisão da AdC, acabou por emitir um comunicado de regozijo pela rapidez e eficiência demonstradas pelas autoridades. Porém, apesar de instado, recusou ir às televisões falar da decisão e do futuro próximo. Deixou, no entanto, passar alguns dias antes de submeter à CMVM, já perto do fim do prazo, o requerimento do registo definitivo da oferta.

Também Miguel ficou contrariado ao tomar conhecimento da deliberação da AdC. E mais ainda quando soube que a CMVM decidira autorizar o registo definitivo e marcar a data para a sessão especial de Bolsa para a oferta. A sua equipa ficou perturbada. Faltava-lhes agora tempo para executar a sua estratégia. Júlio Andrade já não teria tempo de contactar todos os accionistas que tinha na sua lista. Também aos consultores de comunicação começava a faltar tempo. Tinham um programa para durar mais dois meses. Agora tinham de comprimir tudo em poucas semanas. Pela noite dentro trabalharam na revisão desse programa, retendo as iniciativas com maior impacto e eliminando as outras. Já de madrugada, concluíram essa selecção, que apresentaram no dia seguinte ao presidente do BNCE. Apesar desse esforço, o programa estava ainda muito intenso. Todos os dias haveria pelo menos uma acção — um artigo, uma entrevista, um discurso ou outra intervenção. Tratava-se de uma operação difícil de coordenar pela sua densidade.

Mas era neste teatro de guerra que a batalha seguinte se travaria. Os outros consultores, advogados e banco de investimento trabalhavam agora intensamente para a boa execução do plano de comunicação. Sendo impossível contactar pessoalmente todos os accionistas da lista, esse plano adquiria relevância extrema.

A ansiedade dentro do BNCE aumentava agora novamente, mas Miguel conseguia, apesar do drama familiar que atravessara, demonstrar serenidade. O conselho de administração estava inoperante. As *catatuas* andavam desnorteadas. Olhavam para Miguel com um misto de inveja e desprezo. Pouco ou nada se envolveram nas etapas processuais da oferta. De início, ainda tentaram fazer-de-conta, depois desinteressaram-se. De tal modo que, quando as decisões da AdC e da CMVM foram conhecidas e o BNCE emitiu um comunicado apelando aos seus accionistas, *as catatuas* não assinaram o texto nem sequer participaram na reunião do conselho. Só Marques de Albergaria e Francisco Botelho participaram e fizeram algumas sugestões.

A actividade do banco ressentia-se agora fortemente da situação, para não dizer que estava praticamente paralisada. Miguel desdobrava-se, apoiado por Francisco Botelho e Rui Soares, mas não era suficiente. A fragilidade da gestão do banco era agora bem patente. Tudo começava a rebentar pelas costuras. Por esse lado, esta antecipação do calendário era bem-vinda — mais um mês e todos os problemas internos do banco seriam visíveis do espaço.

* * *

Figueiredo soube no próprio dia, ao jantar, o teor da conversa entre Carlos Martins e o secretário-geral.

— Reteve-me em Lisboa porque os americanos têm uma encenação montada para ti. Preparam-se para te aplicar o número que executam com o crime de colarinho branco. Calculas os motivos. Serás detido à chegada ao Aeroporto de JFK. Com algemas, televisões, jornais e tudo.

Figueiredo não queria acreditar naquilo que ouvia. Sentia o chão fugir-lhe debaixo dos pés. Felizmente, Célia não tinha querido vir jantar com Carlos. Não queria que ela sonhasse. Agora teria de arranjar uma solução rápida para o problema. Era óbvio que Ellen tinha dado com a língua nos dentes. Se assim fosse, estaria disposta a testemunhar contra ele e não teria qualquer hipótese de se safar. Figueiredo estava há tempo suficiente nos EUA para saber que nestas coisas não brincam. Não poderia voltar a Nova Iorque.

Na segunda-feira seguinte, Figueiredo rumava a Munique para contar aos seus superiores da Parker & Schmitt uma história rocambolesca sobre uma cabala lançada por uma empresa concorrente apostada em desacreditá-lo. Apesar de incrédulos, aceitaram as justificações que Figueiredo inventou para não regressar a Nova Iorque e deram-lhe provisoriamente um lugar de director num departamento da sede que se ocupava de preparar as propostas aos concursos internacionais. Um trabalho exigente, minucioso e muito técnico.

Viveu em Munique durante um ano. Célia repartia o seu tempo entre Buenos Aires e Lisboa, mas pouco passava por Munique. O clima era muito frio para ela. A vida profissional do marido era também pouco interessante. Com um salário muito menor do que em Nova

Iorque, sem despesas de representação, nem *penthouse*, criados, limusina ou *chauffeur*, praticamente sem vida social, nada daquilo a atraía minimamente.

Figueiredo vendeu o *Porsche* e os quadros para pagar dívidas e levava agora uma existência que considerava miserável. O trabalho era demasiado técnico para si. Os colegas e subordinados revelavam-se uns chatos, as mulheres desengraçadas. Nada naquilo o motivava. Também os seus superiores estavam pouco impressionados com o seu desempenho. O seu departamento falhava frequentemente prazos, ultrapassava orçamentos e produzia trabalho de fraca qualidade.

Um ano depois, invocando reduções de pessoal e menos actividade internacional, a Parker & Schmitt deu-lhe uma indemnização e mandou-o para casa.

24

O LOBO E O CORDEIRO

As semanas que antecederam o dia da sessão especial de Bolsa, marcada expressamente para a liquidação da oferta, foram de grande tensão no mercado. Sucediam-se as declarações dos comentadores, de jornalistas e de analistas. Todos de encomenda. Os noticiários davam relevo despropositado a tudo o que tivesse que ver com os dois bancos, os respectivos presidentes e accionistas.

Durante esse período, os accionistas deram as ordens de venda ou de troca aos seus bancos. Estes canalizavam-nas para a Bolsa e davam conhecimento delas ao oferente. Os bancos conheciam apenas as ordens dos seus clientes, mas não podiam fazer declarações sobre esse assunto. Só a Bolsa e o BIAP conheciam o quadro geral das ordens. Mas nada transpirava. Sabia-se também que, tal como em certas eleições, só muito perto do fim do prazo os accionistas se decidem.

A «guerra» passava-se então na comunicação social. Todos os dias aparecia pelo menos um artigo favorável a cada lado. Miguel dera instruções para que os seus consultores de comunicação não exagerassem nos ataques nem entrassem em questões pessoais. Queria um combate com dignidade. Do outro lado, não parecia haver tanta preocupação. Surgiram histórias sobre José Maria Azeredo e mesmo sobre o respeitado Júlio Andrade, que todos sabiam estivera a fazer a coordenação da defesa do BNCE.

Já na última semana, um artigo assinado por um jornalista quase desconhecido acusava Júlio Andrade de ter defendido os interesses de um determinado banco quando fora ministro das Finanças. A origem era uma «fonte», naturalmente protegida, que alegava que, enquanto funcionário do Tesouro, fora mandado pelo chefe de gabinete do ministro, por ordem deste último, alterar uma informação de serviço. Nela, o referido funcionário apresentava uma proposta de *short list* de intermediários financeiros, escolhidos por critérios técnicos para serem convidados a participar numa grande emissão de obrigações da República. Segundo o articulista, o presidente desse intermediário financeiro era amigo pessoal do ministro (insinuava que seria José Maria Azeredo), que se tornava assim parte interessada. A história era obviamente fabricada. Impossível de corroborar, mas difícil de contestar, sem entrar no jogo do inimigo. Mas o jornal que a publicou era mais conhecido pelo sensacionalismo dos seus títulos do que pelo rigor com que confirmava as notícias. Tinha uma longa experiência de ataques pessoais infundados e injustos. Muitas vezes foi condenado nos tribunais. Mas não se intimidava nem alterava a sua táctica. As receitas que angariava com aquela sua política editorial compensavam-lhe os prejuízos com as reparações aos lesados. O director do jornal era um homem inteligente mas vingativo. Um político falhado que se servia do jornal como instrumento de vingança contra o *establishment*. De caminho, aproveitava para «pagar» favores antigos. Muitas vezes, simplesmente pelo gozo de uma boa intriga.

O objectivo deste artigo fora manifestamente desacreditar a imagem de Júlio Andrade para que os accionistas (ou alguns deles) se sentissem menos amarrados aos compromissos assumidos para com ele.

Miguel, ciente da sua importância, acompanhava a batalha da comunicação dia a dia. Ficou fora de si quando leu o artigo. Falou com Andrade, que lhe pareceu desmoralizado. Queria mesmo desligar-se da operação. Miguel teve de usar todos os seus argumentos para o demover desse propósito.

Nesse mesmo dia, deu luz verde à publicação do artigo sobre os nazis, como era conhecido entre os consultores. Meses antes, as investigações sobre os antecedentes familiares dos Hallbrook, conduzidas a partir de Londres, tinham descoberto um facto curioso. Aparentemente, no início da Segunda Guerra, James, o irmão mais velho de Bernard Hallbrook, o fundador do banco, fora adepto do *apeasement* e depois fora mesmo apologista das teorias de supremacia racial. Até aqui nada que pudessem utilizar contra o BIAP. Bernardo tinha um tio-avô que fora simpatizante de Hitler! Dificilmente faria o noticiário do meio-dia...

No entanto, uma investigação mais detalhada revelou que as ligações eram mais profundas. Não era só James a simpatizar com o regime nazi. Parece que toda a família era pró-alemã. E naturalmente também o velho Bernard Hallbrook (avô de Bernardo). O seu pequeno banco fora utilizado para fazer a recolha de fundos da venda de ouro

261

nazi e outras transacções. Os pagamentos de abastecimentos de volframio e outras mercadorias compradas em Portugal foram intermediados por Hallbrook. As relações eram tão estreitas que se apurou que notórios dirigentes do III Reich foram visitas de casa de Bernard Hallbrook e tinham conta nos livros do banco. Alguns fugiram de Berlim para Lisboa. Aqui, Hallbrook escondeu-os em sua casa ou ajudou-os a arranjar passagens marítimas e documentos falsos para fugirem para os EUA ou para a América do Sul.

Havia várias contas abertas em nome de dirigentes nazis. Os mais conhecidos usavam nomes falsos, mas os outros usavam os seus nomes verdadeiros. Foi com a ajuda da Mossad e de um gabinete de caça a nazis que foi possível confirmar a verdadeira identidade de muitos nomes falsos. Um desses clientes alemães — Zigmund Olleztaff — seria o próprio Adolf Hitler. O saldo dessa e de outras contas, tal como o conteúdo de muitos cofres particulares, nunca foram reclamados. O banco procedeu à sua assimilação ao fim de vinte e cinco anos. Essa operação, de legalidade duvidosa, foi feita muito discretamente e por etapas para não suscitar muitas perguntas do Banco de Portugal. Com os fundos depositados nessas contas e cofres, os Hallbrook subscreveram um aumento de capital do banco que era então essencial para sustentar o seu ritmo de crescimento. Essa operação foi já conduzida nos anos 60 por Bernard filho.

Miguel tem em seu poder, há algum tempo, um *dossier* completo sobre toda aquela história. Possui documentos altamente comprometedores. Cartas de Hallbrook encontradas nos arquivos do III Reich e cópias de cartas do seu tesoureiro para o banco, relativas a movimentos nas suas contas e remessas de ouro. De cartas de organizações judaicas, confirmando a identidade de muitos titulares de contas, como criminosos de guerra nazis. Tem também os relatórios do banco entregues no Ministério das Finanças e no Banco de Portugal sobre o aumento de capital. Guardou-o no seu cofre pessoal, na esperança de nunca ter de o utilizar.

Agora achou chegado o momento de lhe dar uso. Chamou Duarte Ramalho, o responsável da CMI, a empresa de comunicação, ao seu gabinete e, a sós, mostrou-lhe o *dossier* que estava dividido em três partes. A primeira parte com os documentos sobre as inclinações pró-nazi dos Hallbrook; na segunda, as provas de que o banco trabalhou com o III Reich; e na última, a mais demolidora, os documentos sobre a extinção das contas adormecidas a favor do banco e a precipitada «limpeza» dos cofres particulares não-reclamados.

Miguel descreveu-lhe sumariamente o *dossier* e deixou que Duarte Ramalho passasse os olhos rapidamente pelo seu conteúdo. Depois entregou-lhe uma cópia da primeira parte, dizendo:

— Com estes documentos, queria que fizesse duas coisas. Primeiro e mais urgente: fazer publicar um artigo sobre as tendências de extrema-direita dos Hallbrook e a sua simpatia pelo III Reich. Esse artigo terá de sair amanhã, no máximo depois de amanhã, de preferência numa revista semanal. Estamos a menos de quinze dias da sessão de Bolsa da OPA. No próprio dia em que o artigo sair, mande recado à outra parte, através do seu contacto, de que, se eles voltam a fazer ataques pessoais ao Prof. Júlio Andrade ou a qualquer outra pessoa deste banco, mandamos publicar a história toda. Eles sabem bem que, apesar de ter passado muito tempo, isso fará desencadear uma investigação a sério.

As empresas de comunicação e os jornalistas mantêm boas relações, mesmo quando representam lados opostos, como neste caso. Amanhã podem encontrar-se do mesmo lado da barricada. Um dos colaboradores de Duarte Ramalho, através de um amigo, tem um contacto na agência de comunicação do BIAP. Já uma vez usara esse contacto para mandar um recado.

O artigo saiu no dia seguinte. O seu impacto foi maior do que Miguel previra. Todos os diários e noticiários das televisões se referiram ao artigo. Ao terceiro dia veio a resposta ao recado: a outra parte aceitava o «cessar-fogo» e considerava o assunto encerrado. Miguel podia agora descansar, pois Andrade não voltaria a ser incomodado. No entanto, os eventuais estragos só podiam ser avaliados no dia da sessão especial de Bolsa.

* * *

Sentado na primeira classe do voo para Madrid, Bob Perry revia os documentos que o seu *staff* lhe prepara para explicar a oferta concorrente sobre o BNCE que o FATB iria em breve lançar. No essencial, o *dossier* era igual ao que entregaria ao Banco de Portugal e ao ministro das Finanças, apenas com alguns elementos adicionais que sabia serem do agrado de Manuel Cervera. Bob relia agora o *dossier* para que durante a conversa, não deixasse escapar nada. Não percebia a aversão do espanhol ao BNCE. Por que razão só queria o BIAP era coisa que estava para lá da capacidade de entendimento de Bob. Quando o avião começou a descer, fechou o dossier e olhou pela janela, saboreando o *champagne* e a vista aérea de Madrid, enquanto o aparelho fazia a aproximação à pista no Aeroporto Internacional de Barajas.

Tal como no anterior encontro, o *Jaguar* verde-escuro com motorista aguardavam-no à saída do Terminal 4 para o conduzir à mansão do banqueiro, nos arredores de Madrid. O sol estava ainda forte, naquele fim de tarde de Setembro, quando Bob chegou a casa de Cervera, onde este o esperava no jardim. Com a sua habitual simpatia abraçou Bob e encaminhou-o para o recanto do jardim onde uma pequena mesa com bebidas e quatro cadeirões estavam colocados debaixo das copas de dois enormes choupos.

Bob rapidamente introduziu o tema que o fizera cancelar todos os compromissos durante três dias para fazer esta viagem «secreta» a Madrid. Enquanto falava, Manuel ouvia com atenção e sem interromper. Do ponto de vista de concentração bancária, a sua oferta era melhor; também apresentava menos risco para o sistema bancário, pela solidez dos capitais próprios, e vista do lado da inovação e modernização do sistema bancário português, também a sua oferta era preferível à do BIAP. Francamente não via como podiam recusar-lhe a autorização. E uma vez autorizada, com o preço 15 por cento acima do oferecido pelo BIAP, bateria facilmente a oferta deste. Uma vez adquirido, o BNCE seria ainda melhor para Cervera do que o BIAP, pois tinha maior quota de mercado e maior potencial por explorar.

— É um bom banco, com potencial e uma capacidade de colocação de produtos que está longe de estar esgotada, ao contrário do BIAP que está já perto do seu limite. Nas suas mãos, Manuel, o BNCE pode ser líder da banca portuguesa em poucos anos e pode servir-lhe para colocar em Portugal os produtos do seu banco, com custos reduzidos. Eu mantenho a proposta anterior: trocamos no espaço de um ano o BNCE pelos vossos bancos e sucursais na América Latina. Como o BNCE tem pelo menos o dobro do valor, a sua contrapartida tem de ser também revista. Proponho pagamentos escalonados totalizando dois mil milhões de euros em tranches anuais de duzentos milhões. Paga-as com os lucros do BNCE. É uma oferta irrecusável. Se a aceitar, faremos apenas uma pequena adenda ao nosso acordo confidencial. Tenho um texto de dois parágrafos preparado pelos nossos juristas, que, rubricado por nós dois, é suficiente para introduzir esta alteração ao acordo.

Dizendo isto, tirou da pasta e passou ao espanhol uma folha A4 sem timbre que o outro leu lentamente. Depois retirou os óculos de meia-lua e iniciou a sua resposta que obviamente fora preparada antes de conhecer os pormenores da oferta.

— Bob, eu gostaria muito de assinar consigo esta adenda e de adquirir o controlo do BNCE. Estou de acordo que seria uma bela aquisição para o meu banco e me daria rapidamente uma entrada no clube dos grandes da Península Ibérica. Aprecio o seu esforço e os termos da sua proposta são, sem dúvida, razoáveis. Seria uma transacção muito mais interessante para mim do que aquela que originalmente negociámos. Mas, infelizmente, deste lado do oceano as coisas não se passam como no seu país.

Sentindo que Bob começava a ficar irritado, Manuel decidiu fazer uma interrupção:

— Mas começa a fazer-se tarde e deve estar cansado. Podemos continuar a conversa ao jantar. Estaremos sós, pois infelizmente a Maria Del Pilar está indisposta esta noite.

Bob Perry, contrariado, pois desejava responder de imediato aos argumentos do espanhol, teve no entanto de aceitar a sugestão do seu anfitrião.

Já sentados à mesa, Manuel retomou a sua argumentação:

— Se estivéssemos no seu país seria efectivamente assim e eu estaria agora sentado consigo não à mesa do jantar, mas à mesa de negociações para rever as contrapartidas.

E sem deixar Bob responder, Cervera continuou:

— E se digo isto é apenas para lhe demonstrar que o que está em causa não é o meu desejo, mas sim a exequibilidade do projecto. Aqui em Espanha, e em Portugal, não é possível concretizar «o sonho americano». Pelo contrário, o lema aqui é: *quem nasce para cinco nunca chega a dez*. Ora eu nem sequer para cinco nasci, muito menos para dez, como posso esperar que me deixem entrar no clube dos grandes, no «Big Boys Club», como vocês dizem? E repare que ainda não perdemos a cartada do BIAP. Não se esqueça que eu tenho gente lá dentro que me mantém informado. As coisas não estão assim tão bem para eles como parece visto de fora. Temos ainda trunfos para jogar. Deixe correr a oferta e no fim se verá.

Bob preparava-se já para responder, mas Manuel Cervera interrompeu-o com um comentário sobre o vinho e desviou-lhe a conversa para a decadência dos vinhos da Europa do Sul e a dinâmica comercial dos da Califórnia. Quando Bob finalmente se viu livre do tema, retomou a conversa anterior:

— Você pode ter razão nos aspectos culturais que não conheço bem. Mas julgo que também sei alguma coisa destas culturas latinas que têm uma origem comum. Não vejo como pode um país da União Europeia recusar uma oferta concorrente que é mais favorável para os accionistas e para o sistema bancário. A única hipótese de sermos derrotados será se os próprios accionistas se recusarem a vender-nos, o que acho absolutamente impensável. Depois de comprarmos o banco, acredite que nenhum governo do mundo nos impedirá de o vendermos a quem muito bem quisermos. Teremos de fazer uma venda no mercado, respeitando todas as normas, naturalmente. E não pense que lhe vedam o caminho. As coisas na Europa também estão a mudar depressa.

Porém, Manuel Cervera não lhe prestava agora muita atenção. Ouvia-o mas já não estava interessado em rebatê-lo. Apercebendo-se disso, Bob ficou ainda mais irritado. Continuou a sua argumentação, como se não percebesse o desinteresse do outro, tentando dissimular a sua crescente frustração com a forma como o encontro estava a decorrer. Terminado o jantar, vendo aproximar-se o fim da reunião resolveu jogar o seu último trunfo:

— Agora que controlo totalmente o meu *board* e que este me autorizou a operação, vou avançar com ela. Cabe-lhe a si dizer-me, e não precisa de ser hoje, se quer ou não fazer a adenda ao nosso acordo, tornando-o extensivo à troca do BNCE pelos activos na América do Sul que o FATB pretende. Caso não queira, rasga-se o acordo do ano passado e eu fico liberto das minhas obrigações, podendo negociar a venda do BNCE a outro banco espanhol ou de outro país. Estou certo de que haverá quem esteja interessado e tenha o que queremos para trocar.

Ficava a ameaça de fechar negócio com a concorrência. Cervera sabia que qualquer dos grandes bancos espanhóis estaria interessado. Mesmo que não entregassem ao americano, as redes bancárias na América Latina pagariam certamente um bom preço pelo BNCE. Se o negócio se fizesse com outro banco espanhol, na prática a sua porta de entrada no grupo dos grandes fechava-se para sempre. Apesar disso, Manuel Cervera não acusou o toque. Nem pestanejou. Respondeu-lhe simplesmente:

— Claro, claro.

Cervera acompanhou o americano até à porta do *Jaguar* que o esperava em frente à escadaria fronteiriça da casa. A despedida foi mais fria e formal do que as anteriores. Cervera ficou a ver o automóvel descer a alameda de gravilha, transpor o portão da casa e desaparecer na curva da estreita estrada que conduzia à auto-estrada. Virou-se então e encaminhou-se para casa, mas não subiu a escadaria. Em vez disso, abriu, com o comando, o portão da garagem e dirigiu-se ao homem sentado ao volante do *Ford Mondeo* que estava estacionado entre o seu *Jaguar* e o *BMW* de Maria Del Pilar:

— Ouviu tudo? — perguntou Cervera.

— Ouvi. Como vê, não lhe menti quando lhe disse que ele estava descontrolado — respondeu o homem.

Falava sem tirar os olhos de um pequeno mecanismo que tinha nas mãos: uma caixa preta que parecia de um brinquedo comandado à distância, com uma pequena antena, uma luz encarnada que piscava, dois botões, um amarelo, o outro encarnado, e dois mostradores digitais. Um deles era um cronómetro que marcava um minuto e quarenta segundos. O outro, um indicador de distância, marcava 654 metros. O homem não tirava os olhos dos indicadores, cujos números continuavam a avançar. Quando o da distância marcava exactamente 3500, exclamou:

— É agora!

E premiu o botão encarnado.

O ruído da explosão ouviu-se num raio de cinco quilómetros.

O *Jaguar*, rigorosamente igual ao de Cervera, que fora alugado com *chauffeur*, em nome do FATB a partir de Londres, deu um salto de cinco metros e partiu-se em dois. No local ermo da deflagração, cuidadosamente escolhido por forma a não atingir terceiros e a confundir os investigadores, ficou uma cratera de dois metros de diâmetro e um de fundo. Os explosivos, os detonadores e a técnica de construção da bomba foram os habitualmente usados pela ETA.

Paul Mallik arrumou o seu «brinquedo» na pasta, despediu-se de Manuel Cervera e partiu no *Ford Mondeo* de aluguer. No dia seguinte, tomaria o avião para Londres, ainda a tempo de ver os jornais madrilenos noticiar a morte de Bob Perry, vitimado por um ataque bombista atribuído à ETA. Os jornais diriam também que o banqueiro americano estava em Madrid em viagem de negócios, mas não se sabia exactamente com quem se encontrara ou o que fazia naquela estrada quase deserta, àquela hora da noite.

* * *

Naquela tarde de Outubro, o movimento na Avenida da Liberdade em frente ao edifício da Bolsa começou a intensificar-se, muito antes da hora marcada para a sessão especial da OPA. Logo depois do almoço, começaram a chegar os carros de exteriores das televisões. Depois, foi a vez dos jornalistas, dos comentadores e dos analistas. Por fim, os banqueiros, os corretores, os dirigentes da CMVM do Ministério e os outros convidados começaram a afluir ao edifício da Bolsa, provocando um longo desfile de *Mercedes*, *Audi* e *BMW* pela Avenida da Liberdade. Bernardo chegou poucos minutos antes das quatro, no velho *Bentley* de 1947 comprado pelo seu avô com o dinheiro ganho durante a Guerra. Cinzento com os guarda-lamas pretos, tem os estofos originais de pele já muito puídos e escurecidos pelo uso. Bernardo evita usá-lo em público, para não dar nas vistas, mas hoje não resistiu: é, afinal de contas, a cerimónia da sua coroação. Acompanha-o o seu secretário, Miguel Macedo. Apesar das insistências de Bernardo, Mafalda não quis acompanhá-lo nesta jornada de glória, alegando que não queria ofuscá-lo num dia tão importante para ele. O palco seria só dele. Saiu do banco de trás do automóvel, ágil, sorridente e transbordante de confiança.

Como uma estrela em noite de estreia, sorriu para as câmaras e fotógrafos e entrou rapidamente no edifício, deixando sem resposta algumas perguntas que lhe eram atiradas pelos jornalistas que o seguiam. Já no átrio, foi recebido pelo presidente da Bolsa. Bernardo manteve com ele uma curta conversa, de frente para as câmaras de televisão, com a mesma pose de tranquila autoconfiança. Sabia que todos tentavam adivinhar o resultado da OPA pela sua expressão facial e queria, por isso, transmitir o máximo de serenidade e segurança.

Bernardo entrou na sala da sessão que estava já repleta. No topo, um enorme ecrã exibia os logotipos da Bolsa, do oferente e da sociedade visada e o tema da sessão especial de Bolsa. Nele seriam mais tarde projectados os resultados da operação. As cadeiras estavam dispostas em filas, como numa plateia. Ao lado do ecrã havia um palanque virado para a assistência, no qual um funcionário da Bolsa explicaria a forma como decorreria a sessão. Bernardo ocupou o seu lugar na primeira fila. De um lado estavam já os restantes membros do conselho de administração do BIAP e, do outro, os lugares estavam reservados para os presidentes da Bolsa, da CMVM, da AdC, do Banco de Portugal, do Instituto de Seguros e o ministro das Finanças que tinha aceitado o convite para presidir à sessão. Na segunda fila, mesmo atrás de Bernardo, estavam José Maria Ribeiro e Miguel Macedo. Na sala podiam ver-se banqueiros, corretores, gestores de fundos e muitos políticos.

Às quatro e um quarto o director-executivo da Bolsa veio ao palanque pedir desculpa pelo atraso no início da sessão:

— Aguardamos apenas a chegada do senhor ministro que aceitou presidir a esta sessão. Um contratempo que ficará resolvido a todo o momento, está a atrasar o senhor ministro. Pedimos a vossa compreensão. Dentro de poucos minutos daremos início à sessão.

A verdade era, porém, outra. Ninguém sabia onde parava o ministro. O presidente da Bolsa já telefonara para todos os sítios possíveis e ninguém sabia dele. Cerca de um mês antes, encontraram-se numa cerimónia de posse e convidara-o para presidir àquela sessão. O ministro aceitou de imediato, mas a verdade é que nunca tencionou ir. Mais tarde invocaria uma reunião em Bruxelas ou na Assembleia da República ou outra qualquer e mandaria um secretário de Estado. No entanto, o presidente da Bolsa nunca mandou um convite escrito e o ministro nunca mais se lembrou daquela conversa.

Quando telefonaram para o Gabinete pela primeira vez, a secretária respondeu simplesmente que o ministro estava fora, numa reunião, até meio da tarde. Admitiu o presidente da Bolsa que viesse a caminho, mas, como não chegasse, mandou ligar de novo. A diligente secretária consultando então a agenda do ministro, verificou que esta indicava uma reunião da «Comissão de Acompanhamento» desde o meio-dia até às cinco da tarde. Ninguém no gabinete sabia daquela reunião, nem tão-pouco o local onde decorria, ou o que nela se acompanhava. Depois de muitas insistências do presidente da Bolsa, o chefe de gabinete, receoso, aceitou então ligar para o número secreto do ministro, um telemóvel que estava sempre ligado, mas só era utilizado pelo primeiro-ministro ou em caso de emergência.

Apanhou o ministro em cheio na sua reunião, que se realizava perto do edifício da Bolsa, no Hotel Ritz. Acompanhava ele então, com grande rigor, as curvas do corpo bronzeado da mulher de um colega do governo, deitada ao seu lado na cama do quarto no quinto andar. Não tinha a menor recordação da conversa em que se comprometera a presidir à sessão da OPA do BIAP. Apesar disso, não se desmanchou e manteve o teatro. Que estava a ver se concluía o assunto entre mãos, para ir ainda à sessão da Bolsa, mas estando tudo ainda um bocado atrasado, o melhor seria começarem sem ele. Se ainda tivesse tempo, passaria por lá. E rindo, regressou ao tema que o ocupava antes do telefonema.

Depois foi o tempo de arranjar um secretário de Estado disponível para a ocasião e de o enviar para a Avenida da Liberdade. Calhou a sorte ao do Orçamento, que apesar de nada ter que ver com a Bolsa era quem estava disponível e andava por perto. Chegou afogueado, passava já das quatro e meia.

Depois de uma incompreensível justificação da ausência do ministro, o director-executivo da Bolsa deu início à sessão com uma breve descrição do funcionamento do sistema.

As ordens tinham sido previamente carregadas no sistema de liquidação da Bolsa e seriam processadas por ordem cronológica de entrada nas instituições de crédito. O ecrã projectaria, no canto esquerdo, o número de ordens já processadas. Do lado direito apareceria, em cima, o número total acumulado de acções do BNCE adquiridas pelo BIAP e a percentagem de capital do BNCE adquirido. Na parte inferior do ecrã, o número de acções do BNCE que eram trocadas por acções do BIAP e a percentagem destas no capital do BNCE. Os cinco contadores estavam agora a zero.

O secretário de Estado correspondeu ao pedido de autorização para dar início à sessão com um breve aceno e o computador iniciou o processamento das ordens. Os contadores arrancaram como no conta--quilómetros de um automóvel que inicia uma viagem. Primeiro lentamente, depois mais depressa.

A assistência não tirava os olhos do ecrã. Todos queriam adivinhar onde pararia o contador das acções trocadas. Poucos duvidavam já do sucesso da OPA, mas só Bernardo sabia quantas acções seriam trocadas. O aumento de capital, lançado pelo BIAP para financiar a operação fora subscrito na última semana. Depois do fundo e do público tinham ficado 700 milhões de acções reservadas para entregar aos accionistas do BNCE que escolhessem a opção de troca. No entanto, tratava-se de um valor máximo que não seria, em princípio, atingido. Na realidade, Bernardo, segundo o último resumo das ordens de venda que lhe tinham enviado, não deveria ter de entregar mais de 680 milhões de acções. A diferença ficaria no banco para futura distribuição pelos quadros. Todos os dias, nas últimas semanas, acompanhara as ordens de venda que recebia de todos os bancos. De início, os consultores tinham calculado, com base em resultados de operações semelhantes, que 30 por cento dos accionistas aceitariam a troca. No entanto essa previsão cedo se mostrou errada. Segundo os últimos números, essa percentagem seria superior a 56 por cento, ou seja, quase o dobro do previsto. Ninguém sabia explicar aquele fenómeno. Uma das razões possíveis era certamente a contrapartida. Quem recebesse acções do BIAP (que estavam já a transaccionar-se à volta de 6,6 euros) receberia realmente uma contrapartida de 5,28 euros por acção, ou seja mais 78 cêntimos por acção do que os 4,5 euros da contrapartida em *cash*.

«Mas será que a razão é só essa?», interrogava-se Bernardo, inquieto. Apesar disso, com os 620 milhões de acções controladas pela família Hallbrook e aliados, incluindo as do fundo de *private equity*, estava seguro de manter o controlo do novo banco.

Os contadores avançavam tão depressa quanto a tarde de Outono. Bernardo fixava-se apenas na última percentagem, tão seguro que estava do êxito da oferta. Quando a percentagem de capital adquirido ultrapassou a marca de 50 por cento, a assistência explodiu num longo aplauso. Bernardo, com um sorriso contido, limitou-se a saudar discretamente os outros membros do seu conselho de administração e agradecer, com um aceno de cabeça, as felicitações do secretário de Estado sentado a seu lado.

Quando finalmente os contadores pararam a sua vertiginosa progressão, a percentagem total de acções que aceitavam a oferta era de 97,17 por cento e as trocadas representavam 55,08 por cento, ou seja 660 milhões de acções do BIAP. Com o fim da sessão anunciado pelo director-executivo da Bolsa, fez-se ouvir nova salva de palmas, desta vez menos espontânea. Bernardo levantou-se, preparado para dar início ao espectáculo. Todos queriam cumprimentar o vencedor. Mas Bernardo sabia bem que nem todos tinham estado do seu lado durante os meses que antecederam a concretização da operação. Depois da longa fila de cumprimentos, alguns demasiado efusivos para quem estivera do outro lado da barreira, foi a vez de os jornalistas quererem conversar informalmente com Bernardo Hallbrook Noronha. Apesar de repetir que daria no dia seguinte uma conferência de imprensa, Bernardo não se furtou a responder às perguntas dos jornalistas. Medindo cuidadosamente as suas palavras, ia falando de generalidades, mandando alguns recados, sobretudo para dentro do BNCE. Não haveria despedimentos nem reformas antecipadas. A história e cultura do BNCE seriam respeitadas e valorizadas. Não haveria encerramento de balcões. Aproveitou também para criticar a legislação que permitia o arrastamento daquelas operações. Reclamou do governo «uma alteração da legislação para tornar todo o processo das OPA mais ligeiro e muito mais célere, como é, por exemplo, nos EUA». Só conseguiu alcançar a porta do edifício às oito horas, noite cerrada.

A essa hora já Miguel Machado e Francisco Botelho tinham abandonado a sede do BNCE. Durante a tarde e o princípio da noite, acompanharam a emissão televisiva da sessão da Bolsa e a entrevista «informal» de Bernardo, transmitida em directo pela *SIC Notícias*. Depois, assinaram as suas cartas de demissão. Nessa manhã, também Marques de Albergaria enviara a sua carta de demissão ao presidente da mesa da assembleia geral. Fizera-o por *fax* e antes da sessão da Bolsa. No dia seguinte, pelas nove horas, quando as cartas de demissão de Miguel e Francisco fossem entregues ao presidente da mesa da assembleia geral, haveria na sala do Conselho do BNCE uma breve cerimónia para os três administradores demissionários se despedirem dos empregados. Depois, ficariam as *catatuas* para fazer a transição.

271

Epílogo
ALGUNS MESES MAIS TARDE

A limusina transportando os embaixadores percorria devagar as ruas de Washington, cobertas com um espesso manto branco, numa manhã gelada do final de Janeiro. Durante dois dias, a neve caíra sobre a capital ininterruptamente, deixando-a paralisada. Escolas e serviços públicos foram encerrados e durante muitas horas o trânsito esteve parado em várias auto-estradas da periferia. Só ao fim de três dias se retomava alguma normalidade. A embaixada estivera também encerrada e só agora reabria. As principais artérias, finalmente desimpedidas pelos limpa-neves, voltaram a encher-se de carros nas horas de ponta.

Chegara a encarar-se a possibilidade de adiar a entrega das credenciais, mas o chefe do protocolo do Departamento de Estado, muito habituado àquelas contingências, foi adiando a decisão até que, na véspera à tarde, parou de nevar e tornou-se claro que a cidade regressaria à vida no dia seguinte.

No portão sul da Casa Branca, o casal era esperado por um funcionário e o automóvel foi admitido quase de imediato, sujeito apenas a uma breve verificação. Eram então dez e quarenta. A cerimónia seria simples mas um pouco menos do que habitualmente. É que se tratava das primeiras cartas credenciais que a nova Presidente dos EUA recebia. Apesar de empossada há apenas quinze dias, tinha já várias *gaffes* no seu *curriculum*. Algumas na campanha, outras na própria cerimónia de juramento da Constituição. Fora eleita com uma confortável maioria, o que não a dispensava de cuidar da imagem desde o primeiro dia. É uma mulher descontraída e habituada a dizer o que pensa sobre as questões mas com pouca experiência em assuntos internacionais e trocava muitas vezes os nomes. Um desastre a falar de improviso. Durante a campanha, tudo lhe foi perdoado devido à sua enorme popularidade, em especial entre o eleitorado feminino, jovens e minorias étnicas. Mas agora tudo mudou. Nada lhe seria desculpado.

Ensaiou cuidadosamente aquela sua primeira cerimónia de credenciais. Nada foi deixado ao acaso. Dessa vez não haveria a habitual entrega de credenciais em série, seguida apenas de uma *photo-opportunity*, uma espécie de audiência colectiva na qual os diplomatas apenas tiram uma fotografia a dois com o presidente para enviar para os seus países.

Do jardim sul, os embaixadores entraram na Casa Branca pela Sala Diplomática. É por aquela sala, com porta para o jardim, que os visitantes estrangeiros geralmente entram. A sua forma é oval, e o mobiliário parco e clássico. Apenas alguns cadeirões e canapés, uma escrivaninha, um relógio de pé e umas mesas de encostar. Nas paredes estão representadas cenas de paisagens americanas. No tapete, os cinquenta Estados. Era aquela sala que Roosevelt gravava as suas mensagens na rádio durante a Segunda Guerra Mundial. Aí eram aguardados pelo chefe de protocolo e pelos elementos da embaixada que acompanhariam o embaixador na cerimónia. Pouco depois, o funcionário que os recebera no portão regressou, acompanhado de outro. O primeiro levou o embaixador, o chefe de protocolo e os restantes membros da comitiva para a sala do primeiro piso em que decorreria a entrega de credenciais, enquanto o outro conduzia a embaixatriz para o Green Room, a sala onde após a cerimónia haveria uma pequena recepção. Aí aguardaria com o marido da Presidente — o «primeiro cavalheiro» — a chegada dos participantes na entrega de credenciais.

O elemento do *staff* da Casa Branca que conduzia o embaixador e a sua comitiva abriu as portas duplas da sala e convidou os presentes a ocupar os seus lugares enquanto se colocava junto a outra porta do lado oposto da sala. O embaixador, com o seu *staff* ligeiramente atrás, ocupou a posição que previamente o protocolo lhe indicara. Pouco depois, o funcionário da Casa Branca anunciou:

— A Presidente dos Estados Unidos da América!

Esta entrou, seguida por uma comitiva de seis pessoas que atrás dela formaram uma fila. Durante a cerimónia manteve uma pose tensa e um sorriso formal. Depois da entrega das credenciais, apresentaram mutuamente as comitivas. Quando terminaram aquela etapa protocolar, a Presidente pareceu ligeiramente mais descontraída.

Conduziu então o embaixador para o Green Room, enquanto lhe dizia em voz baixa:

— Nós os dois somos aqui os únicos estreantes.

Depois, num tom amigável, apresentou o embaixador ao seu marido, cumprimentou a embaixatriz e fez conversa com grande naturalidade. Os fotógrafos tiraram várias fotografias do embaixador com a Presidente. A recepção durou meia hora. No fim, a Presidente fez questão de mostrar o *Oval Office* e o Jardim das Rosas aos embaixadores.

No dia seguinte, todos os jornais portugueses publicavam fotografias da Presidente dos EUA com o embaixador Duarte Vasconcellos e Susan Scott Vasconcellos, a americana que depois de restabelecida de um grave acidente de viação se tornara embaixatriz de Portugal.

Nessa tarde, Duarte, antes de deixar o seu gabinete para se arranjar para a recepção que oferecia na Residência, recebeu inúmeros telefonemas de parabéns, vindos de Lisboa, de Nova Iorque e de Washington. Chegaram também muitas cartas na *mala* desse dia. Sem tempo para as abrir, limitou-se a ler os remetentes deixando a sua leitura para o dia seguinte. Uma delas, porém, chamou-lhe a atenção. Vinha do Ministério, do Serviço de Administração. Abriu-a.

Meu Caro Duarte:

Tentei nos últimos dias telefonar-lhe para lhe dar pessoalmente um grande abraço de parabéns pela sua nomeação para Washington. Já quando da sua breve passagem por Lisboa tinha tentado falar-lhe, mas pouco tempo depois de saber da sua nomeação, logo me informaram ter já partido.

Fiquei muito satisfeito com a sua merecidíssima promoção a embaixador e colocação em tão importante posto como aquele que agora ocupa. Fez-se justiça, lamentavelmente tarde, ao mérito de um dos nossos mais distintos diplomatas. Tenho a certeza de que o meu caro amigo, no desempenho das suas funções, vai demonstrar mais uma vez ser possuidor de uma inteligência superior, excepcional competência e habilidade diplomática que têm sido a marca da sua brilhante carreira.

Depois da minha saída de Nova Iorque, fui colocado na repartição de pessoal, onde estou naturalmente ao seu dispor, se de alguma forma puder ser-lhe útil. Por aqui ficarei, até que algum chefe de missão se lembre de mim.

Foi com profunda alegria que recebi a notícia do seu casamento e do completo restabelecimento de sua mulher, que tive a honra de conhecer em Nova Iorque, e a quem peço que transmita as minhas homenagens, as mais sinceras felicitações e votos de felicidades.

Só em Lisboa fui informado do «mal-entendido» que um telegrama baseado numa informação dada por A. Figueiredo tinha gerado e dos prejuízos que essa informação tinha causado à sua carreira. Lamento sinceramente e asseguro-lhe que nada tive a ver com esse assunto. Aliás, vim a saber que esse senhor deixou atrás de si um rasto de patifarias na sua trajectória internacional, em boa hora terminada. Mas o que lá vai lá vai...

Peço-lhe que receba os sinceros votos de felicidade e de sucesso na sua vida pessoal e no seu importante posto, deste seu humilde admirador e amigo.

Carlos Martins

* * *

O trânsito caótico do fim de tarde de sexta-feira, em Lisboa, era agravado pela chuva forte e persistente que desde manhã caía sobre a capital. O engarrafamento era ainda pior na Rua Castilho, junto à Rua Joaquim António de Aguiar. O parque de estacionamento do hotel cedo se mostrou insuficiente e os carros espalhavam-se agora pela Rua Castilho abaixo, estacionados em segunda fila, estrangulando o trânsito naquela movimentada artéria da cidade. Nessa sexta-feira do final de Março realizava-se, no Salão Nobre do Hotel Ritz, a primeira assembleia geral do BIAP, após o aumento de capital.

Fora marcada para as cinco, contudo, meia hora depois, a sala continuava praticamente deserta. Em compensação, a fila junto ao bengaleiro e à mesa de acolhimento, onde os accionistas se registavam e recebiam a documentação e cartões de voto, era enorme. O presidente da mesa da assembleia geral pediu compreensão aos presentes e anunciou que a reunião só começaria pelas 17h45m.

Pouco antes das seis, com a sala ainda meia e muitos accionistas em torno da mesa da recepção, o presidente da mesa decidiu, mesmo assim, dar início aos trabalhos. Fê-lo, porém, sem anunciar logo a percentagem do capital representado. Começou por fazer conversa para ganhar tempo, recordando aos accionistas os acontecimentos dos últimos meses, o lançamento da oferta, a sua revisão e transformação em oferta de troca, o êxito da oferta e, por último, a assembleia geral do BNCE realizada poucos dias antes, na qual fora aprovada por unanimidade a proposta de fusão do BNCE com o BIAP. Falou sentado, ladeado pelo vice-presidente e pelo secretário da mesa. Ao lado, uma outra mesa, maior, destinava-se ao conselho de administração do BIAP. Nessa faltavam ainda duas pessoas: Bernardo Noronha e outro administrador, retidos no trânsito há mais de uma hora.

Com habilidade e bonomia, o presidente da mesa, um professor de Direito, com quase oitenta anos, amigo da família Hallbrook e seu advogado de sempre, enchia assim o vazio, como um vulgar *entertainer.* Falou do tempo, do trânsito, das polémicas obras naquela zona da cidade, da consolidação do sistema bancário na Europa e nos EUA, enfim, de tudo o que se foi lembrando para ganhar tempo. Era uma daquelas pessoas que podem falar durante horas a fio sobre qualquer assunto, ou mesmo sem tema. Naquele dia, aquela sua habilidade oratória vinha mesmo a calhar.

Quando finalmente Bernardo chegou, a sala estava já composta.

O presidente da mesa anunciou então que, segundo os últimos números de que dispunha, estaria representado cerca de 77 por cento do capital do banco, mas havia ainda accionistas a registar-se. Como o quórum era suficiente para os temas que seriam votados, introduziu então a ordem de trabalhos, composta apenas por dois pontos:

1. A fusão com o BNCE por incorporação deste no BIAP;

2. A eleição dos órgãos sociais do BIAP para o próximo quadriénio.

Coube a Bernardo Noronha fazer a apresentação do primeiro ponto. Levantou-se e caminhou devagar para o palanque. Sentia-se o senhor do mundo. Dirigiu-se aos accionistas no tom sereno e autoritário de quem estava absolutamente seguro de si e do rumo que estava a traçar para a instituição que liderava. Agradeceu aos antigos accionistas o apoio que sempre lhe deram e deu as boas-vindas aos novos. Tinham comprado acções no aumento de capital para financiar a OPA, ou trocado acções do BNCE por acções do BIAP, em ambos os casos um sinal de que acreditavam no futuro da nova instituição e na sua capacidade de crescimento. Depois falou do sucesso da OPA (do qual nunca duvidara) e do valor que agora criaria para os accionistas. Lembrou-os de que «são agora os donos de um dos maiores bancos portugueses e podem legitimamente esperar uma valorização importante do seu investimento, naquilo que se pode considerar a fundação de uma nova instituição».

Depois, reproduzindo no essencial os principais argumentos já usados no Prospecto e que tantas vezes repetira durante a OPA, abordou por alto os vários segmentos de mercado, explicitando as economias que a fusão proporcionaria: *funding* mais barato, menores custos administrativos devido a economias de escala, maior eficiência da rede na captação de recursos e no *cross selling*. Despedimentos, claro que não. Algumas (poucas) rescisões amigáveis ou reformas antecipadas, acompanhadas de incentivos adequados e em todo o caso só para quem quisesse. Encerramento de agências também não, excepto numa ou outra sobreposição. Também nas operações internacionais dos dois bancos, poucas seriam as mudanças a fazer. A exposição internacional do BNCE complementava bem a do BIAP que apostou noutros mercados. Poderia apenas vender-se uma ou outra operação no estrangeiro que não fosse essencial.

Na terceira fila, Júlio Andrade, Miguel Machado e José Maria Azeredo a tudo assistiam em silêncio. Não faziam qualquer comentário, limitavam-se a trocar olhares. Recordavam as conclusões do estudo encomendado a uma conhecida consultora americana — para que a fusão se tornasse rentável seria necessário: encerrar pelo menos 300 agências bancárias que estavam sobrepostas; despedir ou reformar 3000 empregados dos dois bancos, muitos nos escalões de direcção; vender ou fechar metade da rede internacional combinada dos dois bancos; reorganizar e encerrar muitos serviços e empresas subsidiárias que eram redundantes; vender pelo menos 80 imóveis, a maioria em Lisboa e no Porto. Tudo no espaço de um ano!

No fim da sua exposição, Bernardo reocupou o seu lugar, deixando que o presidente da mesa pusesse a proposta de fusão à votação dos accionistas. Seguiu-se o desfile destes até à urna colocada junto ao presidente da mesa, onde depositavam os boletins de voto que tinham recebido quando se registaram. A contagem dos votos demorou algum tempo, durante o qual os accionistas conversavam em pequenos grupos.

Bernardo respirou fundo ao ouvir o resultado da votação: 92 por cento de votos a favor, 3 por cento de votos contra e 5 por cento de abstenções.

A sua expressão era agora mais descontraída e mais altiva também.

De novo falou o presidente da mesa, agora apresentando a lista proposta para os órgãos sociais do BIAP. Depois de concretizada a fusão, não haveria nova assembleia geral, pelo que os órgãos sociais do novo banco ficavam desde já eleitos. Nessa lista, todos os membros dos actuais órgãos sociais eram reconduzidos. A única alteração seria o alargamento do conselho de administração de 5 para 7 elementos, com a entrada de dois novos administradores: *as catatuas!*

Algumas pessoas na assistência riram-se ao ouvir os nomes. Agora percebia-se a primeira versão da OPA. Bernardo lançara uma oferta parcial sobre um terço do capital do BNCE, pois estava combinado com as *catatuas* e contava com os 12 por cento do capital por estas representado para constituir a sua maioria de controlo do banco. Ficaria com 45 por cento enquanto o grupo de Azeredo e Miguel Machado passaria a dispor de apenas 40 por cento.

Na altura em que o presidente da mesa entregou a lista dos nomes ao secretário, preparando-se para a colocar à votação, levantou-se um accionista na última fila. Pediu a palavra. O presidente, visivelmente surpreendido, deu-lha:

— Senhor presidente, eu queria saber se essa é única lista até agora apresentada?

— É sim — respondeu o presidente.

— Nesse caso, gostaria de apresentar uma lista concorrente — voltou à carga o accionista.

Na sua cadeira, Bernardo ficou lívido. Perguntava aos administradores sentados a seu lado quem era o accionista, mas ninguém o conhecia. Escreveu rapidamente uma mensagem que mandou entregar ao presidente da mesa, enquanto este dissertava sobre o Código das Sociedades e a Lei Bancária, tentando ganhar tempo. Recebeu o papel de Bernardo que dizia apenas: «Peça-lhe que se identifique.»

O presidente interrompeu subitamente o seu discurso vazio:

— O senhor accionista importa-se de se identificar?

— Victor Paiva, senhor presidente.

Enquanto o presidente continuava a sua patética dissertação, Bernardo folheava apressadamente a lista de accionistas que tinha à sua frente. Encontrou Victor Paiva perto do fim e sossegou ao verificar que lhe correspondiam 5 milhões de acções, ou seja menos de 0,5 por cento dos votos da assembleia. Virando-se para trás, consultou Manuel Freire, que nunca ouvira falar daquele accionista.

Bernardo estava agora irritado consigo próprio. Nunca devia ter concordado com a ausência de José Maria Ribeiro daquela assembleia. Mas ele insistira tanto! Dissera que tinha marcado aquelas férias logo a seguir à OPA. E merecia-as. Tinha trabalhado todo o Verão, enquanto os outros foram de férias. José Maria chegou mesmo a lembrar-lhe o seu cruzeiro na Grécia... Bernardo sentiu-se com pouca autoridade para se opor. Tanto mais que tudo estava já resolvido e tratado, sendo aquela assembleia geral apenas um pró-forma. Deixava-lhe o seu número dois, Manuel Freire, um homem muito competente e experiente de quem Bernardo tinha óptima opinião. Encostara-o completamente à parede. Bernardo não tinha argumentos, e muito menos autoridade moral para recusar. Agora estava arrependido. Aparecia um imprevisto e ninguém sabia o que fazer. José Maria, esse, saberia.

De manhã esteve ainda no banco a ultimar documentos. Despedira-se de Bernardo pelo telefone interno e desejara-lhe boa sorte. Partia num voo ao fim da tarde para quinze dias nas Caraíbas.

Agora, contrariado, Bernardo não via como se poderia recusar uma lista concorrente. Mandou, por isso, um recado ao presidente para que acabasse com aquela cena e admitisse a lista do tal Paiva. «Quem quererá este idiota colocar na administração de um dos maiores bancos portugueses?», interrogava-se Bernardo.

O presidente, cumprindo as instruções, inflectiu o seu discurso:

— ... conclui-se, assim, que podem ainda ser apresentadas propostas. Peço ao senhor accionista Paiva que apresente a sua, para que se passe à votação das duas listas, isto no caso de nenhum outro accionista pretender apresentar uma terceira lista...

Paiva retirou da sua pasta uma folha de papel A4 e entregou-a a uma das assistentes que circulavam pela sala com microfones. Enquanto a assistência aguardava em silêncio que ela entregasse o papel ao presidente, Bernardo consultava apressadamente a lista que tinha à sua frente. Fazia mais uma vez o que tantas vezes fizera nas últimas semanas. Contava os votos dos dois blocos. Chegava sempre à mesma conclusão: a sua lista tinha os votos de 620 milhões de acções, enquanto o outro grupo disporia, no máximo, de apenas 600 milhões. Estava agora representado mais de 85 por cento do capital do banco. Logo, mais do que se esperava. Normalmente essa percentagem anda pelos 50 por cento, mas naquele caso já se sabia que seria muito superior. No entanto, Bernardo não esperava que fosse tão alta. Mesmo assim, pelas suas contas, feitas à pressa e sem José Maria (como lhe fazia falta naquele momento!), não via como poderia perder aquelas eleições. A menos que os accionistas que não faziam parte de nenhum dos blocos, os «não-alinhados», votassem todos na outra lista...

Era improvável. Bernardo, consultando os seus nomes não conseguia ter a menor ideia de quem eram, nem de como votariam. Tal como aquele Paiva que ninguém conhecia. José Maria certamente saberia. Caramba! Logo tinha de lhe faltar hoje!

Ao receber o papel, o presidente da mesa leu-o, primeiro em silêncio, e depois em voz alta:

— Vou proceder à leitura da lista apresentada pelo senhor accionista Paiva para a eleição dos órgãos sociais: Mesa da Assembleia Geral: Presidente, Prof. Doutor Manuel Rafata; Vice-Presidente, Dr. Joaquim Seguro; Secretário, Dr. Henrique Baptista. Conselho de Administração: Presidente, Prof. Doutor Júlio Andrade; Vice-Presidente, Dr. João Miguel Machado de Sousa; vogais, Drs. Francisco Botelho, Rui Soares e José Maria Kuper Ribeiro.

Seguia-se a indicação dos ROC que o Presidente leu a duzentos à hora e a assistência nem quis ouvir.

Bernardo ficou lívido. Não quis acreditar no que ouvia. Agora, porém, era tarde. O presidente já tinha declarado que a lista era admissível. José Maria ter-se passado para o campo inimigo era algo para si impensável! A traição do director de Relações com os Investidores era um rude golpe. Mas, pior, era ainda a humilhação de ser confrontado com isso em plena assembleia geral. José Maria pagaria muito caro por aquela graça...

Tentando recompor-se, Bernardo Noronha esforçava-se por disfarçar, o melhor que podia, a surpresa e o choque psicológico do golpe que acabava de receber. Estava mesmo assim convencido de que ganharia a eleição. E então daria ao traidor o tratamento adequado. Tentava concentrar-se no combate que enfrentava, mas não conseguia. O presidente falava, mas Bernardo não o ouvia. Só pensava em José Maria e na sede de vingança que o dominava completamente. A sua cabeça parecia que ia estoirar a todo o momento. Os accionistas começavam agora a desfilar um a um até à urna colocada na mesa do presidente, sinal de que começara a votação. Bernardo olhava fixamente um ponto distante na sala, mas o seu pensamento estava muito longe dali...

Só voltou à realidade quando vieram lembrar-lhe que estava chegado o momento de ele próprio depositar o seu voto na urna. Como um autómato, levantou-se, depositou na urna o seu cartão de voto e rubricou a lista de accionistas no espaço à frente do seu nome. Depois reocupou o seu lugar.

A mesa iniciou a demorada contagem dos votos enquanto alguns accionistas conversavam em pé ou saíam da sala para o piso inferior para tomar café ou para a rua fumar.

Também Victor Paiva aproveitou a suspensão dos trabalhos. Com excepção de Júlio Andrade, não conhecia ninguém. Com o seu filho Fernando tomou café no piso inferior. Apesar de obviamente deslocado naquele ambiente, estava radiante. Percebia perfeitamente que as pessoas o olhavam de soslaio. A começar pelo próprio presidente da mesa. Falou-lhe como se ele fosse ainda o marçano da mercearia do padrinho, dos anos 50. Os outros olhavam-no também com sobranceria.

Apesar disso Victor Paiva estava contente e descontraído. Que lhe importavam os outros? Aquela era a sua ascensão à primeira divisão, a superliga dos negócios. Por isso trouxera o filho. Seria ele o principal beneficiário daquela entrada no mundo da alta finança. Nando, porém, não estava tão entusiasmado como o pai. A sua mão, finalmente cicatrizada, ainda lhe doía e custava a mexer, apesar das muitas horas de fisioterapia. Contudo, não era essa a razão do seu enfado. É que odiava aquele tipo de reuniões com finórios todos apinocados. Não passavam de uns tesos que não tinham uma pequena parte do dinheiro do pai dele, mas davam-se ao luxo de o tratar com desdém, só porque eram finos e tinham uns cursos. Irritava-o que o pai gostasse tanto de se dar com aquela gente.

Victor Paiva, porém, encarava aquela sua associação como uma entrada no círculo restrito de negócios, onde interessava mais quem se conhecia do que o que se conhecia. Por isso aceitou de imediato a oferta. Por isso e por causa da mais-valia que conseguiu negociar. Quando, algumas semanas antes da OPA, recebeu uma chamada de José Maria Ribeiro, estava longe do que iria acontecer. Esteve tentado a não atender, pois nem sabia quem era. Foi só quando a secretária lhe disse que era director do BIAP que mandou passar a chamada. Mesmo sem perceber o que queria, aceitou encontrar-se com ele no sinistro bar de um hotel em Carcavelos. O homem tinha feito o trabalho de casa pois sabia a vida toda dele. Pelo menos no que respeitava às acções do BIAP.

A partir desse dia, fora tudo muito fácil. O primeiro encontro com Júlio Andrade fora organizado por José Maria Ribeiro. Depois disso, este não tornou a aparecer. Tudo fora negociado com Andrade. Um verdadeiro senhor. Muito correcto e educado, Júlio Andrade manifestara interesse em adquirir as acções do fundo asiático sobre as quais, sabia por José Maria Ribeiro, Victor Paiva tinha uma opção. Era uma questão de preço. Paiva logo se apercebeu da importância do negócio para o outro. Começou por pedir 10 euros, o preço que esperara originalmente receber. Mas Andrade, negociador experiente, mostrou-se desinteressado e deixou-o secar algum tempo. Depois, fechou o negócio numa hora. Paiva aceitou 8 euros por acção, o que lhe dava uma mais-valia de 2 euros, ou seja, encaixou 100 milhões de euros. Depois de pagar ao banco o empréstimo que tinha contraído para comprar os 5 milhões de acções, que não venderia, ainda ficou com sessenta milhões de euros. Sem dúvida, um dos seus melhores negócios de sempre. Agora, com os 5 milhões de acções, em seu nome e pagas com o «pêlo do cão», podia fazer-se ouvir nas assembleias gerais do banco.

Enquanto recordava os acontecimentos dos últimos meses, Victor Paiva lembrava-se de que tudo devia a Carla. Tão absorvido estava pelos seus pensamentos que não se apercebeu que ficara só com o empregado que servia os cafés, pois todos tinham regressado entretanto ao piso superior. Subiu apressadamente as escadas e encontrou o filho, que tinha saído para apanhar ar. Juntos retomaram os seus lugares na sala.

O presidente anunciava que iria ler os resultados da eleição. Tanto ele como os restantes elementos da mesa tinham o semblante carregado e ar preocupado. Na mesa do conselho de administração reinava a confusão. De pé e de costas para a sala, dois administradores falavam com Bernardo, debruçados sobre o que pareciam ser cartões de voto. Bernardo permanecia sentado, encoberto pelos dois administradores. O secretário da mesa andava num vaivém entre Bernardo e o presidente da mesa. Este, apesar das interrupções do secretário, continuava a falar mas não lia os resultados. Passou-se algum tempo neste impasse, até que o presidente disse:

— Concluída a contagem de votos, os resultados da eleição são os seguintes.

A sala suspendeu a respiração.

— A lista A, encabeçada pelo senhor Dr. Bernardo Noronha, obteve 624 662 votos. Lembro os senhores accionistas que cada 1000 acções conferem um voto — continuou o Presidente. — A lista B, encabeçada pelo senhor Professor Júlio Andrade, obteve...

Mas não teve tempo de terminar a frase. De novo o secretário o interrompeu, mostrando-lhe um papel proveniente da mesa do conselho de administração. Percebia-se que o caso era sério, pois Bernardo tinha agora uma expressão tensa e denotava nervosismo. Perante o olhar de Bernardo, capaz de o fulminar, o presidente pediu desculpa e saiu do palanque, para conferenciar com ele. Este mostrava-lhe dois papéis e gesticulava, apontando no sentido da assistência. Depois de alguns instantes, o Presidente regressou ao palanque e disse:

— Peço mais uma vez desculpa, mas vou ter de interromper o anúncio dos resultados por uns momentos. Parece ter havido um pequeno erro que teremos de esclarecer. Espero que não demore mais que uns minutos a resolver. Entretanto, peço ao senhor accionista Paiva o favor de se deslocar aqui à mesa.

Intrigado, Victor Paiva levantou-se e, com todos os olhos da sala virados para si, caminhou até ao estrado onde estavam colocados o palanque e as mesas.

Chegado à mesa, logo o presidente se lhe dirigiu, educado mas impaciente:

— Aparentemente há um erro no seu cartão de voto que temos de esclarecer. O senhor tem 5 milhões de acções segundo as listagens e os dados do seu registo na Assembleia. Confirma?

— Sim, confirmo — respondeu tranquilamente Victor Paiva.

— Então é o que pensávamos. O seu cartão de voto tem um erro. O algarismo cinco está repetido. É que votou com 55 000 votos e não com os 5000 que tem. O algarismo 5 só devia aparecer uma vez e aparece duas. Está a ver? Vamos fazer um auto de rectificação, assinado pela mesa e por si e tudo fica resolvido. Está de acordo? — concluiu o presidente, agora visivelmente aliviado.

— Lamento, mas não posso concordar — respondeu Paiva friamente.

— Como? Não percebe? Então o senhor não quer que se corrija o engano? Pretende usar votos que não tem? Não vê que isso é fundamento para impugnação da assembleia geral? — interrogou o presidente agora num tom menos cordato, quase ameaçador.

— Não autorizo que se corrija o meu cartão de voto, senhor presidente...

Mas nem teve tempo de acabar a frase, pois o outro logo o interrompeu:

— Então fica já a saber que eu vou invalidar o seu voto, o presidente da mesa é soberano e o senhor, se quiser, que impugne a Assembleia...

— Senhor presidente, não será necessário impugnar nada. Basta que me permita que lhe explique — insistiu Paiva, divertido por estar a controlar a situação.

— Faça favor — respondeu secamente o presidente.

— Eu tenho efectivamente «apenas» 5 milhões de acções — começou Victor Paiva, sublinhando o apenas. — Porém, represento outros accionistas dos quais tenho cartas-mandadeiras, todas devidamente registadas, que me conferem os direitos de voto de mais 50 milhões de acções. Se tiver o cuidado de consultar as vossas listagens, verificará que estas entidades são por mim representadas.

Dizendo isto, tirou do bolso interior do casaco fotocópias das cartas que entregou ao presidente. Este, colocando os seus óculos de meia-lua, mirou-as e revirou-as. Depois retirou-se e foi ter com Bernardo, deixando Paiva espetado no meio do estrado. O presidente e Bernardo começaram a procurar os originais das cartas, no enorme monte de cartas-mandadeiras que o secretário retirou de uma caixa. Agastado, Paiva deu meia-volta e retomou o seu lugar, contente por ter trazido cópias das cartas que lhe facilitaram a tarefa. Quando passou junto a Júlio Andrade, trocou com ele, pela primeira vez nessa tarde, um breve olhar. Para melhor aproveitarem o efeito surpresa, tinham combinado não se cumprimentar durante a assembleia.

Para não chamar a atenção, as acções compradas ao fundo asiático tinham sido distribuídas por uma dúzia de sociedades portuguesas, e em *offshore*, de modo a que nenhuma aparecesse com mais de 0,3 ou 0,4 por cento dos direitos de voto. A carta de notificação da venda pelo fundo asiático fora recebida por José Maria Ribeiro, que a guardara junto à primeira. A sua entrada para o conselho de administração do novo BIAP era uma promoção merecida e que aguardara de Bernardo durante muito tempo, mas que, José Maria já percebera, ele nunca lhe daria.

O presidente da mesa, ao fim daquilo que muitos na assistência consideraram um longo interregno nos trabalhos, veio, com muitos pedidos de desculpas à mistura, finalmente, concluir o seu anúncio:

— ... e como dizia há pouco, a lista B, encabeçada pelo senhor Professor Júlio Andrade, foi eleita com 655 654 votos.

* * *

José Maria só no dia seguinte recebeu a notícia da eleição. Passou o dia da assembleia geral entre aviões e aeroportos. Agora, descansava na varanda de madeira do *bungalow* do Four Season's de Anahita, o paraíso das Maurícias. Instalara-se no *resort* depois das duas horas da tarde, hora local, acompanhado por uma mulher alta, loira, de olhos verdes, elegante, bonita e sensual. O género de mulher que todos cobiçam. Logo que chegaram, deram um mergulho na praia, comeram no bar da piscina e depois chamaram a massagista do hotel que, ali mesmo na varanda, lhes fez uma massagem relaxante. Quando o telefone tocou, apreciavam o fim de tarde e uma bebida.

José Maria pousou o *gin* tónico e atendeu sem emoção a chamada de Lisboa. Recebeu a notícia da eleição sem surpresa nem excitação. Não fez perguntas. Limitou-se a agradecer e desligou. O telefonema não durou mais de vinte segundos. Depois continuou abraçado à loira, saboreando o pôr-do-sol que espalhava no céu tons de encarnado que só existem naquelas paragens. Sentia-se feliz e realizado. Conheciam-se há muito tempo, mas só recentemente reconheceram a atracção mútua. De início, José Maria apenas pretendera vingar-se. Depois, apaixonou-se. Mantiveram, durante dois anos, um caso clandestino. Agora, José Maria e Mafalda iam finalmente assumir a sua relação.

1. O Mundo de Sofia,
JOSTEIN GAARDER
2. Os Filhos do Graal,
PETER BERLING
3. Outrora Agora,
AUGUSTO ABELAIRA
4. O Riso de Deus,
ANTÓNIO ALÇADA BAPTISTA
5. O Xangô de Baker Street,
JÔ SOARES
6. Crónica Esquecida d'El Rei D. João II,
SEOMARA DA VEIGA FERREIRA
7. Prisão Maior,
GUILHERME PEREIRA
8. Vai Aonde Te Leva o Coração,
SUSANNA TAMARO
9. O Mistério do Jogo das Paciências,
JOSTEIN GAARDER
10. Os Nós e os Laços,
ANTÓNIO ALÇADA BAPTISTA
11. Não É o Fim do Mundo,
ANA NOBRE DE GUSMÃO
12. O Perfume,
PATRICK SÜSKIND
13. Um Amor Feliz,
DAVID MOURÃO-FERREIRA
14. A Desordem do Teu Nome,
JUAN JOSÉ MILLÁS
15. Com a Cabeça nas Nuvens,
SUSANNA TAMARO
16. Os Cem Sentidos Secretos,
AMY TAN
17. A História Interminável,
MICHAEL ENDE
18. A Pele do Tambor,
ARTURO PÉREZ-REVERTE
19. Concerto no Fim da Viagem,
ERIK FOSNES HANSEN
20. Persuasão,
JANE AUSTEN
21. Neandertal,
JOHN DARNTON
22. Cidadela,
ANTOINE DE SAINT-EXUPÉRY
23. Gaivotas em Terra,
DAVID MOURÃO-FERREIRA
24. A Voz de Lila,
CHIMO
25. A Alma do Mundo,
SUSANNA TAMARO
26. Higiene do Assassino,
AMÉLIE NOTHOMB
27. Enseada Amena,
AUGUSTO ABELAIRA
28. Mr. Vertigo,
PAUL AUSTER
29. A República dos Sonhos,
NÉLIDA PIÑON
30. Os Pioneiros,
LUÍSA BELTRÃO
31. O Enigma e o Espelho,
JOSTEIN GAARDER
32. Benjamim,
CHICO BUARQUE
33. Os Impetuosos,
LUÍSA BELTRÃO
34. Os Bem-Aventurados,
LUÍSA BELTRÃO
35. Os Mal-Amados,
LUÍSA BELTRÃO
36. Território Comanche,
ARTURO PÉREZ-REVERTE
37. O Grande Gatsby,
F. SCOTT FITZGERALD
38. A Música do Acaso,
PAUL AUSTER
39. Para Uma Voz Só,
SUSANNA TAMARO
40. A Homenagem a Vénus,
AMADEU LOPES SABINO
41. Malena É Um Nome de Tango,
ALMUDENA GRANDES
42. As Cinzas de Angela,
FRANK McCOURT
43. O Sangue dos Reis,
PETER BERLING
44. Peças em Fuga,
ANNE MICHAELS
45. Crónicas de Um Portuense Arrependido,
ALBANO ESTRELA
46. Leviathan,
PAUL AUSTER
47. A Filha do Canibal,
ROSA MONTERO
48. A Pesca à Linha – Algumas Memórias,
ANTÓNIO ALÇADA BAPTISTA
49. O Fogo Interior,
CARLOS CASTANEDA
50. Pedro e Paula,
HELDER MACEDO
51. Dia da Independência,
RICHARD FORD
52. A Memória das Pedras,
CAROL SHIELDS
53. Querida Mathilda,
SUSANNA TAMARO
54. Palácio da Lua,
PAUL AUSTER
55. A Tragédia do Titanic,
WALTER LORD
56. A Carta de Amor,
CATHLEEN SCHINE
57. Profundo como o Mar,
JACQUELYN MITCHARD
58. O Diário de Bridget Jones,
HELEN FIELDING
59. As Filhas de Hanna,
MARIANNE FREDRIKSSON
60. Leonor Teles ou o Canto da Salamandra,
SEOMARA DA VEIGA FERREIRA
61. Uma Longa História,
GÜNTER GRASS
62. Educação para a Tristeza,
LUÍSA COSTA GOMES
63. Histórias do Paranormal – Volume I,
Direcção de RIC ALEXANDER
64. Sete Mulheres,
ALMUDENA GRANDES
65. O Anatomista,
FEDERICO ANDAHAZI
66. A Vida É Breve,
JOSTEIN GAARDER
67. Memórias de Uma Gueixa,
ARTHUR GOLDEN
68. As Contadoras de Histórias,
FERNANDA BOTELHO
69. O Diário da Nossa Paixão,
NICHOLAS SPARKS
70. Histórias do Paranormal – Volume II,
Direcção de RIC ALEXANDER
71. Peregrinação Interior – Volume I,
ANTÓNIO ALÇADA BAPTISTA
72. O Jogo de Morte,
PAOLO MAURENSIG
73. Amantes e Inimigos,
ROSA MONTERO
74. As Palavras Que Nunca Te Direi,
NICHOLAS SPARKS
75. Alexandre, o Grande – O Filho do Sonho,
VALERIO MASSIMO MANFREDI
76. Peregrinação Interior – Volume II,
ANTÓNIO ALÇADA BAPTISTA
77. Este É o Teu Reino,
ABILIO ESTÉVEZ
78. O Homem Que Matou Getúlio Vargas,
JÔ SOARES
79. As Piedosas,
FEDERICO ANDAHAZI
80. A Evolução de Jane,
CATHLEEN SCHINE
81. Alexandre, O Grande – O Segredo do Oráculo,
VALERIO MASSIMO MANFREDI
82. Um Mês com Montalbano,
ANDREA CAMILLERI
83. O Tecido do Outono,
ANTÓNIO ALÇADA BAPTISTA
84. O Violinista,
PAOLO MAURENSIG
85. As Visões de Simão,
MARIANNE FREDRIKSSON
86. As Desventuras de Margaret,
CATHLEEN SCHINE
87. Terra de Lobos,
NICHOLAS EVANS
88. Manual de Caça e Pesca para Raparigas,
MELISSA BANK
89. Alexandre, o Grande – No Fim do Mundo,
VALERIO MASSIMO MANFREDI
90. Atlas de Geografia Humana,
ALMUDENA GRANDES
91. Um Momento Inesquecível,
NICHOLAS SPARKS
92. O Último Dia,
GLENN KLEIER
93. O Círculo Mágico,
KATHERINE NEVILLE
94. Receitas de Amor para Mulheres Tristes,
HÉCTOR ABAD FACIOLINCE
95. Todos Vulneráveis,
LUÍSA BELTRÃO
96. A Concessão do Telefone,
ANDREA CAMILLERI
97. Doce Companhia,
LAURA RESTREPO
98. A Namorada dos Meus Sonhos,
MIKE GAYLE
99. A Mais Amada,
JACQUELYN MITCHARD
100. Ricos, Famosos e Beneméritos,
HELEN FIELDING
101. As Bailarinas Mortas,
ANTONIO SOLER
102. Paixões,
ROSA MONTERO
103. As Casas da Celeste,
THERESA SCHEDEL
104. A Cidadela Branca,
ORHAN PAMUK
105. Esta É a Minha Terra,
FRANK McCOURT
106. Simplesmente Divina,
WENDY HOLDEN
107. Uma Proposta de Casamento,
MIKE GAYLE
108. O Novo Diário de Bridget Jones,
HELEN FIELDING
109. Crazy – A História de Um Jovem,
BENJAMIN LEBERT
110. Finalmente Juntos,
JOSIE LLOYD e EMLYN REES
111. Os Pássaros da Morte,
MO HAYDER
112. A Papisa Joana,
DONNA WOOLFOLK CROSS
113. O Aloendro Branco,
JANET FITCH
114. O Terceiro Servo,
JOEL NETO
115. O Tempo nas Palavras,
ANTÓNIO ALÇADA BAPTISTA
116. Vícios e Virtudes,
HELDER MACEDO
117. Uma História de Família,
SOFIA MARRECAS FERREIRA
118. Almas à Deriva,
RICHARD MASON
119. Corações em Silêncio,
NICHOLAS SPARKS
120. O Casamento de Amanda,
JENNY COLGAN
121. Enquanto Estiveres Aí,
MARC LEVY
122. Um Olhar Mil Abismos,
MARIA TERESA LOUREIRO
123. A Marca do Anjo,
NANCY HUSTON
124. O Quarto do Pólen,
ZOË JENNY
125. Responde-me,
SUSANNA TAMARO
126. O Convidado de Alberta,
BIRGIT VANDERBEKE